Robert Harrison

Gärten

*Ein Versuch über
das Wesen der Menschen*

Aus dem Amerikanischen
von Martin Pfeiffer

Carl Hanser Verlag

Titel der amerikanischen Originalausgabe, nach der übersetzt wurde:
Gardens. An Essay on the Human Condition
The University of Chicago Press
Chicago and London 2008

Französische Ausgabe:
Jardins. Essai sur la condition humaine
Éditions Le Pommier
Paris 2007

1 2 3 4 5   14 13 12 11 10

ISBN: 978-3-446-23296-9
Satz: Fotosatz Reinhard Amann, Aichstetten
Druck und Bindung: CPI – Ebner & Spiegel, Ulm
Printed in Germany

Für Eva und ihre Töchter

Inhalt

Vorwort

Die Menschen sind nicht dazu geschaffen, allzu unverwandt auf das Medusenhaupt der Geschichte, auf ihr Wüten, ihren Tod und ihr endloses Leiden zu blicken. Das ist kein Mangel unsererseits; im Gegenteil, auf unserer Abneigung dagegen, uns von den Realitäten der Geschichte versteinern zu lassen, baut ein großer Teil der Dinge auf, die das menschliche Leben erträglich machen: unsere religiösen Antriebe, unsere poetische und utopische Phantasie, unsere moralischen Ideale, unsere metaphysischen Projektionen, unser Geschichtenerzählen, unsere ästhetischen Verwandlungen des Wirklichen, unsere Leidenschaft für Spiele, unsere Freude an der Natur. Albert Camus hat einmal gesagt: »Das Elend hinderte mich zu glauben, dass alles unter der Sonne und in der Geschichte gut sei; die Sonne lehrte mich, dass die Geschichte nicht alles ist« (Camus, *Literarische Essays*, S. 10) – und dem könnten wir hinzufügen, dass wir, wenn je die Geschichte alles werden sollte, samt und sonders in Wahnsinn verfallen würden.

Für Camus war es die Sonne, aber in der abendländischen Kultur war es meist der Garten, sei es der reale oder der imaginäre, welcher Zuflucht vor der Hektik und dem Tumult der Geschichte gewährt hat. Wie die Leser dieses Buches herausfinden werden, können solche Gärten in so weiter Ferne liegen wie Gilgameschs Garten der Götter oder die griechischen Inseln der Seligen oder Dantes Garten Eden auf dem Gipfel des

Läuterungsberges; oder sie können sich in den Randzonen der irdischen Stadt befinden wie die Akademie Platons oder die Gartenschule Epikurs oder die Villen von Boccaccios *Dekameron*; sie können sich sogar mitten in der Stadt auftun wie der Jardin du Luxembourg in Paris oder die Villa Borghese in Rom oder die Obdachlosengärten in New York. Doch auf die eine oder andere Weise stehen Gärten schon allein von ihrem Begriff und von ihrem durch Menschen geschaffenen Ambiente her als eine Art Zufluchtsort, wenn nicht gar als eine Art Himmel da.

Allerdings beziehen menschliche Gärten, sosehr ihre Welt in sich abgeschlossen sein mag, regelmäßig Stellung in der Geschichte, und sei es auch nur als Gegenkraft gegen deren verderbliche Tendenzen. Wenn Voltaire seinen *Candide* mit der berühmten Erklärung »Il faut cultiver notre jardin« beschließt, dann muss man den betreffenden Garten vor dem Hintergrund der Kriege, der Pest und der Naturkatastrophen sehen, die der Roman schildert. Die Betonung des Kultivierens ist wesentlich. Eben *weil* wir in die Geschichte geworfen sind, müssen wir unseren Garten bestellen. In einem unsterblichen Eden bedarf es keines Kultivierens, denn dort ist alles von vornherein spontan gegeben. Unsere menschlichen Gärten mögen uns wie kleine Gucklöcher erscheinen, die inmitten der gefallenen Welt einen Blick auf das Paradies gewähren, aber die Tatsache, dass wir sie schaffen und bewahren, dass wir für sie sorgen müssen, ist das Kennzeichen ihrer Herkunft aus dem Zustand nach dem Sündenfall. Ohne Gärten wäre die Geschichte eine Wüste. Ein von der Geschichte losgelöster Garten wäre überflüssig.

Die Gärten, die dieses unser sterbliches Eden geschmückt haben, sind der beste Beweis dafür, dass die Menschheit nicht ohne Grund auf der Erde ist. Dort, wo die Geschichte ihre zerstörerischen und vernichtenden Kräfte entfesselt, müssen wir, wenn wir uns unsere geistige Gesundheit bewahren wollen, von unserer Menschlichkeit ganz zu schweigen, gegen sie und ihnen zum Trotz arbeiten. Wir müssen heilende und erlösende Kräfte ausfindig machen und es ihnen gestatten, in uns zu wachsen. Das ist gemeint, wenn es heißt, wir müssten unseren Garten bestellen. Das Possessivpronomen, das Voltaire verwendet – *notre* –, verweist auf die Welt, die wir miteinander teilen. Dies ist die Welt der Pluralität, die durch die Macht des menschlichen Handelns Gestalten annimmt. *Notre jardin* ist nie ein Garten bloß privater Interessen, in den man aus der Wirklichkeit entflieht; er ist das Stück Land auf der Erde, im Ich oder im sozialen Kollektiv, auf dem die kulturellen, ethischen und bürgerlichen Tugenden kultiviert werden, welche die Wirklichkeit vor ihren eigenen schlimmsten Antrieben bewahren. Diese Tugenden sind immer *unsere*.

Der Leser, der in diesem Buch umherwandert, wird durch viele verschiedene Arten von Gärten kommen – durch reale, mythische, historische und literarische –, aber alle Gärten, die wir hier betrachten, sind in höherem oder geringerem Maße ein Teil der Geschichte von *notre jardin*. Wenn die Geschichte letztlich aus dem schreckenerregenden, fortlaufenden und endlosen Konflikt zwischen den Kräften des Zerstörens und den Kräften des Kultivierens besteht, dann bringt sich dieses Buch auf seiten der letzteren ein. Damit möchte es an dem Beruf der Sorge teilhaben, die den Gärtner auszeichnet.

1

Der Beruf der Sorge

Schon seit Jahrtausenden und in sämtlichen Weltkulturen haben sich unsere Vorfahren menschliches Glück in seinem vollendeten Zustand als eine Gartenexistenz vorgestellt. Ob die ersten irdischen Paradiese der kulturellen Phantasie ihre Inspiration aus wirklichen, von Menschen gepflegten Gärten bezogen oder ob sie vielmehr zumindest zum Teil die Kunst des Gartenbaus in ihren frühesten ästhetischen Ausschmückungen inspirierten, lässt sich nicht feststellen. Gewiss gab es kein empirisches Vorbild für den mineralischen »Garten der Götter«, der im *Gilgamesch-Epos* mit folgenden Worten beschrieben wird: »Auf die glitzernden, bunten Bäume der Götter ging Gilgamesch geradewegs zu, als er sie sah. Ein Karneol-Baum trägt da seine Frucht, er hängt voller Trauben, gar lieblich anzusehen. Ein Lapislazuli-Baum trägt Blätter da, Frucht trägt er, dass eine Lust es ist, ihn zu betrachten. Der Zeder Stamm ist ganz aus Tigerauge. [...] Aus Meereskoralle sind ihre Nadeln, ihre Zapfen sind aus rötlichem Streifenachat, anstelle von Dornen und Disteln wachsen darunter Kristalle« (*Gilgamesch-Epos*, S. 123f.). In diesem ältesten literarischen Werk, das auf uns gekommen ist, gibt es nicht nur einen phantastischen Garten, sondern *zwei*. Dilmun oder »der Garten der Sonne« liegt jenseits der großen Berge und Wasserflächen, welche die Welt der Sterblichen umgeben. Hier genießt Utnapischtim die Früchte seiner außerordentlichen Existenz. Ihm allein unter den Menschen haben die Götter ewiges Leben geschenkt und damit verbunden Ruhe, Frieden und Einklang mit der Natur. Gilgamesch gelingt es, nach einer anstrengenden und gefahrvollen Reise diesen Garten zu erreichen, nur um dazu gezwungen zu werden, zu den Tragödien und Sorgen von Uruk, seiner irdischen Stadt, zurückzukehren, denn die Unsterblichkeit wird ihm verwehrt.

Genauer gesagt, ihm wird unsterbliches *Leben* verwehrt. Denn die Unsterblichkeit tritt in verschiedenen Formen auf – Ruhm, Gründungsakte, die bleibenden Denkmäler der Kunst und der Schrift –, während nicht endendes Leben das sagenhafte Privileg nur weniger Auserwählter ist. Bei den Griechen wurde dem Menelaos diese besondere Befreiung vom Tod gewährt, und er wurde unmittelbar in die Gärten von Elysium am fernen Ende der Erde versetzt:

> [...] dort wandeln die Menschen
> Leicht durch das Leben. Nicht Regen, nicht Schnee, nicht
>   Winter von Dauer –
> Zephyros lässt allzeit seine hellen Winde dort wehen,
> Die ihm Okeanos schickt zur Erfrischung der Menschen.
>   Den Göttern
> Bist du [Menelaos] ja Helenas Mann und Zeus ist dein
>   Schwäher geworden.
>   (Homer, *Odyssee*, 4,565–69)

Abgesehen von all ihrer unvergleichlichen Schönheit war dies anscheinend der entscheidende Punkt bei dem großen Geschrei um Helena: Wer immer sie besaß, dem waren die Inseln der Seligen bestimmt und nicht die Düsternis des Hades. Männer sind schon aus weniger überzeugenden Gründen in den Krieg gezogen.

Im Vergleich zu der geisterhaften Verfassung der Schatten

im Hades ist eine vollkörperliche Existenz in Elysium allerdings beneidenswert, und sei es nur deshalb, weil sich Menschen ein Glück außerhalb des Körpers nur sehr schwer vorstellen und unmöglich wünschen können. (Man kann sich nach einer *Befreiung* vom Leib sehnen, und dies kann man inbrünstig tun, aber das ist eine andere Geschichte.) Selbst die seligen Seelen in Dantes Paradies erwarten mit zusätzlicher Freude die Auferstehung ihres Fleisches am Ende der Zeit. Ihre Seligkeit ist nämlich unvollkommen, bis sie in der Zeit wiedererlangen, was die Zeit ihnen geraubt hat: den Körperstoff, mit dem ihre persönliche Identität und ihre Erscheinung verknüpft waren. Bis zur Wiederherstellung ihrer Leiber am Ende der Zeit können die Seligen in Dantes Himmel einander nicht richtig *erkennen*, wonach sie sich im Hinblick auf diejenigen sehnen, welche sie lieben (in *Paradiso* 14,61–66, schreibt Dante von zwei Gruppen von Heiligen, denen er begegnet: »Es schienen mir so schnell und so behende / Die beiden Chöre Amen einzustimmen, / Dass sie die Sehnsucht nach dem Leibe zeigten; / Vielleicht nicht nur für sich, auch für die Mütter, / Die Väter und für all die andern, welche / Sie liebten, eh sie ewige Flammen wurden«). In dieser Hinsicht sind wir alle auf der Erde, insofern wir uns in unserem Körper befinden, gesegneter als die Heiligen in Dantes Himmel. Anders verhält es sich mit Gestalten wie Menelaos und Utnapischtim sowie mit Adam und Eva vor dem Sündenfall. Die phantastischen Gartenwelten des Mythos sind Orte, an denen die Auserwählten die Gabe ihres Leibes besitzen können, ohne den Preis für die Leidenschaften des Leibes zu bezahlen, wo sie die Früchte der Erde genießen können, ohne von Tod und Krankheit berührt zu werden, welche alles Irdische angreifen, wo sie das Sonnenlicht in sich einsaugen können, das ihre Kollegen im Hades so sehr vermissen, ohne von dessen Übermaß und Intensität versengt zu werden. Außerordentlich lange war diese endlose Verlängerung des körperlichen Lebens in einer gartenähnlichen Umgebung, geschützt vor der Drangsal von Schmerzen und Sterblichkeit, das höchste Bild des guten Lebens.

Oder etwa doch nicht? Gewiss hat es Menelaos nicht eilig, zu seinen Inseln im Strom davonzusegeln. Telemachos trifft ihn immer noch als Herrscher über sein Reich, als Menschen unter Menschen an. Ohne Zweifel würde sich Menelaos eher für Elysium als für den Hades entscheiden – das täte jeder von uns –, aber würde er zugunsten dieser Gartenexistenz ohne weiteres vorzeitig auf sein Weltleben verzichten? Anscheinend nicht. Warum? Weil irdische Paradiese wie Dilmun und Elysium Unbeschwertheit und beständigen Frühling auf Kosten einer absoluten Isolierung von der Welt der Sterblichen bieten – einer Isolierung von den Freunden, der Familie, der Stadt und der laufenden Geschichte menschlichen Handelns und Trachtens. Eine Verbannung sowohl aus der privaten als auch aus der öffentlichen Sphäre menschlicher Interaktion ist ein betrüblicher Zustand, besonders für ein Volk, das die *polis* so sehr liebt wie die Griechen. Sie beraubt einen sowohl der Sorgen als auch der Tröstungen des sterblichen Lebens, an denen die meisten von uns mehr hängen, als wir je vermuten mögen. Um ein Leben in derart isolierten Gärten fortzusetzen, müssen Menschen entweder ihre Natur aufgeben wie Utnapischtim, der nach so vielen Jahrhunderten ohne andere menschliche Gefährtenschaft als die seiner Gattin nicht mehr in vollem Sinne Mensch ist, oder aber der Melancholie erliegen, welche die Bewohner von Dantes elyseischen Feldern im Limbo plagt, wo, wie Vergil dem Pilger erklärt, *sanza speme vivemo in disio*, wo »wir in Begehren ohne Hoffnung leben« (*Inferno* 4,42). »Es sei Leben oder Tod, wir ersehnen nur die Wirklichkeit«, sagt Thoreau in *Walden* (S. 122). Wenn Menelaos dieses Verlangen nach Wirklichkeit mit nach Elysium nahm, dann ist sein ewiges Leben dort in der Tat ein zweifelhafter Segen.

Warum aber stellen wir Menelaos hypothetische Fragen, da wir doch Odysseus direkt befragen können? Die Insel Kalypsos, auf der Odysseus mehrere Jahre lang von der Welt abgeschnitten war, ist in jeder Hinsicht eine Art Insel der Seligen in den ausgedehnten Weiten des Ozeans: ein prächtiges grünes Ambiente mit Quellen, Weinstöcken, Veilchen und Vögeln. Diese Szenerie, die für zahlreiche nachfolgende idyllische Szenen solcher Art in der abendländischen Literatur prototypisch ist, beschreibt Homer folgendermaßen:

> […] Ihr Sang klang schön in der Tiefe des Raumes.
> Hin und her am Webstuhl ging sie, mit goldenem
> Schiffchen
> Wob sie. Rund um die Grotte hin wuchs ein sprießendes
> Waldstück,
> Erlen und Pappeln. Zypressen verbreiteten köstliche Düfte.
> Vögel mit langen Schwingen erbauten sich dort ihre
> Nester.
> Eule und Habicht; Krähen des Meeres mit länglichen
> Zungen;
> Überall sind sie dabei, was immer geschieht auf der
> Salzflut.
> Strotzend von Trauben umrankte dort die geräumige
> Grotte
> Jung und veredelt der Weinstock. Schließlich flossen auch
> Quellen,
> Vier an der Zahl, mit blinkendem Wasser daneben; sie
> kamen
> Nahe beisammen heraus, doch jede in anderer Richtung.
> Rundum blühten die Wiesen in Polstern von Eppich und
> Veilchen.
> Selbst ein Unsterblicher, käm er gegangen und könnte es
> sehen,

Staunend müsste er schauen und Wonne erfüllte sein
Innres.
(Homer, *Odyssee* 5,61–74)

Dies ist der verwunschene Ort, an den Kalypso Odysseus ein-
lädt und den er auf Dauer mit ihr teilen soll, wobei das Angebot
der Unsterblichkeit mit inbegriffen ist. Doch wir kennen die
Geschichte: Odysseus zeigt ihrem Angebot die kalte Schulter
und verbringt all seine Tage am öden Ufer, dem irdischen Paradies den Rücken gekehrt, schmollend, weinend, voller Sehnsucht nach Heimkehr in das rauhe und zerklüftete Ithaka und
zu seiner alternden Gattin. Nichts kann ihn mit seiner Verbannung aus »dem Land seiner Väter« mit seinen Mühen und
Verantwortlichkeiten aussöhnen. Kalypso ist nicht in der Lage,
das Verlangen in seiner Brust zu stillen, das darauf gerichtet
ist, die Koordinaten seiner menschlichen Identität wieder in
Besitz zu nehmen, deren er auf ihrer Garteninsel beraubt ist.
Selbst die Gewissheit, dass ihn nach einigen Jahrzehnten des
Lebens auf Ithaka der Tod erwartet, kann ihn nicht dazu über-
reden, auf seinen Wunsch zu verzichten, auf jene ganz andere,
viel nüchternere Insel zurückzukehren.

Das, wonach sich Odysseus auf der Insel Kalypsos sehnt –
was ihn dort in einem Zustand der Verbannung hält –, ist ein
Leben der Sorge. Genauer gesagt, er sehnt sich nach der Welt,
in der die menschliche Sorge ihre Erfüllung findet; in seinem
Fall ist das die Welt der Familie, der Heimat und der Genea-
logie. Die Sorge, die an die Weltlichkeit gebunden ist, weiß in
einem weltlosen Garten mitten im Ozean nichts mit sich anzu-
fangen. Der entfremdete Kern der Sorge in seinem menschlichen Herzen ist es, der Odysseus jeden Morgen ans Ufer
ziehen lässt und der macht, dass er in der unwirklichen Umgebung von Kalypsos Insel fehl am Platze ist. »Wüsstest du
nämlich mit klarem Verstand, was alles an Leiden / Durchzu-

stehen bestimmt dir noch ist, bevor du die Heimat / Findest, du bliebest wohl hier bei mir als Hüter des Hauses, / Ja, du würdest unsterblich« (5,206–09). Kalypso ist jedoch eine Göttin – und zwar eine »herrliche Göttin« –, und sie kann kaum ein Verständnis dafür entwickeln, wie stark Odysseus, insofern er Mensch ist, durch die Sorge *festgehalten* wird, ungeachtet oder vielleicht sogar wegen der Belastungen, die sie ihm auferlegt.

Wenn Homers Odysseus bis auf den heutigen Tag immer noch ein Archetyp des sterblichen Menschen ist, so wegen der Art und Weise, in der er von der Sorge in all ihrer unerbittlichen Hartnäckigkeit gefangengenommen wird. Über die Jahrhunderte ist eine alte Fabel auf uns gekommen, die mit beredten Worten von der starken Macht spricht, welche die Göttin Cura über die menschliche Natur ausübt:

Als einst die Sorge über einen Fluss ging, sah sie tonhaltiges Erdreich: sinnend nahm sie davon ein Stück und begann es zu formen. Während sie bei sich darüber nachdenkt, was sie geschaffen, tritt Jupiter hinzu. Ihn bittet die Sorge, dass er dem geformten Stück Ton Geist verleihe. Das gewährt ihr Jupiter gern. Als sie aber dem Gebilde nun ihren Namen beilegen wollte, verbot das Jupiter und verlangte, dass ihm sein Name gegeben werden müsse. Während über den Namen die Sorge und Jupiter stritten, erhob sich auch die Erde (Tellus) und begehrte, dass dem Gebilde ihr Name beigelegt werde, da sie ja doch ihm ein Stück ihres Leibes dargeboten habe. Die Streitenden nahmen Saturn zum Richter. Und ihnen erteilte Saturn folgende anscheinend gerechte Entscheidung: »Du, Jupiter, weil du den Geist gegeben hast, sollst bei seinem Tode den Geist, du, Erde, weil du den Körper geschenkt hast, sollst den Körper empfangen. Weil aber die Sorge dieses Wesen zuerst gebildet, so möge, solange es lebt, die Sorge es besitzen. Weil aber über den Namen Streit besteht, so möge es ›homo‹ heißen, da es aus ›humus‹ (Erde) gemacht ist.«

Bis zu dem Zeitpunkt, da Jupiter seinen Geist und die Erde seinen Leib empfängt, gehört der beseelte Stoff des *homo* der Cura, die ihn so lange »hält«, wie er lebt (*Cura teneat, quamdiu vixerit*). Wenn Odysseus ein poetischer Charakter für die Macht der Sorge über die Menschen ist, dann können wir verstehen, weshalb er nicht einfach in Kalypsos Armen liegen kann. Eine andere, weniger freudereiche Göttin als Kalypso hat ihn bereits mit Beschlag belegt, und sie ruft ihn zurück in ein Land, das seine Väter und Vorväter gepflügt, bestellt und besorgt haben. Angesichts der Tatsache, dass Cura den *homo* aus Humus gebildet hat, ist es nur »natürlich«, dass ihr Geschöpf seine Sorge in erster Linie auf die Erde richten sollte, der seine lebendige Substanz entstammt. So ist es vor allem das *Land* seiner Väter – wie Homer an mehreren Stellen betont –, das Odysseus nach Ithaka zurückruft. Wir müssen den Begriff Land nicht lediglich geographisch verstehen, sondern stofflich, als den Boden, den seine Vorfahren bestellt haben, und als die Erde, in der ihre toten Körper begraben liegen.

Wäre Odysseus gezwungen gewesen, für den Rest seiner endlosen Tage auf Kalypsos Insel zu bleiben, und hätte er dabei nicht seine Menschennatur verloren, dann hätte er sich höchstwahrscheinlich auf den Gartenbau verlegt, ganz gleich, wie überflüssig eine derartige Aktivität in dieser Umgebung wohl gewesen wäre. Denn Menschen wie Odysseus, die von der Sorge festgehalten werden, haben ein unbezähmbares Bedürfnis, sich einer Tätigkeit zu widmen. Ein Garten, der durch die eigene Arbeit und Pflegebemühung ersteht, ist ganz etwas anderes als die phantastischen Gärten, in denen Dinge immer schon von selbst da sind und sich freiwillig zum Genuss darbieten. Und wenn wir das bestellte Stück Land des Odysseus aus der Luft hätten sehen können, dann wäre es uns als eine Art Oase – eine Oase der Sorge – in der Landschaft von Kalypsos heimischer Welt erschienen. Denn anders als irdische Paradiese behalten von Menschen gemachte Gärten, die durch die Tätigkeit des Kultivierens hervorgebracht und erhalten werden, eine Prägung durch die menschliche Aktivität, der sie ihre Existenz verdanken. Nennen wir sie das Zeichen der Sorge.

Während die Sorge für die Menschen ein beständiger, nicht endender Zustand ist, stellen bestimmte menschliche Sorgen Dilemmata oder Verwicklungen dar, die zu gegebener Zeit gelöst werden, so wie das mit Verwicklungen von Geschichten geschieht. Odysseus erfährt die endlosen Verzögerungen, die ihn davon abhalten, nach Hause zurückzukehren, als lediglich *verschwendete Zeit* – denn erst mit seiner Heimkehr kann der zeitliche Prozess der Auflösung seinen richtigen Gang wieder aufnehmen. Seine Geschichte kann in Kalypsos irdischem Paradies nicht weitergehen, denn letzteres liegt außerhalb von Welt und Zeit. Somit stellt es eine Unterbrechung der Handlung dar, durch die seine gegenwärtigen Sorgen – bei denen es darum geht, seine Herrschaft und seinen Haushalt wiederzugewinnen – ihren Weg zu einem Ergebnis finden. Keine Auflösung ist natürlich endgültig, und selbst der Tod bereitet gewissen Sorgen kein Ende (wie es Odysseus erfährt, als er mit den Schatten seiner toten Gefährten im Land der Toten spricht). Im allgemeinen erfahren die Menschen die Zeit jedoch als die Entfaltung einer Sorge nach der anderen.

Auch hier finden wir eine Entsprechung zwischen Sorge und Gärten. Ein von Menschen angelegter Garten entsteht in der Zeit und durch sie. Er wird vom Gärtner im voraus geplant, dann wird er dementsprechend besät oder bestellt, und zu gegebener Zeit bringt er seine Früchte oder den erhofften Genuss hervor. Unterdessen plagen den Gärtner tagein, tagaus neue

Sorgen. Denn wie eine Geschichte hat ein Garten sozusagen seine eigene sich entwickelnde Handlung, deren Verwicklungen den Besorger unter mehr oder weniger beständigen Druck setzen. Der wahre Gärtner ist immer »der ständige Gärtner«.

Die Darstellung der Erschaffung der Menschheit in der Cura-Fabel weist gewisse Übereinstimmungen mit der Schilderung der Genesis, aber auch deutliche Unterschiede zu ihr auf: Hier erschuf der Schöpfer von Himmel und Erde einen naiven, begriffsstutzigen Adam und setzte ihn in den Garten Eden, vermutlich damit Adam den Garten »hüten« konnte, aber (den Umständen nach zu urteilen) eher zu dem Zweck, ihn von der Wirklichkeit der Welt abzuschotten, wie es Eltern manchmal mit ihren Kindern zu tun pflegen. Hätte Gott Adam und Eva zu Hütern des Gartens machen wollen, dann hätte er sie zu Verwaltern machen sollen; er erschuf sie jedoch als Nutznießer, die der Verpflichtung enthoben waren, die einen Gärtner dazu antreibt, seinen oder ihren Garten zu bestellen. Es sieht so aus, als sei es gerade diese übermäßige Fürsorglichkeit Gottes gewesen, die dazu führte, dass sich Adam und Eva völlig schutzlos sahen, als es um die Schmeicheleien der Schlange ging. Mochte Gott auch die besten Absichten gehabt haben, es war ein Mangel an Voraussicht auf seiner Seite (ein Mangel der Gartenpflege sozusagen), als er annahm, dass Adam und Eva zu Verwaltern des privilegierten Ambientes von Eden werden könnten, wenn er, Gott, solche Mühe darauf verwendete, seinen Geschöpfen jegliche Sorge abzunehmen.

Und mit welcher Sorglosigkeit begingen Adam und Eva den folgenschweren Akt, der zu ihrer Vertreibung aus Eden führte! »Und das Weib schaute an, dass von dem Baum gut zu essen wäre und dass er lieblich anzusehen und ein lustiger Baum wäre, weil er klug machte; und sie nahm von der Frucht und aß und gab ihrem Mann auch davon, und er aß« (1. Mose 3,6). Es war kein herrischer Stolz, keine unbezähmbare Neugier, keine

Auflehnung gegen Gott, noch nicht einmal das prickelnde Gefühl der Übertretung, das sie dazu veranlasste, in einem einzigen gedankenlosen Moment ihre Unschuld zu verlieren. Die Tat wurde ohne Furcht und Zittern begangen, ohne die Dramen von Versuchung oder Faszination des Verbotenen, ja, ohne überhaupt eine richtige Motivation. Sie taten es *aus reiner Sorglosigkeit.* Und wie hätte es anders sein können, da Gott ihnen doch keine Gelegenheit gegeben hatte, einen Sinn für Verantwortung zu entwickeln? Das Problem mit Adam und Eva im Garten war nicht so sehr ihr Wille zum Ungehorsam wie vielmehr ihre gleichgültige, gedankenlose und kindische Sinnesart. Es war eine Sinnesart *ohne Widerstand,* wie die Schlange bei ihrem ersten Versuch, Eva zum Essen der verbotenen Frucht zu veranlassen, rasch herausfand.

Erst nach dem Sündenfall erlangte Adam ein gewisses Maß an Widerstandskraft und Charakter. In Eden war er zwar nicht durch Sorgen belastet, aber unfähig zur Hingabe. Alles war *für ihn* (und für seine Frau) da. Nach seiner Verbannung war *er* für alle Dinge da, denn nur dadurch, dass er sich hingab, konnte er eine Umwelt, die nicht zu seinem Vergnügen existierte und die von ihm seine tägliche Arbeit forderte, zu einem von Menschen bewohnbaren Ort machen. Aus dieser Ausweitung des Ichs in die Welt wurde die Liebe zu etwas anderem als ihm selbst (und damit die menschliche Kultur als solche) geboren. Bei allem, was die *felix culpa* unserer mythischen Voreltern die künftige Menschheit kostete, erreichte sie zumindest dies: dass das Leben einen Wert erhielt. Denn Menschen sind nur dann in vollem Sinne menschlich, wenn Dinge einen Wert haben. Nichts stand für Adam und Eva im Garten auf dem Spiel, bis auf einmal, in einem entscheidenden Augenblick der Selbstoffenbarung, *alles* auf dem Spiel stand. So sahen die unmöglichen Alternativen des Gartens aus: in seinen Grenzen in moralischer Bewusstlosigkeit zu leben oder um den Preis des

Hinausgeworfenwerdens ein Gefühl für die Wirklichkeit zu entwickeln.

Haben wir aber nicht für unsere Vermenschlichung einen schrecklichen Preis gezahlt – Plackerei, Schmerzen und Tod? Das ist genau die falsche Frage. Die Frage, die sich stellt, lautet vielmehr, ob das Geschenk des Gartens Eden – denn Eden war ein Geschenk – an uns verschwendet war, bevor es den Preis gab, den wir durch unsere Vertreibung bezahlten. Es ist, wie Yeats von Herzen sagte: »Herzen schenkt man nicht, ein Herz verdienen die, / Die nicht von Kopf bis Fuß nur Schönheit sind« (»Ein Gebet für meine Tochter«, in: Yeats, *Die Gedichte*, S. 213). In Eden waren Adam und Eva viel zu schön und daher auch herzlos. Ihr menschliches Herz mussten sie sich außerhalb des Gartens erwerben, und sei es nur, um zu lernen, was Schönheit ist und was ein Geschenk ist. Durch Adam und Eva haben wir ein Geschenk verloren, aber ein Herz gewonnen, und in vieler Hinsicht sind wir immer noch dabei, unser Herz zu gewinnen, genau wie wir immer noch im Begriff sind zu lernen, dass der größte Teil dessen, was die Erde bietet, ungeachtet der Anforderungen, die es an unsere Arbeit stellt, eher den Charakter von etwas frei Geschenktem als von etwas aggressiv Angeeignetem hat.

Eden war ein Paradies für die Versenkung, aber bevor Adam und Eva die stille Ekstase der Kontemplation kennen konnten, mussten sie in das Dickicht der *vita activa* geworfen werden. Die *vita activa* besteht, wenn wir der Auffassung folgen, die Hannah Arendt von ihr hat, aus Arbeit, Herstellen und Handeln. Arbeit ist die endlose und ruhmlose Plackerei, mit der wir unser biologisches Überleben sicherstellen, symbolisiert durch den Schweiß auf Adams Angesicht, wenn er die Erde fruchtbar macht und gegen Schädlinge, Dürre und Katastrophen kämpft. Doch das biologische Überleben allein macht uns noch nicht menschlich. Was uns in unserer Menschlichkeit auszeichnet, ist die Tatsache, dass wir verhältnismäßig dauerhafte Welten bewohnen, die unserer Geburt vorangehen und unseren Tod überdauern und die die Generationen in einem historischen Kontinuum zusammenbinden. Diese Welten mit ihren über die Generationen hinwegreichenden Dingen, ihren Häusern, Städten, Institutionen und Kunstwerken werden durch das Herstellen hervorgebracht. Während die Arbeit unser Überleben sicherstellt, baut das Herstellen die Welten, die uns historisch machen. Die historische Welt wiederum dient als Bühne des menschlichen Handelns, der Taten und Reden, durch die Menschen ihr Potential zu Freiheit verwirklichen und im Glanz der öffentlichen Sphäre ihre Würde bekräftigen. Ohne Handeln ist menschliches Herstellen sinnlos und Arbeit fruchtlos. Handeln ist die Selbstbestätigung des Menschlichen vor dem Zeugnis der Götter und dem Urteil der Mitmenschen.

Ob man der Dreigliederung Arendts folgt oder nicht, klar ist, dass es ein Leben des von Sorge durchdrungenen Handelns ist, welches das menschliche Leben von jeher sinnvoll gemacht hat. Nur im Rahmen einer solchen sinnvollen Verfassung konnte die Erfahrung des Lebens eine Tiefe und Dichte annehmen, die unseren Urahnen im Garten versagt waren. Um es mit anderen Worten zu sagen: Nur unsere Vertreibung aus Eden und der Fall in die *vita activa*, der aus ihr folgte, konnten uns für das Geschenk des Lebens geeignet und seiner würdig machen, vom Geschenk Edens ganz zu schweigen. Adam und Eva waren nicht bereit – ihnen fehlte die Reife –, Hüter des Gartens zu werden. Um Hüter zu werden, hätten sie zunächst einmal Gärtner werden müssen. Erst dadurch, dass sie den Garten Eden hinter sich ließen, konnten sie ihr Potential verwirklichen, Pflanzer und Schenker zu werden und nicht mehr nur Konsumenten und Empfänger zu sein.

Im Hinblick auf dieses Potential dürfen wir nicht vergessen, dass Adam wie *homo* in der Cura-Fabel aus Ton, aus Erde, aus

Humus geschaffen wurde. Es ist zweifelhaft, ob irgendein Geschöpf, das aus solchem Stoff besteht, in seiner tieferen Natur je in einem Garten zu Hause sein konnte, in dem alles bereitgestellt wird. Einer, der die Konstitution Adams hat, kann nicht umhin, in der Erde einen Ruf nach Selbstverwirklichung durch die Aktivierung von Sorge zu hören. Sein Bedürfnis, die Erde mit Beschlag zu belegen, sie zum Ort seines Wohnens zu machen, und sei es nur dadurch, dass er sich ihren Gesetzen unterwirft – dieses Bedürfnis würde erklären, weshalb Adams Aufenthalt in Eden im Grunde eine Form der Verbannung war und warum die Vertreibung eine Form der Heimholung darstellte.

Als Jupiter dem Stoff, aus dem *homo* bestand, Geist eingehaucht hatte, verwandelte er ihn in eine lebendige menschliche Substanz, die in ihrem Wesen ebenso geistig wie materiell war und sich in ihrer humischen Einheit zur Kultivierung oder genauer gesagt zur Selbstkultivierung eignete. Das ist der Grund, weshalb der menschliche Geist ebenso wie die Erde, die dem *homo* seinen Leib gibt, so etwas wie ein Garten ist – nicht ein edenischer Garten, der uns zu unserem Genuss vermacht ist, sondern einer, der seine Früchte den Vorkehrungen menschlicher Sorge und Bemühung schuldet. Darum verdankt auch die menschliche Kultur in ihren vielfältigen häuslichen, institutionellen und poetischen Äußerungsformen ihr Blühen dem Samen eines gefallenen Adam. Unsterbliches Leben bei Kalypso oder in Elysium oder im Garten der Sonne hat zwar durchaus seinen Reiz, aber Menschen haben nichts lieber als das, was sie durch ihre eigenen Kultivierungsbemühungen hervorbringen oder in der Existenz erhalten. Dies gilt ungeachtet der Tatsache, dass viele von uns unsere Vertreibung aus Eden immer noch nicht für einen Segen, sondern für einen Fluch halten.

Als Dante den Garten Eden auf der Spitze des Läuterungsberges erreicht, bringt er in dieses wiedergewonnene irdische Paradies seine volle Menschlichkeit mit, nachdem er sich den

Zutritt zu ihm durch eine mühevolle moralische Selbstdisziplin verschafft hat, die ihn hinab durch die Kreise der Hölle und hinauf über die läuternden Stufen des *Purgatorio* führte. Und seine Reise findet in Eden auch nicht ihren Schlusspunkt, denn sie führt noch weiter hinauf durch die himmlischen Sphären zu einem anderen, erhabeneren Garten: der großen himmlischen Rose des himmlischen Empyreums. Doch nicht ein einziges Mal auf seiner Reise verliert oder verwirkt der Dichter-Pilger die menschliche Sorge in seinem Herzen. Selbst in den oberen Regionen des Paradieses bleibt das Schicksal der menschlichen Geschichte – das, was die Menschen durch ihre eigene Hingabe oder durch ihre Versäumnisse daraus machen – sein höchstes Anliegen. Insbesondere ist es das Schicksal Italiens, das von Dante als »Garten des Reiches« bezeichnet wird, welches in der gesamten Dichtung das Interesse des Dichters beherrscht. Wenn man von Italien als einem Garten spricht, der durch Vernachlässigung und moralische Verworfenheit verwildert ist, dann heißt das, den Garten aus Eden herauszunehmen und ihn wieder auf eine sterbliche Erde zu setzen, auf der Gärten durch die Pflege menschlicher Sorge entstehen und auf der sie gegen die verheerenden Wirkungen von Winter, Krankheit, Verfall und Tod nicht gefeit sind. Wenn Dante ein zutiefst menschlicher Dichter ist, so deshalb, weil ihm der *giardino dello 'mperio* am Ende mehr bedeutete als Eden oder auch als die himmlische Rose. Wenn wir nicht in der Lage sind, unseren Garten zu hüten, wenn wir nicht in der Lage sind, für unsere sterbliche menschliche Welt zu sorgen, dann sind Himmel und Erlösung vergebens.

Wenn man behauptet, der Sündenfall sei eine Heimholung und ein Segen gewesen, dann leugnet man damit nicht, dass es in der *condition humaine* ein Element des Fluches gibt. Die Sorge belastet uns mit zahlreichen Demütigungen. Die Tragödien, die über uns kommen (oder die wir selbst uns zufügen), übersteigen unbestreitbar alles natürliche Maß. Wir verfügen über eine anscheinend grenzenlose Fähigkeit zum Leiden. Wenn aber das Menschengeschlecht verflucht ist, dann nicht so sehr, weil wir in Leiden und Sterblichkeit geworfen worden sind, und auch nicht, weil wir eine tiefere Fähigkeit zum Leiden haben als andere Geschöpfe, sondern eher deshalb, weil wir Leiden und Sterblichkeit als Bestätigungen für den Fluch auffassen und nicht als Voraussetzungen menschlicher Selbstverwirklichung. Gleichzeitig neigen wir dazu, diesen mutmaßlichen Fluch in Zusammenhang mit der Erde zu bringen, dazu, die Erde als den Nährboden von Schmerzen und Tod, von Fäulnis und Tragödie anzusehen und nicht als den Nährboden von Leben, Wachstum, Erscheinung und Form. Ohne Zweifel ist es ein Fluch, dass wir das, was uns frei geschenkt worden ist, nicht richtig zu schätzen wissen, solange wir Tag für Tag seine Nutznießer sind.

Achilleus, der zu seinen Lebzeiten die Verachtung eines Kriegers für das Leben besessen hat, muss erst sterben und in den Hades eingehen, bevor ihm klar wird, dass ein Sklave, der unter der Sonne lebt, gesegneter ist als jeder Herr der Toten. Als ihn Odysseus bei seinem Besuch in der Unterwelt zu trösten versucht, will Achilleus davon nichts wissen: »Sage mir ja kein verschönendes Wort für den Tod, mein Odysseus! / Strahlender! Lieber wäre ich Knecht auf den Feldern und fronte / Dort einem anderen Mann ohne Land und mit wenig Vermögen; / Lieber tät' ichs als herrschen bei allen verstorbenen Toten« (11,488–91). Der Sklave ist nicht deshalb glücklicher als der Schatten, weil er sich unter der Sonne *abmüht*, sondern weil er *unter der Sonne*, das heißt auf der Erde, lebt. Dem toten Achilleus erscheint ersteres als geringer Preis für letzteres (»Könnte ich doch an die strahlende Sonne«, erklärt er bedauernd [498]). Dass solche Erkenntnis fast unweigerlich zu spät kommt, ist Teil des Fluches der Sorge. Die Sorge beschäftigt und verpflichtet uns, aber sie hat auch etwas an sich, das uns blendet. Die Augen des Achilleus sind einen Moment lang geöffnet, aber selbst im Tode schließen sie sich rasch wieder, als seine Leidenschaften entflammt werden. Im Nu stellt er sich während seines Gesprächs mit Odysseus vor, er befinde sich erneut in der Welt der Lebenden, nicht als Sklave, sondern in seiner einstigen furchterregenden und zerstörerischen Gestalt, als einer, der seine Feinde tötet und den Kreislauf wechselseitiger Gewalttätigkeit in Gang hält: »Wär ich noch so, wie ich einstens im breiten Troja die besten / Männer in Scharen erschlug und kämpfend half den Argeiern: / Träte ich kurz nur ins Haus meines Vaters in solcher Verfassung. / Manchen Bedränger und Dieb seiner Ehre machte ich zittern, / Könnt ich die Kraft meiner unnahbaren Hände ihm zeigen« (499–503). Dass uns unsere Sorgen so leidenschaftlich an unsere Lebenswelt binden, dass sie so hartnäckig sind, dass sie uns auch noch nach dem Tode plagen und dass sie uns blind für die alltäglichen Segnungen machen, die wir so schmerzlich vermissen, wenn wir sie verloren haben – das lässt darauf schließen, dass es in unserer Natur möglicherweise etwas Unverbesserliches gibt, das sich durch kein Ausmaß von Selbstkultivierung überwinden oder verwandeln lässt. Mit Sicherheit lässt sich darüber nichts sagen, denn die Geschichte der menschlichen Sorge ist noch nicht an ihr Ende gelangt.

2

Eva

Der Stammbaum des Menschengeschlechts geht nicht auf Adam zurück, sondern auf Eva. Ihr ist es zu verdanken, dass es überhaupt Vorfahren gibt; und wenn sie die Schuld an dem Sündenfall auf sich nehmen muss, dann sollte man ihn ihr auch als Verdienst anrechnen, da er den Ehemann in einen Vater und die Ehefrau in eine Mutter verwandelte und dem kindlichen Paar eine elterliche Reife verlieh, die es nie hätte erlangen können, wenn es nicht den Weg aus der Wiege von Eden hinausgefunden hätte.

In Eden gab es keine Fruchtbarkeit von Generationen, denn dort, wo kein Tod ist, da gibt es auch keine Geburt. Daher war die Vertreibung nicht nur ein Fall in die Sterblichkeit, sondern auch in das, was Hannah Arendt als Natalität bezeichnet, als Ingangsetzung neuer Anfänge durch menschliches Handeln. Wenn Adam und Eva auf eine gewisse mythische Weise die Stammeltern des Odysseus sind, so deshalb, weil Stammelternschaft oder die Generationenfolge erst durch ihre Verbannung möglich wurde. Dadurch, dass sich Odysseus für die Sterblichkeit und gegen die Unsterblichkeit entscheidet, wiederholt er die schicksalhafte Wahl Evas und erweist sich daher als Erwachsener. Durch diese Wahl bekräftigt er von neuem seinen Platz in der genealogischen Linie, die sterbliches Leben zu einem Glied in der Kette der Generationen macht. Seine menschliche Identität als Sohn von Laertes und Antikleia, als

Gatte Penelopes und Vater des Telemachos gewinnt Odysseus schließlich im »Lande seiner Väter« wieder. Eva ist diejenige, die Jungen dazu gebracht hat, zu Männern zu werden, und die Adam in Odysseus verwandelt hat.

Eva wurde als so etwas wie eine »grüne Witwe« erschaffen; ihr stand alles zur Verfügung mit Ausnahme der Aussicht auf Selbsterfüllung. Gleiches galt in gewissem Sinn auch für Adam, aber impressionistisch kann man sagen, dass Adam mit dem gedankenlosen, letztlich kraftlosen Glück, welches das Paar in seinem Garten der Langeweile genießen sollte, offenbar weniger Probleme hatte. Darauf deutet die Intuition mehrerer Künstler hin, welche die Vertreibung dargestellt haben, darunter Menabuoi, Masaccio, Michelangelo und Dürer. Immer ist es Eva, die als erste dem Ausgang zustrebt, gleichsam in eifriger Erwartung ihrer neuen Zukunft, während Adam verzweifelt aussieht und sich anscheinend vor dem, was auf ihn zukommt, fürchtet. Ohne Zweifel hörte Adam den Ruf der Natalität nicht ebenso intensiv wie Eva. Ja, es ist zweifelhaft, ob er je die Initiative ergriffen hätte, als es um die verbotene Frucht ging. Der Verstoß Evas war das erste wahre Beispiel menschlichen Handelns, richtig verstanden. Er war an sich schon ein Akt der Mutterschaft, denn durch ihn gebar sie das sterbliche menschliche Ich, das sein Potential in der Entfaltung der Zeit verwirklicht, sei es durch Arbeit, durch Fortpflanzung, durch Kunst oder durch die Versenkung in Religiöses. Gott hätte vorhersehen sollen, dass er, als er Eva mit einem Potential für Natalität ausstattete, es für sie schmerzlich machte, das unfruchtbare Spiegelbild zu ertragen, das ihr der Garten zurückwarf. Eine von Evas Töchtern, die zeitgenössische Dichterin Eleanor Wilner, schildert dieses Spiegelbild in ihrem Gedicht »Eine moralisch aufgefasste Natur ist wie ein Garten ohne Blumen«:

Und nirgends
im Schatten jener »verbotenen« Bäume
gab es das Gefühl von kühlem Moos unter
den Füßen, nie die Schleier von Wasser, von der
Schwerkraft
geschleudert, über die Kanten von Granit
in das Dunkel, das sich unten zusammenballt;
keine ruhelosen Stunden, kein glotzäugiger Frosch,
der seine Zunge entrollt, kein Insektensummen
der Vermehrung, keine geschäftigen Boten
des Wandels; nirgends die seidenen Lauben des
Begehrens, in die sich die Bienen stürzen, trunken
von Nektar und Erinnerung
an die Honiglust ihrer Larvenzeit –
keine Blumen in Eden, nicht eine einzige.
    (Wilner, *The Girl with Bees in Her Hair*, S. 46)

Man ist geneigt, der Urerinnerung Wilners an diesen Ort zu vertrauen, denn niemand verfügt über eine tiefere Einsicht in erste Dinge als die Verfasserin der Sammlung *The Girl with Bees in Her Hair*, der diese Verse entstammen. Dass es in Eden Früchte ohne Blüten gab, lässt darauf schließen, dass dort eine gefrorene Natur herrschte, in der die Zeit stillgestellt war, eine Natur ohne Schönheit, denn da, wo Dinge nicht von Zeit, Vermehrung und Tod gezeichnet sind, mangelt es ihnen an Schönheit. Was immer sonst die Schönheit abbilden mag, zuallererst bildet sie die Sterblichkeit ab. In Eden jedoch, so Wilner weiter,

[…] hatte die Schönheit keine Gestalt, keine heilige
Symmetrie, zentripetal, langsam sich öffnend
zu einem halb erschauten nuklearen Kern –
heiß genug, um die Arktis zu schmelzen,
das dem Eis bestimmte Herz Gottes.

Eine einzige Blume nur in Eden
und sie hätten die Schönheit
gekannt, und mit diesem Wissen
wüssten sie, wie Schönheit verblasst.
(Ebd.)

Nach der Auffassung, die Diotima in Platons *Gastmahl* äußert, sind alle unsere Aussichten auf Selbsterfüllung einschließlich der Mutterschaft an die Schönheit gebunden: »Alle Menschen nämlich, o Sokrates, sprach sie, sind fruchtbar, sowohl dem Leibe als der Seele nach, und wenn sie zu einem gewissen Alter gelangt sind, so strebt unsere Natur zu erzeugen. Erzeugen aber kann sie in dem Hässlichen nicht, sondern nur in dem Schönen« (Platon, *Phaidon ...*, S. 329, 331). Die Schwangerschaft der Seele (aus welcher Tugenden, Taten und Ideen hervorgehen) steht ebenso unter der Herrschaft der Endlichkeit wie die körperliche Schwangerschaft. Alle Fortpflanzung ist eine Reaktion auf das Drohen des Todes und ergibt sich tatsächlich aus ihm. Als »Verheißung von Glück« hat Stendhal die Schönheit definiert. Hier könnten wir diese Definition folgendermaßen abwandeln: Sie ist eine Verheißung von Zukunft. Da wir jedoch wissen, wie Schönheit verblasst, wissen wir auch, dass sich selbst die Zukunft schließlich in die Vergangenheit auflösen wird. Wir wissen dies, weil wir dank Eva sowohl unserem sterblichen als auch unserem geburtlichen Ich überantwortet worden sind, und durch sie sind wir alle schwanger geworden, sei es im Leib oder in der Seele oder auf irgendeine andere Weise. Mit anderen Worten, wir tragen in uns das, welches begehrt, zu einem Teil der Welt zu werden, in den Fluss der Zeit einzutreten, eine Form anzunehmen und in Erscheinung zu treten. Was nicht endlich ist, kann nicht gebären und auch nicht von einer Verheißung der Zukunft erfüllt werden.

In Eden waren Adam und Eva in gewisser Hinsicht blind für die Welt. In einem einzigen Augenblick änderte Eva das, und auf einmal wurde sie ganz Auge. Es war, als habe Eva, da sie von der Frucht kostete, vom Samen der sterblichen Zeit gegessen, aus dem die menschliche Sehkraft hervorging. Diesen Moment, in dem das menschliche Auge geöffnet wurde, beschreibt Wilner in einem anderen Gedicht mit dem Titel »Der Apfel war eine Erfindung des Nordens« folgendermaßen:

> Als sie den Granatapfel aß,
> da war es, als sei jeder Same
> mit seiner feuchten rotglänzenden Hülle
> von süßem Fleisch, das an dem dunklen Kern haftete,
> eines der Augen der Natur. Danach
> war es die Natur, die blind war,
> und sie, die wild war
> vor Sehkraft, war dazu verdammt,
> zu sehen, was vor und was hinter ihr war.
> (*The Girl with Bees in Her Hair*, S. 33)

Auch hier sollten wir Wilner Glauben schenken, wenn sie sagt, dass die Frucht kein gewöhnlicher Apfel, sondern ein Granatapfel war. Der Granatapfel ist die Frucht der Persephone, die für sechs Monate im Jahr, im Herbst und im Winter, in die Unterwelt hinabsteigt: so wie die Samen, die in der Erde schlummern, bis sie zu neuem Leben erblühen im Frühling, da Persephone zu ihrer Mutter Demeter, der Göttin der Landwirtschaft, die im Licht wohnt, zurückkehrt. Wenn die Zeit in ihren vergangenen und künftigen geheimen Winkeln aufgetan wird, enthüllt sich das Wunder der Erscheinungen der Natur den Augen der Menschen. Die Dinge erscheinen in ihrem Eingetauchtsein in die Zeit, ihre Gegenwart wird jetzt durch den Halbschatten akzentuiert. Ein zurücktretender Hintergrund ist ins Bild gerückt, der es dem Phänomen gestattet, um so entschiedener und geheimnisvoller als das zu erscheinen, was es ist. Diese Zerschlagung der Unmittelbarkeit – das Abrücken von einer völligen Versenkung in Dinge – war die erste Konsequenz der Tat Evas. Solches Zerschlagen verleiht Erscheinungen die eindringlichen Tiefen, in denen und aus denen heraus ihre Formen, Farben und Texturen in ihrem Rätsel erstrahlen.

Der Granatapfel hatte anscheinend nichts dagegen, seine Augen dieser Frau zur Verfügung zu stellen. Wer weiß? Vielleicht war es der innere Wille der Natur als ganzer, der durch die Schlange am Werk war – ihr innerer Wille, ihre Schönheit dem menschlichen Zeugnis zu überantworten, durch eine Übertragung ihrer Augen, das heißt ihres Samens, auf Evas geburtlichen Blick in ihrer Erscheinungsfülle sichtbar zu werden. In diesem Szenario würde die Schlange, die Eva dazu verlockt, die Augen zu öffnen, ihre Blindheit abzulegen und in einem neuen visionären Ich wiedergeboren zu werden, als Botschafterin des Verlangens der Welt fungieren, ihre Fülle in Erscheinung treten zu lassen. Nur etwas so Unergründliches und Unerschöpfliches wie die menschliche Sorge konnte die Wunder der sichtbaren Welt in die richtige Obhut nehmen. Wenn Eva im Augenblick ihrer Initiation »wild vor Sehkraft« wurde, so deshalb, weil es einer Wildnis der Schmerzen, der Wehen, des Todes und des Leidens bedarf, um Erscheinungen Undurchsichtigkeit und Stimmung zu verleihen. Die Sorge ist der Preis eines unerschöpflichen Reichtums – der Offenbarung der sichtbaren Welt –, und Eva feilschte nicht, als es um ihren Weg hinaus ging. Dafür schulden wir ihr Dank und noch mehr.

Dem Zeugnis Wilners von der Flüchtigkeit der Schönheit können wir dasjenige von Wallace Stevens, einem zutiefst durch ein Bewusstsein für den Sündenfall geprägten Dichter, hinzufügen, dessen Gedicht »Sonntagmorgen« uns in die Gedanken einer jungen Frau führt, die in ihrem irdischen Garten über Fragen von Leben und Tod meditiert und in ihrem sterblichen und doch fruchtbaren Körper das Pathos der Schönheit der Natur empfindet. In ihren schweigenden Grübeleien fragt sie sich:

> Gibt es im Paradies den Wandel durch den Tod nicht?
> Die reifen Früchte fallen nie? Die Zweige hängen
> Ewig mit ihrer Last in den vollkommenen Himmel,
> Unwandelbar, doch unserer vergehenden Erde ähnelnd,
> Mit Flüssen, die, wie unsre, Meere suchen und nicht
>   finden,
> Die gleichen Küsten, die, sich entziehend, unberührt
> Von wortlos-dumpfen Qualen bleiben? Warum
> An jenen Ufern Birnen wachsen lassen, warum
> Die Küste mit dem Duft der Pflaume würzen?
> Ach, dass dort unsre Farben leuchten sollen,
> Die seidenen Gespinste unsrer Nachmittage,
> Dass sie die Saiten unsrer faden Lauten zupfen sollen!
> Tod ist die Mutter aller Schönheit, ein Mysterium,
> In dessen glühender Brust wir unsere
> Irdischen Mütter schlaflos warten ahnen.
>   (Stevens, *Der Planet auf dem Tisch*, S. 55)

Wenn man der Tatsache, dass Eva von der Frucht kostete, einen tieferen Beweggrund zuschreiben kann, dann war es ohne Zweifel ein brennender Wunsch, zu einer »irdischen Mutter« solcher Art zu werden. Die Frucht *wirklich* zu machen – das war der zugrundeliegende Drang. Wenn der Tod der Preis ist, den man für Fruchtbarkeit zahlt, dann soll es so sein. Es ist aber falsch, vom Tod als dem Preis für die Vitalität des Lebens zu sprechen. Der Tod ist eher ihr Nährboden. Stevens formuliert das noch kategorischer: »Mutter der Schönheit ist der Tod, nur sie / Kann uns erfüllen, was wir wünschen / Und erträumen.«

Der Tod negiert das Leben nicht und beendet es auch nicht, sondern er gebiert die ihm innewohnenden Potentialitäten, vor allem seine Fähigkeit zur Erscheinung. Ohne den Tod gibt es keine Erfüllung von Potentialität und auch keine ständig wechselnden Stimmungen in der Welt der Erscheinungen. Mag der Tod »auch Blätter / der sicheren Vergessenheit auf unsere Pfade« streuen, er »macht die Weide im Sonnenlicht erschauern, / Für Mädchen, die dort zu sitzen pflegten und das / An ihre Füße hingegebne Gras ansahen.« Der Tod setzt Dinge in Bewegung, einschließlich unserer Wünsche. Er ist die zeugende Quelle der unaufhörlichen Bewegung der Natur, die in die Form führt:

> Die Leidenschaft des Regens, Stimmungen im Schneefall;
> Die Trauer im Alleinsein oder Seligkeiten,
> Ununterdrückbar, wenn der Wald blüht;
> Das Erschauern auf herbstnächtlich nassen Wegen;
> Aller Schmerz und alle Freude im Erinnern an
> Den Sommerzweig und das Geäst im Winter.
> Das sind die ihrer Seele zubestimmten Maße.
> (Ebd., S. 51)

Erscheinungen verdanken ihre Eindringlichkeit – ihre fast unerträgliche Schönheit und Vergegenwärtigungskraft – der Zeitgebundenheit, die uns auf die flüchtigen Stimmungen der Natur einstimmt. (In den Gedichten von Wallace Stevens ist vor allem der Wind das Sinnbild für diese uranfängliche Bewegung der Zeit in der Natur.) Eine derartige Einstimmung war in Eden nicht möglich. Da seine Umwelt nicht in einen sterblichen Zustand versetzt war, fehlten seinem Garten grundsätzlich die Stimmungen, weil eben die Sorge, welche die Natur mit ihrem Pathos und ihren Passionen erfüllt, dort keinen Platz hatte. Die Natur erblüht nur dort in einem Gewebe die Seele durchdringender Erscheinungen, wo die menschliche Sorge das Bild durchzieht und der sichtbaren Welt die Kraft verleiht, anzudeuten und nicht nur hinzuweisen. Die Natur in ihrer zurücktretenden Anwesenheit deutet an. Naturszenen an den Wänden des Abfertigungsgebäudes eines Flughafens weisen lediglich hin. Das ist der Unterschied zwischen Erscheinung und Bild. Wo das Phänomen nicht aus den Tiefen des Halbschattens aufsteigt, gibt es keine Erscheinung als solche, sondern nur ein statisches und verdinglichtes Bild. Und es gibt auch keine echten Stimmungen, die uns auf den Regen oder den fallenden Schnee, das Laub des Sommers und den Winterzweig einstimmen. »Das sind die ihrer Seele zubestimmten Maße«, schreibt Stevens. In Eden erlangten die Bilder nie den Status von Erscheinungen, nicht weil es dem Ort selbst an etwas gefehlt hätte, sondern weil Eva noch nicht wild vor Sehkraft war. Es bedurfte des Granatapfels, um ihrer Wahrnehmung Tiefe zu verleihen.

Die Frau in Stevens' Gedicht, die in der Sonne sitzt und der »grüne[n] Freiheit eines Kakadus lauscht«, ist damit zufrieden zuzusehen, wie sich der Frühling entfaltet mit seinen Vögeln, die »durch den Nebel zwitschernd / Das Feld nach seiner Wirklichkeit befragen«, bevor sie weiterfliegen. Sie sagt zu sich: »Zufriedenheit erfüllt mich, dennoch fehlt / Mir eine Seligkeit, die unzerstörbar ist.« Jeder Nachfahr Evas muss ein solches Bedürfnis empfinden, denn wir sollten nicht vergessen, dass Eva im Gegensatz zu Adam in Eden erschaffen wurde. Sie stammte aus dem Paradies, durch sie haben wir alle eine angeborene Sehnsucht nach einer unzerstörbaren Seligkeit geerbt. Würde uns diese aber gewährt, sollten wir sie jemals erfahren, dann verlören wir auf der Stelle sowohl die Seligkeit als auch das Bedürfnis nach ihr. Das soll nicht heißen, dass wir in unserem gefallenen Zustand Zufriedenheit anstelle von Seligkeit haben. Es soll heißen, dass die Schönheit der sterblichen Erde eine Verheißung von unzerstörbarer Seligkeit enthält, die uns intim vertraut ist, selbst wenn die Aussicht auf sie sich ständig entzieht und statt dessen »Zärtlichkeit der Sonne«, »Blinken [der] Früchte«, »Aprilgrün« und andere Dinge zurücklässt, »die köstlich sind wie die Gedanken an den Himmel«.

Als sich die Samen der verbotenen Frucht Granatapfel in ihrem Körper niederließen, wurde Eva zu einem fruchtbaren Geschöpf mit natürlichen Affinitäten zu den humischen Tiefen, in denen das Pflanzenleben erstmals Wurzeln schlägt. Diese Affinität machte Eva aller Wahrscheinlichkeit nach zur ersten *menschlichen* Gärtnerin nach der Vertreibung aus Eden. Sie wurde zu einer Pflanzerin und Pflegerin von Samen, während sie zugleich ihre Sehnsüchte nach Eden bewahrte. Im Mittelalter glaubte man, die Samen aller Pflanzenarten der Erde hätten ihren Ursprung ebenso wie Eva in Eden (Dante, *Läuterungsberg* 28,109–20) – eine Hypothese, die jeder engagierte menschliche Gärtner ebenso wie jeder, der das Pflanzenleben der Natur liebt, zu glauben geneigt ist. Anders als Eden, wo es dafür keinen Bedarf gab, eignet sich aber die sterbliche Erde dazu, sich durch den Akt des Grabens in ihrem Boden kultivieren zu lassen. Pablo Nerudas »Oda a la jardinera« (»Ode an die Gärtnerin«) liefert uns ein Porträt einer neuzeitlichen Eva in ihrer uranfänglichen Rolle als Gärtnerin:

> Ich wusste wohl, dass deine Hände
> die blühende Levkoje waren, die Lilie
> von Silber:
> irgend etwas hattest du
> mit dem Erdreich,
> dem Blühen der Erde zu tun,
> doch
> als
> ich dich graben sah und graben,

kleine Steine auslesen
und Wurzeln in deine Hände nehmen,
da wusste ich auf einmal,
geliebte Gärtnerin,
nicht deine Hände
allein,
auch dein Herz
war aus Erde,
und dass du
deiner Arbeit
dort nachgingst,
an nasse
Pforten rührtest,
durch die
die
Samenkörner
wandern.

Also
das Antlitz
befleckt
von einem Kuss
des Lehms,
gingst du
von einer frisch gesetzten
Pflanze
zur andern
und kehrtest,
blühend, zurück,
du gingst dahin,
und aus deiner Hand
erhob der Stiel
der Inkalilie

seine einsame Zartheit,
der Jasmin
schmückte
das Dunkel deiner Stirn
mit Sternen
aus Duft und Tau.
Dein ganzes
Wesen wuchs,
drang
in die Erde,
wurde
unmittelbares
grünes Licht,
Laubwerk und Fülle.
Du ließest es teilhaben
an deinen Samen,
Geliebte,
du meine rotblühende Gärtnerin:
deine Hand
und die Erde
sie nannten einander du,
und sie, deine Hand, war augenblicks
helles Wachsen.

Liebe, so auch
schenkte deine Hand
aus Wasser,
dein Herz aus Erde
meinen Gesängen Fruchtbarkeit
und Kraft.
Du rührst
in meinem Schlaf
an meine Brust,

und meinem Traum
entknospen die Bäume.
Aufgewacht, öffne die Augen ich:
du hattest in meinem Innern
schattige Sterne
gepflanzt,
die nun aufsteigen
mit meinem Gesang. […]
    (Neruda, *Elementare Oden*)

In der Genesis versetzt Gott Adam in Schlaf und entnimmt ihm eine Rippe, aus der er Eva bildet (dass sie aus Knochen geschaffen ist, verknüpft sie bereits mit der Fruchtbarkeit des Todes). In der Fassung der Geschichte, die Milton in seinem *Verlorenen Paradies* (8,452–90) bietet, träumt Adam während seines Schlafes von Eva, und als er erwacht, steht sie in ihrer vollkörperlichen Wirklichkeit vor ihm. Dieser Traum ist der Subtext zu der Anspielung auf Adam, die John Keats in seinem berühmten Brief über die Phantasie macht, den er am 22. November 1817 an Benjamin Bailey schrieb: »Die Phantasie lässt sich mit dem Traum Adams vergleichen – er erwachte und fand ihn wahr. […] Und doch kann ein solches Schicksal nur denjenigen zuteil werden, die sich an sinnlicher Wahrnehmung erfreuen und nicht, wie Sie, nach Wahrheit hungern. Der Traum Adams wird hier genügen, und er scheint eine Überzeugung zu sein, dass die Phantasie und ihre himmlische Widerspiegelung dasselbe ist wie das menschliche Leben und seine geistige Wiederholung« (*Selected Letters of John Keats*, S. 54). Es lässt sich nicht mit Sicherheit sagen, ob Nerudas »Ode an die Gärtnerin« eine Anspielung auf Miltons *Verlorenes Paradies* oder auf den Brief von Keats enthält, aber es ist klar, dass das, was seine *jardinera* mit ihren Händen gestaltet und pflanzt, seine »geistige Wiederholung« im Lied des Dichters hat.

Dass es sich bei dem Sprecher Nerudas um eine adamische Gestalt handelt, ist klar, und sei es nur wegen der Anspielung darauf, dass die *jardinera* seine Brust berührt, während er schläft. Dieser ihr Akt versetzt sie in die Rolle des Schöpfers – sozusagen eines irdischen und nicht eines himmlischen Schöpfers. Das radikale Element in Nerudas Gedicht ist gerade die uranfängliche Schöpferkraft, die es Evas fruchtbarer Aktivität zuschreibt, wovon die Lieder des Dichters nur ein Auswuchs oder ein Ableger sind. Weit davon entfernt, ein Geschöpf der Phantasie des Dichters zu sein, bringt die Gärtnerin hier diese Phantasie hervor und hegt sie. Bäume erblühen in seinem Traum dank der Tatsache, dass sie sie dort gepflanzt hat, genau wie sie es ist, die in ihm »schattige Sterne / gepflanzt [hat], / die nun aufsteigen / mit meinem Gesang«. Ihre Hände, nicht diejenigen Gottes vollbringen das uranfängliche Werk des Formens, Säens und Befruchtens. Ebendiese Hände berühren die Türen zwischen Leben und Tod, durch welche »die / Samenkörner / wandern«, aus denen das hervorgeht, was im Erdreich wie in der Seele wächst.

Historisch betrachtet ist Nerudas »Ode an die Gärtnerin« außerordentlich in ihrer Haltung, denn Eva ist von ihren Nachfahren kaum genügend dafür geliebt worden, dass sie in ihren Liebesmühen die Samen unserer Menschlichkeit, des menschlichen Herzens gepflanzt hat (»mein Herz aber wirkt in den Wurzeln«, sagt der Dichter im letzten Vers des Gedichts). Und das heißt, sie ist nicht genügend mit der irdischen Liebe geliebt worden, die sie in die Welt gebracht hat (»So ist es, Gärtnerin: / irdisch / unsere Liebe«). Das, was wir durch ihren Akt der Übertretung verloren haben, hatten wir niemals wirklich besessen, denn ohne ein menschliches Herz in seiner Mitte war Eden für uns nutzlos. Doch die sterbliche Erde, in die wir fielen, war es nicht.

3

Der menschliche Gärtner

In der Fabel, die ich in Kapitel 1 erzählt habe, tritt Cura als Personifizierung der Macht auf, welche die Sorge über die menschliche Natur hat. Interessanterweise erscheint sie in der Fabel nicht nur als Personifizierung, sondern auch als *Personifiziererin* – und zwar als die allererste –, insofern sie Ton zu einer Person formt. Im Geiste dieser Fabel wollen wir uns dem Geschöpf der Sorge (*homo*) nicht durch seinen abstrakten Begriff nähern, wie es Heidegger in *Sein und Zeit* tut, sondern durch eine seiner lebendigen Personifizierungen, nämlich den menschlichen Gärtner. Denn die von Sorge beherrschte Menschennatur verkörpert gewiss niemand besser als ein Gärtner.

Das belegt mit großer natürlicher Verve Karel Čapek in seinem kleinen Buch *Das Jahr des Gärtners*, das er 1929 verfasst hat. Čapek, der brillante tschechische Autor aus der ersten Hälfte des 20. Jahrhunderts, war ein leidenschaftlicher Amateurgärtner, und er verfasste dieses Buch als Zeugnis für die unauslöschliche Treue des Gärtners zu seinem Stück kultivierten Erdreichs. Čapeks Kommentatoren betrachten *Das Jahr des Gärtners* mehrheitlich als ein Werk minderen Ranges, aber wie Verlyn Klinkenborg in der Einleitung zu der in der Modern Library erschienenen englischen Ausgabe des Buches von 2002 bemerkt, »sind die meisten Čapek-Forscher der Ansicht, dass der Gartenbau eine Teilmenge des Lebens sei, während Gärtner einschließlich Čapek verstehen, dass das Leben eine Teilmenge des Gartenbaus ist« (S. xii). Čapeks Buch artikuliert ein solches Verständnis mit lebendigen Formulierungen, und wenn ich im folgenden ausführlich daraus zitiere, so deshalb, weil dieses Dokument – wir könnten es ein Bekenntnis nennen – mit seiner eigenen Stimme beredter spricht, als jede Zusammenfassung oder Paraphrase es vermöchte, wenn es darum geht zu zeigen, wie Cura die Seele des Gärtners beherrscht.

Das Jahr des Gärtners ist in seiner Beschreibung der Obsessionen des Gärtners zugleich verschroben und ernsthaft. Und jeder »richtige« Gärtner hat von Natur aus etwas Obsessives:

Jetzt verrate ich noch, woran man einen echten Gärtner erkennt. »Sie müssen mich einmal besuchen«, sagt er, »ich möchte Ihnen meinen Garten zeigen.« Folgst du dieser Aufforderung, um ihm Freude zu bereiten, so findest du sein Hinterteil irgendwo zwischen Stauden herausragen. »Ich komme gleich«, ruft er über die Schulter hinweg, »ich pflanze nur das hier noch ein.« »Lassen Sie sich nicht stören«, erwidert man freundlich. Nach einer gewissen Zeit dürfte es soweit sein; denn er erhebt sich, streckt seine schmutzige Hand zum Gruße hin und sagt freudestrahlend: »Nun kommen Sie, und sehen Sie sich um; der Garten ist zwar klein, aber … einen Augenblick«, flüstert er und bückt sich zu einem der Beete, um ein paar Grashalme auszurupfen. »Treten Sie nur näher. Ich zeige Ihnen einen Dianthus musalae, da werden sie staunen. Herrgott, da habe ich wieder vergessen, die Erde aufzulockern!« brummt er und beginnt herumzustochern. Nach etwa einer Viertelstunde richtet er sich wieder auf und meint: »Ach, ich wollte Ihnen doch die Glockenblume, Campanula Wilsonii, zeigen, die schönste Glockenblume, die … Warten Sie, ich muss das Delphinium anbinden!« Sobald er das getan hat, erinnert er sich: »Richtig, Sie wollten doch das Erodium noch sehen. Einen Augenblick, ich will nur diese

Aster umsetzen; sie hat hier zuwenig Platz.« Worauf du auf Zehenspitzen davonschleichst und das Hinterteil des Gärtners weiter zwischen perennierenden Pflanzen herausragen lässt.

(S. 11f.)

Das Buch Čapeks verfolgt die Geistesverfassung des Gärtners (der sich mit den Gedanken nur selten weit von seiner kleinen Parzelle entfernt), beginnend mit dem Monat Januar, durch das Jahr. Der Gärtner ist ein Mensch, der das ganze Jahr hindurch etwas kultiviert. Selbst in den Wintermonaten, wenn es nur wenig gibt, was er mit den Händen tun kann,»pflegt [er] das Wetter«, ärgert sich über zuviel Schnee, zuwenig Schnee, das Gespenst strenger Kälte, die Winde, die plötzlich durchbrechenden Sonnenstrahlen, die dazu führen können, dass die Sträucher zu früh Knospen ansetzen. Das Wetter ist niemals richtig.»Regnet es […], bangt er um sein Alpinum; ist es trocken, denkt er mit Ängsten an seine Rhododendren und Andromeden« (S. 14). In einer humorvollen Passage, welche die ekstatische Selbstausweitung der Sorge in die Welt der Natur hinein und bis hin zu Gott bekräftigt, von dem man traditionell annahm, er habe Macht über die Natur, schreibt Čapek:

Wenn es etwas nützte, fiele der Gärtner täglich auf die Knie und betete etwa so:»Herrgott, mach, dass es jeden Tag von Mitternacht bis drei Uhr morgens regnet, aber versteh mich recht, mäßig und warm, damit das Wasser in die Erde einsickern kann; lass es aber nicht auf Nelken und Lavendel, Steinkraut, Heideröschen und andere Blümlein regnen, die dir, o Herr, in deiner unendlichen Weisheit als trockenliebende Pflanzen bekannt sind – wenn du willst, merke ich es auf einem Blatt Papier vor; die Sonne möchte doch scheinen, aber nicht überall hin (weder auf den Spierstrauch und En-

zian noch auf die Funckia oder das Rhododendron) und nicht übermäßig stark; dann möchte es viel Tau und wenig Sturm geben, genügend Regenwürmer, keine Blattläuse, Schnecken und Mehltau, dafür einmal in der Woche verdünnte Jauche und Taubenmist. Amen.« Denn so soll es im Garten des Paradieses gewesen sein, sonst hätte es dort nicht so gedeihen können; oder wie denkt ihr darüber?
(S. 84f.)

Sosehr der Gärtner allerdings von den Launen des Wetters besessen sein mag, er weiß, dass sein Wille ein kraftloser Faktor ist, wenn es um Regen oder Sonnenschein, um Hitze oder Kälte geht (die gerade zitierte Passage beginnt mit den Worten »Wenn es etwas nützte ...«). Die Sorge ist gewohnt zu handeln, die Initiative zu ergreifen, ihre Ansprüche geltend zu machen, aber Machtlosigkeit und sogar Hilflosigkeit wohnen der gelebten Erfahrung der Sorge ebensosehr inne wie ihr ununterdrückbarer Impuls zum Handeln, Befähigen, Pflegen und Fördern. Der Gärtner kann sozusagen nicht umhin, »das Wetter zu pflegen«. Gebete, Regentänze, Anrufungen – vielleicht sogar der Gottesbegriff selbst – haben ihre Quelle in dieser Unfähigkeit des Gärtners, angesichts der umfassenderen, unkontrollierbaren Kräfte, die sich auf das Ergebnis seiner Bemühungen auswirken oder es bestimmen, teilnahmslos zu bleiben. Trotz ihres aktiven oder motivierten Charakters wird also die Sorge ständig auf die Beschränkungen ihrer Handlungsmöglichkeiten zurückgeworfen, sie wird dauernd an ihre eigene Erfolglosigkeit und grundsätzliche Passivität erinnert, wenn es um Phänomene wie Wetter, Mehltau, Schädlinge und Nagetiere geht.

In Marcel Pagnols Roman *L'eau des collines* (*Die Wasser der Hügel*) appelliert der bucklige Bauer Jean de Florette während einer langanhaltenden Dürre an Gott, wie Bauern das üblicherweise tun. Eines Nachts, als sich am Horizont ein Sturm zusammenballt und der Himmel zu grummeln beginnt, eilt er zusammen mit seiner Tochter in einem Zustand heftiger Erwartung ins Freie, nur um festzustellen, dass sich die Wolken gerade über seinem Hof teilen und ihre Last reichlich auf die umgebenden Berge, nicht aber auf seine ausgedörrten Felder abladen. Während seine Tochter an seiner Seite schluchzt, nimmt er zuerst eine verzeihende Haltung ein, aber dann klettert er auf einen Felsen und ruft in den Himmel: »Je suis BOSSU! Vous ne le savez pas, que JE SUIS BOSSU? Vous croyez que c'est facile?« (»Ich bin BUCKLIG! Wisst ihr nicht, dass ich BUCKLIG bin? Glaubt ihr, das sei einfach?« [*Die Wasser der Hügel*, S. 165]). Es ist nicht leichter, einen Buckel zu haben, als einen Grund für die anscheinende Gleichgültigkeit Gottes oder der Natur angesichts menschlicher Misere zu erkennen. Die Sorge demütigt den, der sie hat. Der Lehm, aus dem Cura *homo* bildete, ist zuallererst der Humus menschlicher Niedrigkeit. Der Fall aus Eden war ebensosehr ein Fall in die Niedrigkeit der Machtlosigkeit wie ein Fall in die Beschämung.

Zwar kann die Natur (oder Gott) gegenüber den Bitten menschlicher Sorge rücksichtslos grausam sein, wie jeder Bauer oder Gärtner weiß, aber das ist in Wirklichkeit nur eine zeitweilige Unterbrechung der sonst verlässlichen Großzügigkeit. (Die ständig gegenwärtige Bedrohung durch eine derartige Unterbrechung ist es, die die menschliche Sorge in ihren Beziehungen zur Natur sowohl ängstlich als auch demütig macht.) Zum Glück für die Geschöpfe auf der Erde neigt die Natur im großen und ganzen dazu, ihre Verpflichtungen und Versprechen zu erfüllen. Und zum Glück für den Gärtner gibt es in der sterblichen Erde so viel von Eden, dass das Wunder des Lebens trotz der Wechselfälle des Wetters Jahr für Jahr ausbricht und zur Blüte gelangt. So sind selbst im Januar, »ohne dass man etwas geahnt oder sich dabei angestrengt hätte, Krokusse und Schneeglöckchen erblüht« (Čapek, *Das Jahr des Gärtners*, S. 21).

Bevor man ein »richtiger« Gärtner werden kann, »ist eine gewisse Reife, besser gesagt, ein gewisses väterliches Alter nötig« (ebd., S. 10). Wenn man jung ist, dann ist man wie Adam vor dem Sündenfall. Man »kostet von den Früchten des Lebens, die [einem] nicht gehören«, und glaubt, »eine Blume sei das, was man im Knopfloch trägt oder seiner Angebeteten schenkt« (ebd., S. 9). Für den Gärtner hingegen ist eine Blume das, »was überwintert, was geharkt und gedüngt, gegossen und umgepflanzt, beschnitten und gestutzt, angebunden und von Unkraut, Keimlingen, vertrockneten Blättern, Blattläusen und Mehltau befreit werden muss« (ebd.). Die Welt des Gärtners ist nicht die Welt des Nichtgärtners. Ja, der Gärtner ist ein Adam, der sich wieder mit dem Element verbunden hat, aus dem er gemacht ist (»… bis dass du wieder zu Erde werdest, davon du genommen bist« [1. Mose 3,19]):

Solange ich als zerstreuter Zuschauer nur außerhalb der Gartenanlagen stand, hielt ich die Gärtner für Menschen von vornehmlich dichterischem Geist, die den Blumenduft züchten und dem Vogelgesang lauschen. Jetzt aber, wo ich mir die Sache aus der Nähe betrachte, sehe ich, dass ein echter Gärtner nicht ein Wesen ist, das Blumen züchtet; er ist ein Mann, der den Boden pflegt. Er ist eine Kreatur, die in der Erde herumwühlt und all das, was über dieser Erde liegt, uns nichtsnutzigen Gaffern überlässt. Er lebt wie in die Erde versunken. Er baut sein Denkmal in einem Düngerhaufen. Und käme er in den Garten des Paradieses, würde er berauscht den Atem einziehen und flüstern: »Herrgott, ist das ein Humus!« Ich glaube, er dächte nicht daran, vom Baume der Erkenntnis zu naschen; er würde eher zusehen, wie er unserm Herrgott einen Schubkarren voll paradiesischer

Erde entführen könnte. Oder er würde bemerken, dass rund um den Baum der Erkenntnis der Boden nicht aufgelockert ist, und wahrscheinlich eifrig zu graben beginnen, ohne zu ahnen, was über seinem Kopfe baumelt. »Adam, wo bist du?« würde der Herrgott rufen. »Ja, ich komme gleich«, würde der Gärtner antworten, »ich kann jetzt nicht«, und er würde weiterhin in der Baumscheibe herumarbeiten.

(Čapek, *Das Jahr des Gärtners*, S. 33f.)

Was Čapek als väterliches Alter bezeichnet, hat etwas mit einer Verschiebung des Fokus zu tun – weg von den Früchten des Lebens und hin zu dem Boden, in dem sie ihren Ursprung haben. Die Beziehung des Gärtners zum Boden beginnt mit seinem eigenen privaten Grundstück, das er kultiviert und in seinen Eigenarten kennenlernt, und von da weitet es sich nach draußen auf die Erde als ganze aus. Ebenso wie Evas Granatapfelmahlzeit führt die Gärtnerei zu einer Verwandlung der Wahrnehmung, zu einer grundlegenden Veränderung der Art und Weise, in der man die Welt sieht; man kann sie als phänomenologische Konversion bezeichnen. Das Auge beschränkt sich nicht mehr auf die Oberfläche der lebendigen Formen der Natur; es blickt in die Tiefen, in denen sie ihre Ansprüche auf Leben erheben und aus denen sie in das Reich von Gegenwart und Erscheinung hineinwachsen. In dieser Neugründung der Perspektive des Gärtners gewinnt die Schönheit eine genetische Qualität – bezeichnen wir sie als humisches Substrat –, die sie vorher nicht besessen hatte. In Čapeks einzigartiger Psychologie des Charakters des Gärtners hört sich das so an:

Der Mensch kümmert sich [in seiner Jugend] wirklich nicht darum, worauf er tritt, er läuft gedankenlos herum, starrt höchstens in die Wolken, schaut zum Horizont oder auf die in der Ferne liegenden Berge, er blickt aber niemals unter sich, um zu erkennen, ob hier ein guter Boden ist. Du solltest einen Garten so groß wie ein Handteller oder zumindest ein Beet haben, um zu wissen, auf was du trittst. Dann, mein Lieber, würdest du merken, dass nicht einmal die Wolken so verschieden schön oder abscheulich sind wie der Boden unter deinen Füßen. Du würdest saure, bindige, lehmige, kalte, steinige und schlechte Erde unterscheiden lernen; du würdest das lockere, warme, leichte und gute Erdreich schätzen und von ihm behaupten, dass es schön sei, so wie du es von Frauen oder Wolken sagst. Du würdest ein unendlich sinnliches Wohlbehagen verspüren, wenn der Stock beim Prüfen bis zum Ellbogen in dem lockeren, weichen Erdreich versinkt oder wenn du einen Klumpen Erde in der Hand knetest, um seine leichte und feuchte Wärme zu fühlen.

(S. 121f.)

Die Gärtnerei ist ein Auftun von Welten – von Welten innerhalb von Welten –, und das beginnt mit der Welt, die einem zu Füßen liegt. Um ein Bewusstsein dafür zu entwickeln, worauf man tritt, muss man in die organische Unterwelt des Bodens eintauchen, um auf eine engagierte Weise das Potential des Bodens zum Gedeihenlassen von Leben zu würdigen. Niemand weiß besser als der Gärtner, dass der Boden zur Verwirklichung dieses Potentials einen von außen einwirkenden Akteur, sozusagen einen Landmann, braucht, der die Arbeit des Zähmens und Fruchtbarmachens auf sich nimmt. Nerudas *jardinera* (Kapitel 2) hat uns gezeigt, was man braucht, um die Eignung des Bodens für das Leben zu maximieren, wenn sie in den Boden eintaucht und sich in ihn hineingräbt, um das Geröll zu entfernen und die Wurzeln zu lockern, wobei sie die feuchte Tür berührt, durch die die Samen schwirren. Der Boden ist zum größten Teil ein Schlachtfeld, auf dem die Kräfte des Lebens dem unerbittlichen Widerstand des Leblosen und Unbeseelten entgegentreten. »Ich kann euch sagen«, schreibt Čapek, »einige Quadratmeter Boden zähmen kommt einem Siege gleich« (S. 123). Gerade weil die Gärtnerei mit so vielen Risiken der Scheiterns behaftet ist, verschaffen ihre Siege eine einzigartige Befriedigung. Nur wenn man sich an dem Zähmungsprozess beteiligt, wird einem klar, womit sich das Leben auseinanderzusetzen hat in seinen Kämpfen darum, in dem Boden, auf den wir, meist gedankenlos, treten, seine Rechte geltend zu machen. Dieser Boden ist stellenweise überreich, aber um diesen Reichtum zu genießen, anstatt ihn nur als etwas Selbstverständliches zu nehmen, muss man aus erster Hand die Dürftigkeit kennen, in der das alles anfing:

Solltest du jedoch für diese eigenartige Schönheit kein Verständnis haben, so möge dir das Schicksal einige Quadratmeter Boden zur Strafe bescheren, einen Lehmboden, hart wie Zement, einen echten Naturlehm, aus dem einem die Kälte entgegenweht, der sich unter deinem Spaten wie Kaugummi krümmt, der sich an der Sonne zusammenzieht und im Schatten säuert, einen schlechten, unnachgiebigen, schmierigen Lehm, der wie eine Schlange gleitet und trocken wie Ziegelstein ist, dabei undurchlässig wie Eisen und schwer wie Blei. Und nun versuche, ihn mit der Hacke zu zerteilen, mit dem Spaten zu zerschneiden, mit dem Hammer zu zerschlagen, grabe und plage dich ab, schimpfe und fluche. Dann wirst du begreifen, was Feindschaft und Verbissenheit der Materie bedeutet, die tot und unfruchtbar ist, die sich weigert, lebendes Erdreich zu werden, und dir wird bewusst, welchen Kampf alles Lebende Jahr um Jahr führen muss, um im Erdreich Wurzel zu fassen, ganz gleich, ob dieses Leben Pflanze oder Mensch heißt.

(S. 122)

Wenn es in Čapeks Buch eine »tiefere« Botschaft gibt, dann die, dass der Gartenbau eine Form der Erziehung ist, ein Versenken in die Tiefen der Naturgeschichte, ein Eintauchen in das Element, in dem sich das Leben erstmals heroisch auf der Erde etablierte. Einen Garten bestellen heißt, ein Verständnis für die Mühen zu entwickeln, mit denen sich das Leben in einem feindseligen und widerstrebenden Lehm eine Ausgangsbasis erzwang. (Čapeks eigenem Bekunden zufolge waren alle Dinge, denen er sich widmete, einschließlich der Gärtnerei, Teil eines Bemühens um Verständnis: »Verstehen ist die eine Manie, die ich habe; auszudrücken eine andere. Nicht mich auszudrücken, sondern Dinge auszudrücken« [Čapek, *The Gardener's Year*, Introduction, S. xi].)

Als Čapek irgendwo in einem Winkel von Prag sein Gartengrundstück kultivierte, erkannte er intuitiv, was die Naturwissenschaft jetzt mit theoretischer Gewissheit weiß, dass nämlich die ersten Lebensfunken – die ersten primitiven Zellen mit Membranen, die Ribonukleinsäure enthielten – in häufig vorkommenden Tonmineralien wie Montmorillonit auftraten, welche die grundlegenden Plattformen für die Bildung, das Wachstum und die Teilung einiger der frühesten lebenden Zellen auf der Erde bereitstellten. Im Anfang war der Lehm. Die Mühe lebender Organismen, die sich zentimeterweise vorwärts kämpften, verwandelte ihn in Humus. Im Anfang war eine Erde, die den Kolonisierungsbemühungen des Lebens aggressiven Widerstand entgegensetzte. Es bedurfte der gewaltigen sich selbst bestätigenden Kämpfe des Lebens selbst, um Erde, Meer und Luft in lebensfreundliche Elemente zu verwandeln. Das Leben selbst brachte zunächst einmal die Bedingungen hervor, die heute das Leben auf dem Planeten begünstigen. Dank dem unablässigen Stoffwechsel primitiver Bakterien über unzählige Jahrmillionen hinweg bildete sich rings um die Erde allmählich eine Atmosphäre, die reich an

Sauerstoff und Kohlendioxid war, und diese Atmosphäre ermöglichte den Prozess der Photosynthese, der wiederum den Planeten als ganzen in einen lebendigen Organismus verwandelte. Wenn die Erde im Laufe der Zeit in so etwas wie einen blühenden Garten verwandelt wurde, dann war das primitive Leben der ursprüngliche Gärtner, der ihren Boden bearbeitete und ihn zum Wachstum geeignet machte. Der menschliche Gärtner mit dem Hinterteil in der Luft ist ein spät hinzugekommener Teilhaber wie auch Nutznießer dieser Chemie der Vitalisierung.

Damit will ich primitiven Organismen keine Sorge im menschlichen Sinne zuschreiben. Ich würde eher sagen, dass die Sorge in ihrem sich selbst transzendierenden Charakter eine expansive Projektion der immanenten Ekstase des Lebens ist. Was das Leben von der unbeseelten Materie, in der es seinen Ursprung hat, unterscheidet, ist das fortgesetzte Über-sich-Hinausgehen, mit dem es aus dem Leblosen hervorbricht und sich ekstatisch aufrechterhält durch Verausgabungen, welche die Reserven der Vitalität eher erhöhen als erschöpfen. Das Leben ist ein Exzess, nennen wir es eine Selbst-Ekstase der Materie. Die Sorge wiederum ist eine weltformende, ethisch aufgeladene Erweiterung der erdformenden Kräfte, die durch eine Überlast von Vitalität das »volle Haus« unserer wimmelnden Biosphäre, wie es der verstorbene Stephen Jay Gould nannte, aufgebaut haben. Durch seine Hingabe an den Boden wird der Gärtner Čapeks in dieses geheimnisvolle Gesetz des Überschusses initiiert, das den belebten Stoff zum Überfluss seiner elementaren Basis macht – ein Gesetz, welches er, insofern er Mensch ist, auf eine grundsätzlich ethische Weise in sein Leben einbauen muss.

Das Jahr des Gärtners ist alles andere als eine moralische Allegorie – es ist ein Buch über die Liebesaffäre des Gärtners mit der Erde –, aber wenn Čapeks Erfahrung als Gärtner ihn ein ethisches Grundprinzip gelehrt hat, das man umfassend verallgemeinern kann, dann besagt es, »dass du dem Boden mehr geben musst, als du von ihm forderst« (S. 122). Das Missverhältnis zwischen Geben und Nehmen ist zuallererst ein Lebensprinzip – Leben existiert dort, wo das Geben das Nehmen überwiegt –, aber es gilt in gleicher Weise für die menschliche Kultur (nicht umsonst hat das Wort Kultur seine Wurzeln im Erdboden). Wir sollten uns hier noch einmal daran erinnern, dass, als Jupiter den Stoff des *homo* mit Geist belebte, sein Ton zu einer organischen Substanz wurde, die ihrem Wesen nach zugleich geistig und materiell war. Als dann diese Substanz Form angenommen hatte und mit Leben begabt worden war, eignete sie sich zur Kultivierung.

Niemand wusste besser als Čapek, dass die Kultivierung des Erdbodens und die Kultivierung des Geistes wesensgleiche und nicht bloß ähnliche Aktivitäten sind. Was für den Boden gilt – dass man ihm mehr geben muss, als man ihm nimmt –, das gilt auch für Nationen und Institutionen, für Ehe, Freundschaft, Erziehung, kurz, für die menschliche Kultur als ganze, die nur so lange entsteht und sich in der Zeit erhält, wie ihre Pfleger einen Überschuss von sich selbst hingeben. Die Gärtnerei ist für Čapek eine Ausbildung in der sich selbst mitteilenden Großzügigkeit, von der das Leben in all seinen Grundformen abhängt (und die menschliche Kultur ist nur eine dieser Formen, wenngleich eine expansive). Um daher diesen Ausflug in Čapeks Gartenbuch abzuschließen, wollen wir einen kurzen Blick darauf werfen, wie das persönliche Engagement des Autors in zwei spezifischen kulturellen Bereichen – dem literarischen und dem politischen – eine wesentliche Affinität zu seiner Gärtnerethik, wenn man sie so nennen darf, zutage treten lässt.

Um mit dem Literarischen zu beginnen, sollten wir feststellen, dass die tschechische Sprache, in der Čapek schrieb, in jeder Hinsicht ein bewusst kultiviertes Gebilde war. Čapek war sich sehr wohl darüber im klaren, dass das Tschechische etwa ein Jahrhundert vor seiner Geburt einem rohen Stück Lehmboden geglichen hatte, das man »zähmen« und für eine Nationalliteratur passend machen musste. Bis zum 19. Jahrhundert war es überwiegend in Dörfern von der bäuerlichen Bevölkerung gesprochen worden (die Städter sprachen meist Deutsch; die Aristokratie sprach Französisch, Deutsch und Italienisch; die Geistlichkeit sprach Deutsch und Latein; siehe Klíma). Im Laufe des 19. Jahrhunderts beschäftigten sich Schriftsteller, Dichter, Übersetzer und »Volkserwecker« damit, die Mittel der Sprache zu verfeinern. Sie entwickelten und erweiterten ihre Ausdrucksfähigkeiten, modernisierten ihr Idiom, erweiterten ihren Wortschatz, verliehen ihr eine neue semantische und prosodische Bildsamkeit und befähigten ganz allgemein das Tschechische, wie Ivan Klíma es formuliert, zu »neuen Arten von Erfahrung, neuen menschlichen Beziehungen und einer andersgearteten Sicht auf das Leben« (Klíma, Einleitung zu Čapeks *R.U.R.*, S. viii). Infolgedessen machte die tschechische Sprache während des 19. Jahrhunderts einen Entwicklungsgang durch, »für den in anderen Ländern Jahrhunderte erforderlich gewesen waren« (Klíma, ebd.).

Als dann Čapek Anfang des 20. Jahrhunderts zu den modernen tschechischen Autoren stieß, hatten diese Mühen bereits reiche Frucht getragen, und als Schriftsteller war er ihr unmittelbarer Nutznießer. Ebenso wie seine Vorgänger fuhr Čapek fort, die Nationalsprache zu kultivieren und das Spektrum ihrer literarischen Register zu erweitern. Seine Übersetzungen moderner französischer Lyrik ins Tschechische legten den Grund zur tschechischen Lyrik des 20. Jahrhunderts. Er erkundete, erfand oder verfeinerte eine Vielzahl unterschiedlicher Gattungen: Theaterstücke, Romane, Kurzgeschichten, Pamphlete, politische Abhandlungen, Zeitungsartikel und nicht einzuordnende Zeugnisse wie *Das Jahr des Gärtners*. Sein Engagement für die Kurzgeschichte beispielsweise führte zu einer herrlichen Sammlung, den *Geschichten aus der einen und der anderen Tasche*, in denen er eine einzigartige Sorte von Kriminalgeschichten voller Psychologie und Rätselhaftigkeit erfand, wobei er die Zeichensetzung liberalisierte und auffällige umgangssprachliche Wendungen benutzte. Als Romancier erkundete er eine Vielzahl von Stilrichtungen, Handlungsanordnungen und Idiomen. *Der Krieg mit den Molchen* ist überschäumend humorvoll und steht als Vorläufer der großen humoristischen Formen späterer tschechischer Schriftsteller wie Bohumil Hrabal, Milan Kundera, Václav Havel, Ivan Klíma und zahlreichen anderen. Ebenso hat jeder der Romane, aus denen seine bemerkenswerte Trilogie *Drei Romane* (*Hordubal; Der Meteor; Ein gewöhnliches Leben*) besteht, eine andere und eigenständige narrative Handschrift. Alles in allem hat diese Romanproduktion die formalen wie auch thematischen Grenzen des Geschichtenerzählens weit hinausgeschoben und die Grundlagen für die künftige tschechische Prosa gefestigt. Kurz gesagt, ebenso wie seine Vorgänger im 19. Jahrhundert fuhr Čapek fort, den Boden seiner Muttersprache zu nähren, mit Eifer. Und ebenso wie sie gab er dem Boden mehr, als er ihm entnahm.

Ivan Klíma, der ein schönes Buch über Čapeks Leben und Werk verfasst hat und aus dessen Einleitung zur englischen Ausgabe von Čapeks Theaterstück *R. U. R.* ich oben zitiert habe, weist darauf hin, dass Čapeks Engagement für eine tschechische Nationalliteratur noch übertroffen wurde durch seinen unbedingten Einsatz für die Tschechoslowakische Republik, die nach dem Ersten Weltkrieg entstanden war, und dass es tatsächlich im Rahmen dieses Einsatzes gesehen werden muss. Čapek betrachtete die Republik mit ihren demokratischen Institutionen als den einzigen Boden, in dem das literarische, kulturelle und politische Leben der Nation wahrhaft gedeihen konnte. Seine Loyalität gegenüber T. G. Masaryk, dem Präsidenten der Tschechoslowakischen Republik, führte zu den *Gesprächen mit Masaryk*, einem (auch heute noch) folgenreichen Buch, das sowohl ein Loblied auf Masaryks Leben, sein Handeln und seine politischen Ideen darstellte als auch ein Loblied auf die Prinzipien der Demokratie, denen Masaryk wie Čapek leidenschaftlich verpflichtet waren. Čapek betrachtete die Demokratie – vor allem die tschechoslowakische Demokratie – als ein sich entwickelndes, aber verletzliches politisches Gebilde, das von seinen Bürgern (besonders seinen Intellektuellen) gepflegt werden musste. Als Bürger und nicht nur als Schriftsteller leistete er auf diesem Gebiet weit mehr als seinen angemessenen Beitrag. Durch seine zahllosen Zeitungsartikel, politischen Essays, Kommentare und Feuilletons führte Čapek in den zwanziger und dreißiger Jahren einen ständigen Krieg gegen das, was er als die größte Bedrohung für die tschechoslowakische Demokratie und den europäischen Humanismus im allgemeinen ansah, nämlich den Totalitarismus. Die Geschichte hat in der Folge die Wahrheit seiner unerschütterlichen Überzeugung bestätigt, dass der deutsche Nationalsozialismus einerseits und der sowjetische Kommunismus andererseits das zu zerstören drohten, was im Laufe der Jahre im Rahmen der republikanischen Institutionen seiner Nation mit solcher Sorgfalt genährt worden war.

Zwar formulierte er es nicht mit genau diesen Worten, aber aus seinen politischen und journalistischen Schriften wird deutlich, dass für ihn der Unterschied zwischen der Demokratie und dem Totalitarismus der zwischen einem Garten und einem Sumpf ist. (Čapeks Aufsatz »Warum bin ich kein Kommunist?« ist eine der beredtesten Aussagen in dieser Richtung und gipfelt in dem bemerkenswerten Satz »Ich kann kein Kommunist sein, weil die Moral des Kommunismus keine Moral der Hilfe ist« [zitiert in Klíma, *Karel Čapek*, S. 131]). In einer Demokratie sind die Bürger Verwalter des Staates. In totalitären Gesellschaften erhebt der Staat den Anspruch, Verwalter seiner Bürger zu sein. Ein Staat aber, der nicht aktiv durch die Sorge seiner Bürger unterstützt wird – der nicht durch ihre Beteiligung an der Aufrechterhaltung und Leitung seiner Institutionen wächst –, besitzt weder die Mittel noch den Willen, für seine Bürger zu sorgen, außer insofern, als sie den Interessen des Staates dienen.

Symbolisch gesprochen erscheint es nur angemessen, dass Čapek kurz vor dem Einmarsch der Nazis in die Tschechoslowakei starb (er erlag am Weihnachtstag 1938 einer Lungenentzündung). Für seine Gärtnerseele wäre es wirklich zuviel gewesen, den Mehltau mit anzusehen, mit dem zuerst Hitler und dann die Sowjets seine Nation heimsuchten. Oder vielleicht verband sich der Ausbruch dieses Mehltaus in all seiner Unvermeidlichkeit mit seiner Krankheit, um seinem Leben mit 48 Jahren vorzeitig ein Ende zu setzen.

Der Nationalsozialismus und der Sowjetkommunismus dezimierten die europäische Menschlichkeit und Kultur in einer Weise, wie sie sich Čapek nicht einmal in seinen pessimistischsten Augenblicken hätte vorstellen können. Ob die dritte große Gefahr, die Čapek mit obsessiver Besorgnis verfolgte – die moderne Technik –, zu ihren eigenen, noch nicht vorstellbaren Formen der Verwüstung führen wird, bleibt abzuwarten. Čapeks Stück R.U.R. liefert eine gleichnishafte Vorstellung von der tieferen Quelle seiner Sorgen, dass nämlich die moderne Technik nichts von der Demut, der Hingabe und sorgenden Berufung des Gärtners besitzt. Sie steht im Widerspruch zu der Einsicht des Gärtners in die immanente Beschränkung seiner Handlungsmöglichkeiten, zu seiner besorgten, aber offenen Passivität gegenüber den Kräften der Natur und seiner Treue zu den Bemühungen, mit denen das Leben darum ringt, sein Regime der Vitalität auf der Erde aufrechtzuerhalten.

Wenn es um den Boden geht – das heißt, um die Gesamtheit der natürlichen Ressourcen, die in der Erde verschlossen liegen –, dann geht der Trieb der modernen Technik dahin, eher auszuziehen, zu entnehmen und zu erschöpfen, als zu kultivieren, zu verbessern und zu fördern. Was Čapek an ihrer ungezügelten Machtanhäufung am meisten fürchtete, war ebendie Tatsache, dass die Technik mehr fortnimmt, als sie zurückgibt. In dieser Hinsicht ist sie keine gute Hüterin der Zukunft.

Wenn das Leben eine Teilmenge der Gärtnerei ist und nicht umgekehrt, dann besteht aller Grund zu der Annahme, dass die Menschheit, wenn sie ihre Zukunft irgendjemandem anvertrauen muss, sie dem Gärtner anvertrauen sollte oder denjenigen, die sich wie der Gärtner für eine Zukunft engagieren, deren Urheber sie zum Teil sind, auch wenn sie nicht zugegen sein werden, um ihre volle Entfaltung mitzuerleben:

[E]lfhundert Jahre würde ein Gärtner brauchen, um alles, was ihm zukommt, auszuprobieren, zu bewältigen und praktisch zu verwerten. […] Wir Gärtner leben irgendwie in der Zukunft; wenn unsere Rosen blühen, denken wir schon daran, dass sie im kommenden Jahr noch schöner blühen werden. Und so nach zehn Jahren wird aus diesem Tannenbäumchen ein richtiger Baum – wenn nur schon die zehn Jahre hinter uns lägen! Ich möchte gern wissen, wie die Birken in fünfzig Jahren aussehen werden. Das Echte, das Beste liegt immer vor uns.
(S. 162f.)

Selbst wenn uns die Geschichte lehrt, dass dies keineswegs ausnahmslos der Fall ist, muss der Gärtner fortfahren zu glauben, dass »das Beste immer vor uns« liegt, denn ohne einen solchen Glauben gäbe es keine Gärtner, und ohne Gärtner gäbe es keine wie auch immer beschaffene Zukunft.

61

Jimmy's Garden. Foto: Margaret Morton © 1991.
Aus: *Transitory Gardens, Uprooted Lives*
(New Haven, CT: Yale University Press, 1993).

4

Obdachlosengärten

Von der großen Mehrzahl der Gärten, welche die Erde im Lauf der Jahrtausende geschmückt haben, weiß die Geschichte nichts; schließlich sind diese Schöpfungen von Natur aus unbeständig und hinterlassen nur selten Spuren ihrer Existenz. Anders sollte es auch nicht sein – Gärten sind keine Denkmäler. Solange sie bestehen, können sie Orte des Gedächtnisses oder Stätten der Erinnerung darstellen, aber abgesehen von einigen wenigen ausgesuchten Ausnahmen sind sie nicht dazu da, ihre Schöpfer unsterblich zu machen oder dem Zahn der Zeit zu trotzen. Allenfalls existieren sie, um die Gegenwart neu zu verzaubern. Darum sollten wir sie uns auch nicht als Kunstwerke vorstellen. Wie es Rainer Maria Rilke in einem Brief an Lou Andreas-Salomé formuliert hat, besteht der innere Ehrgeiz von Kunstwerken darin, die Zeit zu transzendieren und ewig zu werden: »Das Ding ist bestimmt, das Kunst-Ding muss noch bestimmter sein; von allem Zufall fortgenommen, jeder Unklarheit entrückt, der Zeit enthoben und dem Raum gegeben, ist es dauernd geworden, fähig zur Ewigkeit. Das Modell *scheint,* das Kunst-Ding *ist*« (Rainer Maria Rilke, Lou Andreas-Salomé, *Briefwechsel,* 8. August 1903, S. 94). Gärten hingegen sind in Zeit und Ungewissheit gestürzt, sie ringen offen mit den Wechselfällen von Boden, Wetter und Elementen. Sie haben eine Weise, die Zeit zu verlangsamen – sozusagen ihrem Fluss zu gestatten, sich in ruhigen Teichen zu sammeln –, aber das ist ein Teil ihrer Verzauberungskraft, nicht ihres Durchhaltevermögens.

Nach landläufiger Meinung sind Gärten ursprünglich als Nebenprodukt der Landwirtschaft oder als eine Form der primitiven Landwirtschaft entstanden. Das ist jedoch pure Spekulation, und wenn es um Spekulationen über Ursprünge geht, sollten wir uns lieber an die Intuition von Dichtern als an die landläufige Meinung halten, und sei es nur deshalb, weil der Beruf der Dichtung so alt ist wie die Welt selbst, während die landläufige Meinung üblicherweise die Mentalitäten und Glaubensvorstellungen eines bestimmten historischen Zeitalters widerspiegelt. Der Dichter W. S. Merwin beispielsweise glaubt, dass die Landwirtschaft allenfalls als Folge des Gartenbaus entstanden ist und nicht umgekehrt. Uns stehen keine unumstößlichen Beweise zur Verfügung, mit denen sich die Sache in der einen oder anderen Richtung entscheiden ließe, aber wenn die Gärten für die Landwirtschaft das sind, was die Poesie für die Prosa ist, dann gibt es zumindest in der Analogie wurzelnde Gründe dafür, Merwin zu glauben, dass die Gärten zuerst kamen.

Der italienische Forscher Pietro Laureano liefert uns andere, eher empirisch fundierte Gründe für die Annahme, dass unsere paläolithischen Vorfahren schon lange Zeit vor dem Aufstieg der Landwirtschaft Gärten kultivierten. »Die ersten zaghaften Versuche, aus denen die Techniken der Züchtung und des Anbaus hervorgegangen sind«, schreibt er, »können [...] keine auf Nutzanwendung gerichteten Ziele gehabt haben.« Warum? Der Grund ist folgender: »Die Domestizierung, das Sammeln und die Auslese von Pflanzenarten zum Gewinnen von Sorten mit nutzbaren Eigenschaften führen erst nach mehreren Generationen zu Ergebnissen und lassen sich nicht durch die Notwendigkeit erklären, sich kurzfristig Nahrungsmittel oder andere Vorteile zu verschaffen« (Laureano, *Giar-*

dini di pietra, S. 37). Aus dieser Prämisse schließt Laureano, dass die ersten Gärten von Jägern und Sammlern zu Zwecken geschaffen sein dürften, die »ritualistisch, magisch oder einfach spielerisch und ästhetisch waren, nicht aber zwangsläufig einen ökonomischen und auf Produktion gerichteten Sinn hatten« (ebd.). Kurz, er meint, sie hätten mehr mit Zauberei als mit Beschaffung von Dingen zu tun gehabt – sofern es nicht um die Beschaffung von Opiaten, Gewürzen, Halluzinogenen oder Heilmitteln ging. Die Menschheit kann schließlich nicht viel Realität ertragen. Darum ist das oben angeführte Wort Thoreaus – »Es sei Leben oder Tod, wir ersehnen nur die Wirklichkeit« – nicht die ganze Wahrheit. Es gibt in den Menschen ein ebenso grundlegendes (und dazu in keiner Weise im Widerspruch stehendes) Verlangen, die Wirklichkeit zu verwandeln, sie mit Kostümen und Illusionen zu schmücken und dadurch die Erfahrung, die wir mit ihr machen, wieder zu spiritualisieren. Welche Formen auch immer sie angenommen haben mögen, welche Freuden oder Drogen sie hervorgebracht haben mögen, die frühesten menschlichen Gärten müssen zumindest zum Teil mit diesem Erfordernis verknüpft gewesen sein.

Oben habe ich behauptet, dass der Fall aus Eden Adam und Eva einer Ordnung der Sorge und der sogenannten *vita activa* überantwortete. Um an die Dreigliederung Arendts zu erinnern, die *vita activa* besteht aus Arbeit, Herstellen und Handeln. Fragen wir nun, an welcher Stelle genau sich Gärten in dieses Schema einfügen lassen, dann geraten wir in Verwirrung. Sie sind nicht mit unserem biologischen Überleben verknüpft, und daher lassen sie sich nicht unter den Begriff der Arbeit subsumieren (Landwirtschaft ist Arbeit). Ebenso lassen sie sich nicht genau unter die Kategorie Herstellen subsumieren. Der Inbegriff des Herstellens ist Arendt zufolge die Kunst, und es hat wohl den Anschein, dass Gärten den Hang der Kunst zur Dauerhaftigkeit nicht teilen (zu weiteren Ausführungen über das Verhältnis zwischen Gärten und Kunst siehe Kapitel 5). Und was das Handeln angeht, so versteht Arendt es als etwas, was sich strikt zwischen Menschen in ihren öffentlichen Welten abspielt. Es sieht also auch nicht so aus, als fielen die Gärten unter die Rubrik des Handelns. Oder etwa doch?

Die Tatsache, dass Menschen solche Dinge wie Gärten schaffen, ist seltsam: Denn das bedeutet, dass es Aspekte unserer Menschlichkeit gibt, für die die Natur natürlicherweise keinen Platz hat, für die wir inmitten der Natur *Platz schaffen* müssen. Dies wiederum bedeutet, dass Gärten, gerade wenn sie uns näher an die Natur heranführen, unsere Trennung von ihr markieren, dass es in uns etwas ausgesprochen Menschliches gibt, das auf die Natur bezogen ist, das aber nicht der Ordnung der Natur angehört, kurz, dass Gärten auf eine Reihe menschlicher Bedürfnisse eingehen, die sich nicht auf unsere animalischen Bedürfnisse reduzieren lassen. Die letztgenannte Behauptung wird anscheinend dadurch bestätigt, dass Gärten es selbst in den desillusioniertesten Umgebungen, in denen es vor allem ums Überleben geht, irgendwie schaffen, ans Licht zu kommen. Im Jahr 1993 veröffentlichten Diana Balmori und Margaret Morton ein Buch mit Photographien und Kommentaren, das den Titel *Transitory Gardens, Uprooted Lives* trägt. Gewidmet ist es »den entwurzelten Individuen, die auf der Suche nach einem Heim die Straßen von New York gepflügt und auf diesem Wege den Sinn von *Garten* offengelegt haben«; es bietet eine visuelle und textliche Dokumentation der provisorischen Gärten, die sich Obdachlose mit großer Mühe und Sorge in den Slums von New York geschaffen haben. Was haben wir aus diesen Schöpfungen zu lernen? Vor allem dies: dass an Gärten und an der Bestätigung von Menschlichkeit, die sich mit ihnen verbindet, mehr hängt, als wir vielleicht angenommen haben.

Die Gärten, um die es hier geht, bestehen aus unterschiedlichen, weitgehend zufällig ausgewählten Materialien: Spielzeug, ausgestopfte Tiere, Flaggen, gefundene Gegenstände, Milchkartons, wiederverwendeter Müll, Haufen von Blättern, gelegentlich eine einfache Reihe Blumen. Wir bezeichnen sie als Gärten, weil sie mit Bedacht konstruiert sind, aber den großen Stadtparks unserer Welthauptstädte oder den privaten Gärten der herrschenden Klasse, mit denen sich traditionelle Untersuchungen über Gartenkunst am meisten beschäftigen und mit denen sie am vertrautesten sind, stehen sie so fern wie nur möglich. In den Worten Balmoris und Mortons sind die Ghettogärten der Obdachlosen »*Kompositionen*, die im Freien angelegt sind, [...] die aus einer Vielzahl von Elementen konstruiert sind und die durch ihre Distanz zu den gewöhnlichen Bedingungen, unter denen Gärten angelegt werden, das Wort *Garten* von seiner kulturellen Zwangsjacke befreien« (S. 4). Das ist sicher wahr, und es ist schön gesagt, aber ich bin hier in erster Linie nicht daran interessiert, die Semantik des Wortes *Garten* zu befreien, sondern nach den tieferliegenden menschlichen Trieben zu fragen, die in die Schaffung dieser sogenannten vergänglichen Gärten eingehen. Was für Handlungen führen zu ihrer Entstehung? Was veranlasst ihre Urheber, denen das lebensnotwendige Minimum fehlt, dazu, so viel von sich selbst in Schöpfungen zu investieren, die nicht dazu beitragen, ihre Überlebensbedürfnisse zu stillen? Wenn wir den menschlichen Nährboden, aus dem solche Gärten hervorgehen, besser verstehen können, dann können wir vielleicht auch besser das verstehen, was Arendt als *condition humaine* bezeichnet. Und das ist keine akademische Frage.

Balmori und Morton bemerken (und die Photographien bestätigen das auch), dass jeder dieser vergänglichen Gärten (die einen Tag, eine Woche oder einen Monat lang bestehen können) sozusagen eine einzigartige persönliche Handschrift oder einen eigenen Stil besitzt. Das veranlasst die Autorinnen zu der Spekulation, dass die Gärten aus einem menschlichen Grundbedürfnis ihrer Urheber hervorgehen: aus dem Bedürfnis zu schöpferischem Ausdruck. Daran, dass die Gärten von einem unbezähmbaren Drang zum Erschaffen, Ausdrücken, Gestalten und Verschönern zeugen und dass das Ausdrücken der eigenen Persönlichkeit ein menschliches Grundbedürfnis darstellt, kann kein Zweifel bestehen; sieht man sich aber die Photographien an, dann fällt einem auf, dass diese vergänglichen Gärten ungeachtet ihrer stilistischen Vielfalt noch von verschiedenen anderen Grundtrieben sprechen, die jenseits des Bedürfnisses nach Verschönern und schöpferischem Ausdruck liegen.

Einer dieser Triebe hat damit zu tun, sich inmitten einer turbulenten Umwelt eine Oase der Ruhe zu schaffen, einen »ruhenden Punkt der kreisenden Welt«, um es mit einer Wendung von T. S. Eliot zu sagen. Eine Insel der Ruhe, so gekünstelt sie auch sein mag, stellt ein ausgesprochen menschliches Bedürfnis dar, im Gegensatz zu einem Unterschlupf, der ein ausgesprochen animalisches Bedürfnis ist, und dies gilt in solchem Maße, dass dort, wo letzterer fehlt, wie das bei diesen unwahrscheinlichen Gärtnern der Fall ist, erstere um so dringlicher gebraucht wird. Ruhe ist eine Geistesverfassung, die durch die Strukturierung der Beziehung eines Menschen zu seiner Umwelt ermöglicht wird. Die Gärten der Obdachlosen, die tatsächlich obdachlose Gärten sind, führen *Form* in eine städtische Umwelt ein, in der sie entweder nicht existent oder nicht als solche erkennbar war. Dabei geben sie einem Segment des ungegliederten Milieus, in dem sie (beinahe trotzig) Stellung beziehen, eine Fassung. Diese Gärten sind tatsächlich kleine Reviere. In derart wohldefinierten Revieren wird menschliche Ruhe überhaupt erst möglich.

Über Gärten im allgemeinen könnte man sagen, dass sie in ihren gesammelten Formen einer sonst grenzenlosen Natur menschliche Dimensionen verleihen. Ebenso verleihen die vergänglichen Gärten von New York einer sonst grenzenlosen städtischen Weite menschliche Dimensionen. Durch ihre Kompositionsanordnungen schaffen sie eine offene Einfriedung (oder eine Einfriedung im Offenen), die der amorphen sie umschließenden Umwelt ein Maß menschlicher und nicht nur räumlicher Orientierung verleiht (Ruhe ist eine Art Orientierung). Man könnte sagen, dass diese Gärten auf sichtbare Weise rings um sich die geistigen, seelischen und körperlichen Energien sammeln, die ihre Umgebung sonst verschleudern, zerstreuen und auflösen würde. Ihre kompositorische Förmlichkeit, so locker gefügt oder improvisiert sie auch sein mag, führt ein gewisses Maß an Zusammenhalt oder Abgrenzung dort ein, wo sich vorher nur eine gleichgültige Stadtfläche erstreckte. Indem sie die Sammlung und die beschützenden Kräfte der Form befreien, sorgen sie so für die Grenzen, die für menschliche Ruhe notwendig sind.

Ein weiterer Drang oder ein Bedürfnis, auf das diese Gärten anscheinend eingehen oder auf das sie zurückgehen, ist in solchem Maße angeboren, dass wir uns seiner bleibenden Ansprüche auf uns kaum jemals bewusst sind. Ich meine unsere Biophilie ebenso wie das, was ich als unsere Chlorophilie bezeichnen würde. Wenn es uns an Grün, an Pflanzen, an Bäumen mangelt, dann erliegen die meisten von uns (wenngleich offensichtlich nicht alle) einer Demoralisierung des Geistes, für die wir gewöhnlich ein psychisches oder neurochemisches Übel verantwortlich machen, bis wir uns eines Tages in einem Garten oder Park oder auf dem Lande wiederfinden und feststellen, dass der Druck wie durch einen Zauber verfliegt. In der Mehrzahl der vergänglichen Gärten von New York ist ein richtiger Anbau von Pflanzen nicht durchführbar, aber dennoch (oder vielleicht deshalb *um so mehr*) scheinen die Kompositionen häufig Versuche darzustellen, durch eine wie eine Baumgruppe geformte Anordnung von Materialien, durch die Einführung von Farben und kleinen Wasserflächen und eine häufige Verwendung von Blütenblättern oder grünen Blättern wie von ausgestopften Tieren zumindest symbolisch den Geist pflanzlichen und tierischen Lebens heraufzubeschwören. Ausgestellt werden hier verschiedene Phantasieelemente, deren Bezugsgegenstand auf einer grundlegenden Ebene die natürliche Welt zu sein scheint. Diese implizite oder explizite Bezugnahme auf die Natur rechtfertigt es in vollem Umfang, zur Beschreibung solcher synthetischer Konstruktionen, wenngleich in einem »befreiten« Sinn, das Wort *Garten* zu verwenden. In ihnen können wir sehen, wie Biophilie – eine Sehnsucht nach Kontakt zu nichtmenschlichem Leben – unheimliche Formen der Repräsentation annimmt.

Nicht zu verkennen ist mit Sicherheit der chlorophile Drang, der sich in den verschiedenen »Gemeinschaftsgärten« zeigt, die nicht nur in New York, sondern in ganz Amerika in Innenstädten entstanden sind. Dabei handelt es sich meist um unbebaute städtische Grundstücke, die – durch Anwohner, Obdachlose, Besetzer, Bewohner von Mietskasernen und andere Menschen – in Reservate dichter Vegetation verwandelt worden sind. Hier geht es vor allem um grüne, blattreiche Gewächse, um Gemüse, um Grün in seinen üppigen sprießenden Formen (Rasen ist tatsächlich selten). Gemeinschaftsgärten haben meist nicht den Kompositionscharakter vergänglicher Ghettogärten; sie wirken eher wie ungehemmte, fast anarchische Verherrlichungen von Chlorophilie in einem abgezirkelten städtischen Raum.

Ganze Viertel sind durch das Vorhandensein dieser florierenden Gärten verwandelt worden, von denen viele, gleichsam durch ihre Kraft der Verzauberung, Gemeinschaften dort geschaffen haben, wo es zuvor keine gab. Die folgende Anekdote mag als ein Gleichnis aus dem richtigen Leben dienen. Vor einigen Jahren trafen sich Karl Paige und Annette Smith auf dem Mittelstreifen der Quesada Avenue in der Nähe der Newhall Street im Bezirk Bayview von San Francisco (ein rauher Bezirk, um es zurückhaltend zu formulieren). Paige, ein Rentner, der auf einer Farm in Mississippi groß geworden war, hatte sich mit seiner Säge auf den Mittelstreifen begeben, um einen absterbenden Strauch abzusägen. Smith, als Tochter eines ehemaligen Farmers in Alabama geboren, war gekommen, um für ihren Bruder nach Würmern als Köder zum Angeln zu graben. Sie kamen ins Gespräch und stellten fest, dass es einen Versuch lohnen würde, dort auf dem Mittelstreifen einen Garten anzulegen. Nachdem sie von der Stadt die Genehmigung erhalten hatten, fingen sie an, den Boden von den Bierdosen, dem Motorenöl, den alten Batterien und Zündkerzen, den Kühlschränken, Bremsklötzen, Matratzen und Fast-Food-Verpackungen zu befreien, die hier ihre letzte Ruhestätte gefunden hatten. Sie gruben den Boden um und düngten ihn, besäten ihn in reichlicher Vielfalt, sperrten das Gelände mit gelbem Band ab und pflegten sorgfältig die Ringelblumen und Geranien, die Erdnuss-, Basilikum- und Grünkohlpflanzen, die Löwenmäuler und Kakteen, die hier schon bald zu sprießen begannen. Das Wunder eines solchen Gartens mitten unter ihnen zog die Bewohner der Umgebung an, von denen viele sich zwischen den Blumen, Kräutern und Gemüsepflanzen zum erstenmal begegneten.

Seither sind in der Nachbarschaft mehrere weitere Gärten entstanden, und dort, wo früher Süchtige, Dealer und Landstreicher urinierten, Müll abluden und ihre Revierkämpfe austrugen, finden jetzt Versammlungen anderer Art statt. Einem Reporter erklärte ein Anwohner: »Immer häufiger kommen in den letzten Monaten die Leute aus ihren Häusern, um sich in der Mitte des Gartens zu versammeln. Manche Menschen haben sich am Grünkohlbeet zum erstenmal getroffen« (*San*

Francisco Chronicle, 2. September 2004, S. A5). Volkstümliche Kommentare wie dieser bestätigen buchstäblich, was zahlreiche Klassiker der Weltliteratur und Philosophie in bildlicherer Formulierung behaupten: einen genetischen, nahezu organischen Zusammenhang zwischen Gärten und Formen der Geselligkeit. In diesen antiken, mittelalterlichen und neuzeitlichen Texten erscheinen Gärten häufig als Stätten des Gesprächs, des Dialogs, der Freundschaft, des Geschichtenerzählens – kurz, der Vergesellschaftung. So wie die Kompositionsgärten der Obdachlosen eine Sammlung der Form darstellen, führen die Gemeinschaftsgärten von Bayview – und vermutlich auch alle anderen Gemeinschaftsgärten in Amerika – eine Sammlung von Menschen herbei. Diese Kraft des Sammelns trägt dazu bei zu erklären, warum Gärten nicht nur Themen und Stätten des Gesprächs sind, sondern in zahlreichen westlichen ebenso wie nichtwestlichen Texten ausdrücklich mit dem Ideal des Gesprächs schlechthin in Verbindung gebracht werden.

Obgleich kein Gesprächspartner in ihnen anwesend zu sein scheint, haben die vergänglichen Gärten von New York ebenfalls teil an diesem Geist des gesellschaftlichen Verkehrs. Insofern sie eine positive Aussage verkörpern, ihre menschliche Urheberschaft erklären, zu Anerkennung einladen und zu einer Reaktion auffordern, stellen sie Sprechakte dar, nicht in dem banalen Sinn, dass sie »gesellschaftliche Aussagen« machen, sondern in dem Sinn, dass sie sich gegen einen Zustand der Sprachlosigkeit zur Wehr setzen und über ihn triumphieren. Sie erscheinen in den sie umgebenden Landschaften als klare »Vorstöße in das Sprachlose«, um es noch einmal mit einem Ausdruck aus Eliots *Vier Quartetten* zu sagen. Auch wenn in ihnen gewiss ein Element des schöpferischen Ausdrucks am Werk ist, spürt man, dass sich neben diesem Willen zum Ausdruck oder vielleicht sogar hinter ihm ein dringenderes Bedürfnis verbirgt, Barrieren der Aphasie zu durchbrechen und gesprächig zu werden, so wie beispielsweise Gedichte gesprächig sind. Diese Gärten laufen nämlich auf den Beginn eines Dialogs hinaus, und Gesprächspartner ist jeder, der sich die Zeit nimmt, sie zur Kenntnis zu nehmen und zu bestaunen. Das ist der Grund, weshalb vergängliche Gärten noch krasser und noch eindringlicher als Gemeinschaftsgärten das ausgesprochen menschliche Bedürfnis evozieren, das in ihre Anlage eingegangen ist, nämlich das Bedürfnis, mit seinen Mitmenschen ein Gespräch zu führen.

Wenn die Rede im wesentlichen der öffentlichen Sphäre oder der *polis* angehört, dann sind sowohl die Kompositionsgärten als auch die Gemeinschaftsgärten, die wir hier betrachten, in allererster Linie Akte der politischen Erlösung. Dadurch, dass sie die Sprachlosigkeit überwinden, zu der ihre Schöpfer durch die Verhältnisse verdammt worden sind, erlösen sie das spezifisch menschliche Bedürfnis, zu handeln, zu sprechen und gehört zu werden, und das alles sind »politische« Dinge im wesentlichsten Sinn dieses Ausdrucks. Zumindest insofern gehören sie tatsächlich der Sphäre des menschlichen Handelns an, wie Arendt sie auffasst. Ihre Komposition wendet Tat wie Wort nach außen, in die öffentliche Sphäre hinein oder zu ihr hin, dorthin, wo Menschen einander gegenseitig ihre Menschlichkeit anerkennen, in ihrer essentiellen Würde.

Allen nichtimaginären Gärten ist gemeinsam, dass sie durch menschliches Wirken hervorgebracht werden. Dass dieser Umstand offenkundig oder selbstverständlich ist, bedeutet nicht, dass er darum weniger entscheidend wäre. Ob sie in ihrem Zentrum oder an ihren Rändern gelegen sind, Gärten haben ihren angemessenen Ort in der *polis*, die für Arendt als die Bühne menschlichen Handelns dient (wie sie sagt, findet das Handeln immer in der »Welt, die sich zwischen Menschen abspielt«, statt). Das bedeutet nicht, dass Gärten eine Form des politischen Handelns in der Weise sind, wie wir diesen Begriff gewöhnlich verstehen, oder dass sie zwangsläufig den politischen Interessen derer dienen, die sie geschaffen haben. Es bedeutet, dass sie, so privat oder abgelegen sie auch sein mögen, niemals unabhängig von der Welt existieren, die durch menschliches Handeln gestaltet wird, selbst wenn sie sich durch diese Welt nicht in vollem Umfang fassen oder begreifen lassen.

Darum können wir dem Schriftsteller und Philosophen Rudolf Borchardt folgen, der in seinem 1938 entstandenen Buch *Der leidenschaftliche Gärtner* (das er während seines selbstgewählten Exils in Italien verfasste) folgendes schreibt: »[W]as schließlich [als Garten] entsteht, ist ein Ausweis des Menschen [...]. Denn der Garten kann nichts anderes sein als eine Ordnung. [...] Er ist eine Ordnung auch im Sinne des Maßes, der Erziehung und der Rettung – denn alle Ordnungen sind eben auch alles dieses« (S. 38). Borchardt hätte hier präziser sein und spezifizieren sollen, dass »alle *menschlichen* Ordnungen [...] eben auch alles dieses« sind. Weil der Garten einen Begriff menschlicher Ordnung mit sich bringt, postuliert Borchardt eine grundlegende »Spannung« zwischen der Blume und dem Garten. Sowohl die Blume als auch der Garten verkörpern eine Ordnung, aber eine solche ganz unterschiedlicher Art: »Die Ordnung der Blume ist eine vormenschliche der Kreatur; die des Gartens eine menschliche des Meisters, Bemeisterers, Umgestalters Mensch« (S. 36). Wir sahen, dass der Mensch dort, wo er Meister, Bemeisterer und Umgestalter ist, auch Sklave, Opfer und Märtyrer ist und dass er dort, wo er am nachdrücklichsten seinen Willen geltend macht, auch mit der letztlichen Machtlosigkeit seines Willens konfrontiert wird (Kapitel 3). Weil der »Mensch« in gewissem Sinne in seiner vom Willen angetriebenen *vita activa* gefangen ist und weil er an dieser Gefangenschaft leidet, erfüllt ihn die Blume mit

Sehnsucht und Nostalgie. »Mit der Blume ist [der Mensch] durch unvernünftige Sehnsucht verbunden, mit dem Garten durch den Willen« (S. 36). Die Blume konfrontiert uns mit einer Schönheit, die unabhängig vom menschlichen Willen existiert – mit einer Schönheit, die wir nicht erschaffen, sondern nur in unseren Gärten kultivieren können.

Zusätzlich zu der Spannung zwischen Blume und Garten und zwischen unvernünftiger Sehnsucht und Willen gibt es in den Menschen, wie Borchardt schreibt, noch eine weitere, dazu in Wechselbeziehung stehende Spannung: »Der Mensch ist eine Spannung aus verlorengegangener Natur und unerreichbarem Gottschöpfer. Der Garten steht im genauen Mittelpunkt dieser Spannung« (S. 39). Mit anderen Worten, der Garten steht im Zentrum einer menschlichen Seinsweise, die sich zwischen zwei Unmöglichkeiten oder zwei unwiderruflichen Verlusten erstreckt: zwischen der Natur und Gott. Wir können uns dafür entscheiden, das Wesen dieser Spannung anders zu verstehen als Borchardt – etwa als die Spannung zwischen einer Sehnsucht nach Abgeschlossenheit und der Unabgeschlossenheit menschlicher Existenz oder zwischen unserem Verlangen nach Wirklichkeit und unserem Verlangen nach Erlösung von der Wirklichkeit –, doch letztlich müssen wir immer daran denken, dass die Natur ihre eigene Ordnung hat und dass menschliche Gärten *nicht,* wie man so häufig hört, Ordnung in die Natur hineintragen; vielmehr verleihen sie unserer Beziehung zur Natur eine Ordnung. Unsere Beziehung zur Natur ist es, welche die Spannung definiert, in deren Mittelpunkt nicht nur der Garten steht, sondern die menschliche *polis* als solche.

Dieser verkörperte Begriff menschlicher Ordnung – die ja zahlreiche verschiedene Formen annimmt – verknüpft den Garten mit der *polis,* das heißt mit dem Reich der Interaktionen, in welchen und durch welche die Menschen aus eigener

Initiative ihren historischen Welten Form und Gliederung verleihen. Wenn man sagt, die vergänglichen Gärten von New York seien Sprechakte, dann heißt das, dass sie auf eine öffentliche, wenn auch nonverbale Weise von unserem menschlichen Bedürfnis sprechen, uns auf einer Erde heimisch zu machen, die für uns nicht unbedingt Platz macht.

Kingscote Gardens, Stanford University, 2007.
Foto: © 2007 by Godfrey DiGiorgi. Alle Rechte vorbehalten.

5

»Mon jardin à moi«

»Mais ton jardin à toi, où est-il?« Diese Frage stellte mir eines Tages mein Freund Michel Serres, als ich ihm die verschiedenen Arten von Gärten geschildert hatte, die ich in diesem Buch zu behandeln gedachte. Da ich nicht tatsächlich einen eigenen Garten bestelle, bin ich versucht zu sagen, dass *mon jardin à moi* die Form ist, die meine Reflexionen auf den Seiten dieses Buches annehmen. Das ist zwar eine Redensart, aber es bestätigt erneut meine These, dass Gärten »Sinnbilder« für zahlreiche kulturelle Aktivitäten sind, die nicht buchstäblich mit dem Gartenbau oder dem Anlegen von Gärten zusammenhängen. Da ich Serres jedoch kenne, gab ich keine Antwort dieser Art zum besten, denn wir beide teilen miteinander die Überzeugung, dass ebenso wie sich der Geist aus der Materie entfaltet, das Sinnbildliche aus dem Wirklichen erblühen sollte.

Es gibt einen »wirklichen« Garten, den ich gern mein eigen nennen würde, auch wenn ich keine Eigentumsrechte an ihm habe. Er heißt Kingscote und liegt auf dem Campus der Stanford University, an der ich lehre. Ich habe diesen verschwiegenen Ort mehrfach aufgesucht in der Hoffnung, mir größere Klarheit darüber zu verschaffen, was ein Garten seinem Wesen nach ist, und ich bin dort tatsächlich zu Gedanken und Einsichten gelangt, die wahrscheinlich nie das Licht des Tages oder, falls man das lieber will, das Licht des Bewusstseins erblickt hätten, wenn jener Ort nicht existiert hätte. Sofern es wahr ist,

»dass alles auf der Welt existiert, um in ein Buch einzugehen«, wie Mallarmé einmal geschrieben hat, dann bin ich mehr als glücklich, Kingscote in dieses hier eingehen zu lassen.

Aus irgendeinem Grund ist der Ort fast immer leer. Für Freizeitaktivitäten ist er zu klein, es gibt dort keinen richtigen Platz zum Sitzen mit Ausnahme einer niedrigen Kalkstein-bank, die eher als Dekorationsobjekt denn als Sitzmöbel fungiert, und so dient er anscheinend, wie er da in sich ruhend liegt, keinem anderen Zweck als dem der reinen Selbstbestätigung. Er ist weder prahlerisch noch zurückgezogen, aber er hat die Aura eines Geheimnisses. Nur wenige Leute wissen nämlich, wenn man sie danach fragt, von seiner Existenz, und in den verschiedenen Bänden über die Geschichte und die Architektur von Stanford, die es in der Universitätsbuchhandlung gibt, findet er keine Erwähnung. Fast ist es, als existierte der Garten nicht, aber wenn man ihn betritt, überkommt einen das Gefühl, dass man sich im leise pochenden Herzen der Universität befindet und dass alles irgendwie von hier ausstrahlt.

Eine durchgehende Hecke an der einen Seite und eine Phalanx hoher Bäume an den anderen bilden die ovale Abgrenzung des Gartens. Die Südseite steigt zu einem Baumvorhang hin an, der den Lärm des Autoverkehrs auf der nahe gelegenen Straße dämpft, und hier, auf einer kleinen Anhöhe, ist eine ebene Terrasse geschaffen worden, von der aus man über einen Teich und eine Rasenfläche blickt sowie auf eine hohe Eiche, die das nördliche Ende der Einfriedung beherrscht. Die einzig erwähnenswerte Flora sind zwei asymmetrisch angeordnete Tulpenbäume, die im März einige Wochen lang üppig blühen. Und auf der gebogenen Mauer, die sich an dem einen Ende des Teiches aus dem Wasser erhebt, bricht einmal im Jahr im Frühling mit äußerster Diskretion ein wilder Rosenstrauch durch das überhängende Laub des Immergrüns. Der ganze Raum scheint so gestaltet zu sein, dass er den italianisierenden, von

Steinen eingefassten Teich in Form einer Sanduhr oder einer Acht mit seiner winzigen Fußgängerbrücke, die sich, kaum einen Meter lang, über seiner Mitte wölbt, herausstreicht. Die Diagonale des Teiches weicht auffällig von der Hauptachse des Gartens ab, und dieser exzentrische Effekt ist, wie man mir sagt, für die japanische Gartenkunst typisch.

Es ist ein Garten, den man als zutiefst lyrisch bezeichnen könnte. Anders als größere Parkanlagen, die sich in Raum und Zeit entfalten, während man in ihnen umherwandert, erhält man hier einen zusammenfassenden, ungehinderten Überblick über das Ganze. In dem Roman *Der Traum der Roten Kammer*, einer chinesischen Saga aus dem 18. Jahrhundert, begibt sich ein Adliger auf einen zeremoniellen Rundgang durch seinen neu angelegten Garten, und siehe da: »Djia Dschëng [befahl] nunmehr, das Tor wieder zu öffnen. Dahinter versperrte ihnen ein grüner Berg den Weg. ›Welch schöner Berg!‹ sagten Djia Dschëngs Schützlinge. ›Ohne diesen Berg würden gleich vom Eingang aus alle Szenerien des Gartens zu sehen sein, und das wäre uninteressant‹, sagte Djia Dschëng« (Tsau, *Der Traum der Roten Kammer*, Bd. 1, S. 284). Damit meint Djia Dschëng, dass es für den Betrachter keine sich entfaltende Verwicklung, keine Route des Entdeckens gäbe. Tatsächlich liest sich der Rundgang durch den Garten des Adligen, der mehrere Seiten der Erzählung einnimmt, während sich die Gesellschaft auf seinen Wegen vorwärts bewegt, wie eine Geschichte von entzückenden Wundern und Überraschungen – eine eingeschlossene Lagune, eine Loggia, Blumenbeete, Rasenflächen, poetische Inschriften –, die sich der Gesellschaft nach und nach offenbaren, so als folge der Garten ebenso wie die Saga einer vorab festgelegten Handlung, was er natürlich tut. In Kingscote gibt es keine fest verankerte Handlung als solche, nur eine lyrikähnliche Kristallisation der Form, die aus jedem beliebigen Blickwinkel in ihrer Gesamtheit sichtbar ist.

Kingscote hat keine Geschichte zu erzählen, aber in seiner lyrischen Reglosigkeit gestattet dieser Ort den Gedanken, frei durch das Rätsel des Phänomens und um es herum zu streifen. Denn der Garten bietet sich zwar der ungehinderten Betrachtung dar, aber er hält immer noch etwas zurück, nicht in Form eines narrativen Aufschubs, sondern in Form von Diskretion. Gewiss verändert sich seine Erscheinung erheblich, je nachdem, wo man steht und zu welcher Zeit des Tages oder des Jahres man kommt. Man braucht nur nach Einbruch der Dunkelheit hierherzugehen und zu sehen, wie der Teich im Mondlicht schwebt gleich einem Traumbild, oder aber bei Gewitterstürmen, wenn die Bäume in einem hektischen Wind schwanken, den der Pazifik gesandt hat, um ein Gefühl dafür zu bekommen, wie vielfältig die Gestalten des Gartens sind, ganz zu schweigen von der Wirkung, welche die Stimmung und Geistesverfassung des Betrachters auf die Erscheinungsweisen des Gartens ausüben. Sein Erscheinungspotential verwirklicht sich nie mit allen Möglichkeiten gleichzeitig, ebensowenig wie sich der Sinn und die Empfindung eines Gedichts in einer einzigen Lesung erschöpfen. Als Beispiel das »Schlaflied« von Rainer Maria Rilke:

> Einmal wenn ich dich verlier,
> wirst du schlafen können, ohne
> dass ich wie eine Lindenkrone
> mich verflüstre über dir?
>
> Ohne dass ich hier wache und
> Worte, beinah wie Augenlider,
> auf deine Brüste, auf deine Glieder
> niederlege, auf deinen Mund.

Ohne dass ich dich verschließ
und dich allein mit Deinem lasse
wie einen Garten mit einer Masse
von Melissen und Sternanis.

(Rilke, *Werke* 1.2, S. 387)

Wenn es wahr ist, dass die Zeit, die sich im Lauf der Tage oder Jahreszeiten entfaltet, die Erscheinung des Gartens beeinflusst, dann gilt das Umgekehrte ebenso. In Kingscote hat die Zeit einen anderen Rhythmus, eine andere Qualität der Dauer, ein anderes Zusammenfließen als unmittelbar jenseits seiner Grenzen. Es ist, als hätten die ästhetisch bestimmten Beziehungen zwischen Dingen auf dem Gelände des Gartens die Wirkung, die Zeit zu verlangsamen und dabei das reine Geschenk der Dinge für die Wahrnehmung zu verstärken oder deutlicher hervortreten zu lassen. Was immer sonst sie sein mögen, Gärten sind in allererster Linie Orte, an denen Erscheinungen die Aufmerksamkeit auf sich ziehen und sich uns als frei gegeben darstellen. Dies gilt für Gärten generell (mit den unvermeidlichen Ausnahmen), aber es bedarf eines lyrischen Gartens wie des hier betrachteten, um die Gegenwart von etwas Geheimnisvollem oder Undurchdringlichem in der simplen Erscheinung der Dinge zu akzentuieren. Er verbirgt nicht das Geheimnis mit einem verdeckenden grünen Hügel oder einer eingehüllten Handlung, sondern er wühlt, wenngleich auf ruhige Weise, die seltsamen und schwer zu fassenden Tiefen auf, aus denen die Formen der sichtbaren Welt aufsteigen. Erscheinungen präsentieren sich im Garten als frei und als voll gegeben, doch nie erschöpfen sie im punktuellen Augenblick der Gegenwart ihr Potential der Selbstmanifestation. In Kingscote ist ebendasselbe nie dasselbe, und jeder neue Tag ist, um es mit dem Dichter A. R. Ammons zu sagen, ein neuer Tag, wenn es um die Erscheinung dessen geht, was in der Zeit überdauert.

In ihren in sich ruhenden Aspekten, welche die latenten Dimensionen der Erscheinung zur Gegenwart bringen, erscheinen Gärten wie Kingscote, als seien sie Tore zu anderen Welten oder anderen Ordnungen des Seins: nicht Tore, durch die man hindurchtreten kann, sondern solche, durch die man angerufen oder aufgesucht werden kann, ohne sich von dem Fleck zu rühren, auf dem man steht. Das erklärt vielleicht zum Teil, weshalb Gärten in der menschlichen Phantasie häufig als Stätten von Visionen und Epiphanien, seien sie spirituell, erotisch oder von anderer Art, fungieren. Nausikaa erscheint Odysseus in einem Garten; die Erscheinung Beatrices in der *Göttlichen Komödie* spielt sich im Garten Eden ab. Der Palastgarten ist der Schauplatz des bemerkenswerten Ausbleibens des Liebhabers in dem aus dem 11. Jahrhundert stammenden Gedicht »Die Beschwerde der Edelsteinstufen« von Li T'ai Po, das Ezra Pound wunderbar aus dem Chinesischen übersetzt hat:

> Die Edelsteinstufen sind ganz weiß vor Tau,
> So spät ist's schon. Der Tau durchnässt mir meine
>   Seidenstrümpfe.
> Ich lass den Kristallvorhang sinken
> Und betrachte den Mond durch die klare Herbstnacht.
>   (Pound, *Personae/Masken*, S. 225)

Ebenso offenbart die herrische Gegenwart eines Kastanienbaums im kleinen *jardin public* von Bouville für Roquentin, den chlorophobischen Helden von Jean-Paul Sartres *Ekel*, den Abgrund existentieller Absurdität. Wenn man sich also in einem Garten aufhält, wecken die Intensivierungen, die dieser Ort bewirkt, Zweifel, ob das, was man zu sehen glaubt, wirklich da ist.

Dino Campanas Gedicht »Herbstgarten«, das in unbestimmt surrealistischen Termini einen Garten an einem Fluss (höchstwahrscheinlich dem Arno) beschreibt, endet mit der Vision einer chimärischen Frau, die durch die gedämpfte Stille des Schauplatzes heraufbeschworen wird:

Und aus dem Hintergrund steigt Stille wie
Ein zarter und großartiger Chor
Auf und sehnt sich empor zu meinem Balkon:
Und in Lorbeerduft,
In herbem schwachem Lorbeerduft,
Inmitten der unsterblichen Statuen im Sonnenuntergang,
Erscheint sie mir, gegenwärtig.
    (Kay, *Penguin Book of Italian Verse*, S. 356)

Der Dichter sagt uns nicht, ob sie ihm im Garten erscheint oder in seinen Gedanken, so miteinander verschmolzen ist das eine mit dem anderen, aber das Gedicht lässt kaum einen Zweifel daran, dass es die Beschwörungskraft des Gartens ist, die ihm Zugang zu den visionären Tiefen verschafft, aus denen die Chimäre aufsteigt. (Als ich eines Abends kurz nach Sonnenuntergang am Kingscote Garden vorbeikam, trat ich kurz hinein, und in der Stille der Stunde schien es, als werde jeden Augenblick auf der anderen Seite des Teiches eine Göttin oder ein Engel erscheinen. Ich entfernte mich eilig, um einer derartigen Heimsuchung zu entgehen. Denn Epiphanien kommen gewöhnlich mit dem Befehl »Du musst dein Leben ändern«, und ich war offensichtlich nicht bereit, einer derartigen Aufforderung Folge zu leisten.)

Auch Kunstwerke stehen vor uns als von Menschen geschaffene Dinge, deren Hauptzweck Selbstdarstellung ist; auch sie lenken die Aufmerksamkeit auf die Erscheinung. Gärten jedoch haben, sosehr auch die Kunst bei ihrer Gestaltung eine Rolle spielen mag, ein eigenes natürliches Leben, unabhängig von ihren formalen Bestimmungen. Nicht der Stoff, nicht die

Idee, sondern *das Leben* ist das Phänomen, das in Gärten seine Artikulation findet. Unsere Reaktion auf sie ist niemals »desinteressiert«, sie ist nie rein ästhetisch, und sei es nur deshalb, weil sie unmittelbar an unsere Biophilie appellieren. In manchen Fällen wie etwa in Zen-Felsengärten appellieren sie auf erhabenere Weise an unsere Kosmophilie. So oder so erinnern sie uns an unsere kreatürliche Einbeziehung in die Welt belebten und kosmischen Stoffes. Die Erfahrung, in Kingscote zu sein, ist eben diejenige, sich *in* ihm zu befinden, neben Wasserspinnen, Vögeln beim Bad, der Eidechse auf einem Stein am Teichrand, dem Unkraut, dem Buchsbaum und allem, was da unterirdisch und in der Luft gedeiht. Eine solche Einbeziehung macht einen zu mehr – und zu weniger – als einem ästhetischen Beobachter.

Dieses Gefühl der Einbeziehung geht zum Teil darauf zurück, dass man sich in einem eingeschlossenen Raum befindet, der durch Grenzen markiert ist. In erster Linie ist es die Umfassung eines Gartens, durch die er abgehoben wird, durch die seine lebende Form Gestalt und Umriss erhält (ich spreche von einer »lebenden Form«, weil Gärten, was immer sie sonst tun mögen, Leben und Form miteinander verbinden). Fast alle Wörter für »Garten« in den Sprachen der Welt sind etymologisch mit der Vorstellung des Zauns oder der Grenze verknüpft. Ein Garten wird durch seine Grenzen buchstäblich definiert. Auch wenn diese Grenzen Abgrenzung und Definition bieten, sind sie größtenteils relativ. Damit meine ich, dass sie für den Garten eine innere Beziehung zu der Welt bewahren, die sie auf einem gewissen Abstand halten. In Kingscote hat man ein Gefühl, als befinde man sich an einem ruhenden Punkt des Wirbels ringsum, aber die Stille ist relativ, dynamisch und nicht von der Umgebung losgelöst. Ja, man könnte sagen, dass die Stille aus dem Wirbel rings um ihre Ränder *ihre Kraft bezieht.* Denn Stille ist eine Form der Kraft. Wenn Kingscote etwas Exemplarisches an sich hat, dann ist es die Art und Weise, in der seine Abgrenzungen einen Puffer gegen das geschäftige Treiben des Universitätslebens an seinen Rändern schaffen, aber es ist nicht so, dass sie dieses Treiben völlig ausschließen oder aussperren. Der Aufruhr sickert durch die Bäume herein und lässt sich in gedämpften Tönen vernehmen, so dass die Stille relational wird.

Eine wesentliche Spannung geht verloren, wenn Gärten keine porösen, ja promisken Öffnungen hin zu der Welt jenseits ihrer Grenzen haben. (Das war vielleicht das Problem bei Eden – es hatte keine Außenwelt, die es von seinen Rändern her bedrängte und dadurch seine Grenzen definierte, und so suchten unsere Voreltern nach der einzigen Grenze, die ihnen zur Verfügung stand, um dem Ort ein gewisses Maß an Wirklichkeit zu verleihen.) Das Gedicht von Dino Campana mit seinen Andeutungen von Ferne und städtischer Umgebung lässt darauf schließen, dass die Inspirationskraft von Gärten – oder zumindest von bestimmten Arten von Gärten – der Durchlässigkeit ihrer Grenzen ebensoviel verdankt wie deren Beständigkeit. Isoliert man sie vollständig, dann nimmt man ihnen ihren Charakter als Zufluchtsort. Wer würde unsere großen Stadtparks einmauern? Was wäre der Jardin du Luxembourg ohne den Zaun und die offenen Tore, die ihn von dem Pariser Trubel ringsum abheben und zugleich mit ihm verbinden? Als sich Thoreau nach Walden begab, um sein Grundstück zu bestellen, siedelte er sich strategisch »eine Meile von jedem Nachbarn entfernt« an. Man beseitige seine Beziehung zu dem Bürgerleben ringsum, und *Walden* – ein Ruhepunkt des amerikanischen Denkens im 19. Jahrhundert – würde die Spannung verlieren, die es durchzieht. Gärten sind in solchem Maße lebensnotwendig, dass sie ihre Umfriedungen mitten in der Historie öffnen und ein Maß an Abschließung bieten, welches kein Verschließen darstellt.

Ebenso wie zahlreiche andere Gärten hat Kingscote etwas an sich, das Dingen Raum gibt, welche die geschäftige Welt auszusperren oder zu ersticken pflegt. Dieser Ort schafft Platz für Denken, Schauen, Erinnern, Träumen und die Art von Tiefenzeit, die das natürliche Element derartiger psychischer Phänomene ist. Während jedoch der Garten die Zeit verlangsamt und die Aufmerksamkeit auf die Erscheinungen in seinen Grenzen lenkt, sucht er zugleich auch die Gegenwart des umgebenden Kontextes. Das, was das Auge hier sieht, ist nicht auf das beschränkt, was in der Umfriedung in Erscheinung tritt. Oder besser gesagt, was hier erscheint, reicht erheblich weiter als der Rahmen des Gartens, nicht so sehr deshalb, weil das Auge durch ihn hindurch- oder über ihn hinaussehen kann, sondern vielmehr, weil der Garten im Namen derer, die für ihn sorgen, eine Botschaft sendet, eine Aussage verkörpert. Dank seinem Standort und seinem Hintergrund vergisst man nie – ja, man ist sich dessen um so deutlicher bewusst –, dass die umgebende Universität ihre Signatur in des Gewebe der Erscheinung des Gartens gewoben hat.

Oben habe ich behauptet, dass Kingscote zutiefst lyrisch sei, dass es nicht über das Erzählmuster größerer Gärten verfüge, die ihre Geheimnisse und Überraschungen entlang verschlungener Pfade entfalten. Auch wenn es buchstäblich wahr ist, dass das Ganze aus jedem Blickwinkel innerhalb der Umfriedung sichtbar ist, gilt doch ebenso, dass die symbolische, institutionelle und referentielle Reichweite des Gartens in Wirklichkeit weiter geht als seine relativ in sich abgeschlossenen Grenzen und sie transzendiert. Als die lyrische Quintessenz des gartenähnlichen Milieus der Universität als ganzen fordern uns die lebenden Formen von Kingscote zu der Frage auf: Warum haben sich akademische Institutionen seit Anbeginn ihrer Geschichte als privilegierten Rahmen eine gartenartige Umgebung ausgesucht? Was haben Gärten mit Erziehung zu tun? Haben Kingscote und all die anderen Gärten, die den Campus von Colleges in Nordamerika und England schmücken, etwas mit dem Beruf der höheren Bildung zu tun? Wenn dies so ist, dann lauert in diesem Garten allerdings doch eine Geschichte.

6

Akademos

Nur wenige Minuten braucht man zu Fuß, um auf dem Campus von Stanford vom Kingscote Garden aus zum sogenannten Quadrangle zu gelangen, einer großen rechteckigen Freifläche, um die sich unsere geisteswissenschaftlichen und naturwissenschaftlichen Departments drängen. Hier werden am Ende jedes akademischen Jahres verschiedene Abschlussfeierlichkeiten veranstaltet. Mitten auf diesem Quadrangle – und somit genau in der Mitte der Universität – steht ein Jacarandabaum, der gegen Ende des Frühjahrssemesters blüht und den Höhepunkt seiner intensiv blauen Blüte gerade um die Zeit der Abschlussprüfungen erreicht. Ich muss glauben, dass man ihn dort als so etwas wie eine symbolische Aussage gepflanzt hat, dahingehend, dass sich die Studenten, die ihr Examen machen, in den Jahren, die sie im wohlgepflegten Garten der Universität verbracht haben, ebenso wie der Jacaranda fortentwickelt haben und aufgeblüht sind.

Das ist nicht nur eine beiläufige Metapher. Wer von den Eltern, die in diesen funkelnden Tagen im Juni in Scharen über den Campus hereinbrechen, hat nicht das Gefühl, dass er oder sie in Wirklichkeit durch die Anlagen eines schön gepflegten Parkkomplexes mit seinen ausgedehnten Rasenflächen, Springbrunnen, Hainen, Höfen und Sportplätzen wandert? Auf den Gesichtern der Eltern lässt sich ablesen, wie bezaubert sie sind. Auch eine Spur von Bedauern kann man entdecken: Die meisten von ihnen empfinden zweifellos Sehnsucht nach ihren eigenen vergangenen Collegetagen, die sie auf diesem oder einem anderen amerikanischen Campus ebenfalls in einer derartigen Gartenwelt verbracht haben. All das führt uns erneut zu der Frage: Was hat Bildung mit Gärten zu tun?

Tatsächlich hat die Verknüpfung von Bildungsinstitutionen mit Gärten eine lange Geschichte; hierher gehören die Parks und Haine der berühmten griechischen Schulen, die römische Villa, die Lauben von Sainte-Geneviève im mittelalterlichen Paris, die italienischen Gartenakademien der Renaissance, der britische »Collegegarten« oder die Idylle des traditionellen amerikanischen Campus. Die Frage, die uns hier interessiert, lautet, ob in dieser Verknüpfung mehr liegt als nur eine Frage der Rahmenbedingungen. Aus der Art und Weise, wie ich die Frage stelle, wird deutlich, dass ich nach einer bejahenden Antwort suchen werde, und darum lassen Sie mich zum Anfang zurückgehen und die erste bedeutende Institution der höheren Bildung betrachten, die im Abendland gegründet wurde: die Akademie Platons in Athen.

Oder genauer gesagt, direkt am Rand von Athen. Soweit wir wissen, gab es innerhalb der Mauern des antiken Athen, aus denen sich Sokrates selten hinauswagte, keine Gärten, die Erwähnung verdienen. Sokrates konnte anscheinend ohne sie auskommen, wenn es darum ging, sich auf philosophische Diskussionen mit seinen Mitbürgern einzulassen oder mit seiner Pädagogik »die Jugend von Athen zu verderben«. Er war ein Philosoph der Agora, die sowohl ein im Freien gelegener Markt als auch der Standort zahlreicher öffentlicher Gebäude war. Für ihn war die Agora der angemessene und vielleicht sogar der einzige Ort, an dem er sich mit »höherer Bildung« und philosophischen Forschungen beschäftigte. Platon, der Sokrates nach dem Tod seines Lehrers durch Hinrichtung im Jahre 399 v. Chr. in seiner Sammlung von Dialogen als Hauptgestalt auftreten ließ, unterstützte Sokrates' Zögern, sich von der athenischen Innenstadt zu entfernen, und verteidigte es sogar; als es dann aber um die Gründung seiner Schule ging, suchte sich Platon als Standort nicht die Agora aus, sondern eine gartenartige Umgebung vor den Stadtmauern, in einem Hain, der dem Helden Akademos heilig war. Warum?

Im *Staat* schrieb Platon dann, ein Philosoph sollte »hinter einer Mauer Schutz suchen«, womit er zweifellos auf die Akademie anspielte, wie man seine Schule schließlich nannte. Zu Platons Zeit war die Akademie nämlich ein ummauerter Park, ganz ähnlich den von Mauern umschlossenen Jagdrevieren der persischen Könige, von denen das Wort »Paradies« abgeleitet ist (das griechische *paradeisos* geht auf das persische [avestische] *pairidaēza* »ummauert« zurück). Vielleicht war es die Verurteilung des Sokrates durch die athenischen Gerichte, die Platon davon überzeugte, dass es wünschenswert sei, sich um einen gewissen Abstand von der *polis* zu bemühen, als er daranging, seine Schule zu gründen. Oder vielleicht gelangte er zu der Überzeugung, dass Sokrates für sein eigenes Wohl oder für das der Philosophie dem radioaktiven Zentrum der Dinge schließlich zu nahe gestanden hatte. Oder vielleicht gab es für seine Entscheidung auch überhaupt keine vernünftigen oder planvollen Gründe. Was immer Platons tieferliegende Motive gewesen oder nicht gewesen sein mögen, die Entscheidung, seine Schule in einem Park am Rand von Athen anzusiedeln – weit genug entfernt, um der Stimme der Vernunft zu lauschen, nahe genug, um in Hörweite der Bürger zu bleiben –, schuf ein Vorbild für die künftige Geschichte der akademischen Welt im Abendland.

Platon widmete seine gesamte Laufbahn nicht nur der Aufgabe der Erziehung, sondern auch einer fortwährenden philosophischen Reflexion über das Wesen der Erziehung. Wenn es daher um die Frage geht, ob zwischen Gärten und Pädagogik ein nicht nur oberflächlicher Zusammenhang besteht, könnten wir kaum etwas Besseres tun, als Platon selbst zu befragen. Für unsere Zwecke ist es von außerordentlicher Bedeutung, dass Sokrates in dem einzigen platonischen Dialog, der ihn in einer grünen Umgebung vor den Mauern von Athen auftreten lässt, einen tieferen, auf Analogie beruhenden Zusammenhang zwischen beiden annimmt. Am Ende des *Phaidros* entwickelt Sokrates in einer der berühmteren Passagen des platonischen Corpus eine Polemik gegen das geschriebene Wort und die Kunst des Schreibens schlechthin. Den Behauptungen, die Sokrates in dieser Passage aufstellt, ist weitaus größere Beachtung geschenkt worden als den Metaphern und Vergleichen, mit denen diese Behauptungen operieren, aber es ist nicht möglich, letztere angemessen zu schildern, ohne ersteren Gerechtigkeit widerfahren zu lassen. Sokrates erklärt: »Denn dieses Schlimme hat doch die Schrift, Phaidros, und ist darin ganz eigentlich der Malerei ähnlich: Denn auch diese stellt ihre Ausgeburten hin als lebend, wenn man sie aber etwas fragt, so schweigen sie gar ehrwürdig still. Ebenso auch die Schriften. Du könntest glauben, sie sprächen, als verstünden sie etwas, fragst du sie aber lernbegierig über das Gesagte, so enthalten sie doch nur ein und dasselbe stets« (Platon, *Phaidros. Parmenides. Briefe*, S. 179, 181).

Der Vergleich wird hier zum Leben gezogen. Und das ist auch keine bloße Analogie, denn Sokrates führt dann »die lebende und beseelte Rede« an, die aus der Seele eines Menschen in Echtzeit hervorgeht. Er behauptet, diese beseelte Rede, »von der man die geschriebene mit Recht wie ein Schattenbild ansehen könnte«, werde »mit Einsicht geschrieben […] in der Lernenden Seele«. Auf die Seele eines lebenden Menschen zu schreiben ist ganz etwas anderes als das Schreiben auf Papyrus. Echtes Lehren tut ersteres und gleicht mehr einem Akt des Pflanzens als einem des Aufschreibens. Das wird offenkundig, als Sokrates erklärt, im Gegensatz zur geschriebenen sei die lebende Rede »wohl imstande, sich selbst zu helfen, und wohl wissend, zu reden und zu schweigen, gegen wen sie beides soll« (S. 181). Diese Fähigkeit zur Unterscheidung zwischen würdigen und unwürdigen Gesprächspartnern ist entscheidend für den Erzieher wie auch für den Schüler, wie der Vergleich mit dem Gartenbau deutlich macht, den Sokrates jetzt vorträgt:

Sage mir aber dieses, ob ein verständiger Landmann den Samen, den er vor anderen pflegen und Früchte von ihm haben möchte, recht eigens im heißen Sommer in einem Adonisgärtchen bauen und sich freuen wird, ihn in acht Tagen schön in die Höhe geschossen zu sehen? Oder ob er dieses nur als ein Spiel und bei festlichen Gelegenheiten tun wird, wenn er es ja tut; jenen aber, womit es ihm ernst ist, nach den Vorschriften der Kunst des Landbaues in den gehörigen Boden säen und zufrieden sein, wenn, was er gesät, im achten Monat seine Vollkommenheit erlangt? […] Und sollen wir sagen, dass, wer vom Gerechten, Schönen und Guten Erkenntnis besitzt, weniger verständig als der Landmann verfahren werde mit seinem Samen? […] Nicht zum Ernst also wird er sie ins Wasser schreiben, mit Tinte sie durch das Rohr aussäend mit Worten, die doch unvermögend sind, sich selbst durch Rede zu helfen, unvermögend aber auch, die Wahrheit hinreichend zu lehren? […] Freilich nicht; sondern die Schriftgärtchen wird er nur Spieles wegen, wie es scheint, besäen und beschreiben. Wenn er aber schreibt, um für sich selbst einen Vorrat von Erinnerungen zu sammeln auf das vergessliche Alter, wenn er es etwa erreicht, und für jeden, welcher derselben Spur nachgeht: so wird er sich freuen, wenn er sie zart und schön gedeihen sieht.
(S. 181, 183)

Was genau waren die »Adonisgärtchen«, die Sokrates mit der Schrift vergleicht? Adonis war, wir erinnern uns, der Geliebte Aphrodites, und er starb jung; zur Feier seines frühen Todes (oder in Trauer darüber) warfen die Griechen an seinem Festtag (den Adonia) Pflanzen in Töpfen aus dem Fenster. Diese »Gärten« waren in Wirklichkeit kleine Schalen oder Kästen, in denen Pflanzen gerade erst zu sprießen begonnen hatten, aber noch keine Samen entwickelt hatten. Das letztgenannte Detail ist entscheidend für Platons Vergleich, denn es bedeutet, dass die Adonisgärtchen im Gegensatz zu den ausgewachsenen Pflanzen, deren Samen (*sperma*) der Landmann mit Umsicht sät, in Wirklichkeit unfruchtbar sind. Indem Platon den geschriebenen Diskurs mit den samenlosen Pflanzen der Adonisgärtchen vergleicht, wiederholt er seine grundsätzliche Behauptung, dass Schreiben nicht zur Wahrheit führe oder dass die Wahrheit in schriftlicher Form nicht voll erblühen könne.

Das bedeutet nicht, dass das Schreiben eine schädliche oder irregeleitete Tätigkeit sei. »Schriftgärtchen« (zu denen vermutlich auch die platonischen Dialoge selbst gehören, insofern sie niedergeschrieben sind) wird man »nur Spieles wegen [...] besäen«, meint Sokrates zu Phaidros, wenngleich zu nicht viel mehr als zum Spiel (S. 183). Das ernste Geschäft der Philosophie – und das heißt, auch das Geschäft der Erziehung – beinhaltet, dass man die Samen der Wahrheit anders sät als durch die Abfassung schriftlicher Abhandlungen. Zu dieser anderen Art des Säens kommt es,

wenn jemand nach den Vorschriften der dialektischen Kunst, eine gehörige Seele dazu wählend, mit Einsicht Reden sät und pflanzt, die sich selbst und dem, der sie gepflanzt, zu helfen imstande und nicht unfruchtbar sind, sondern einen Samen tragen, woraus einige in diesen, andere in anderen Seelen gedeihen und eben dieses unsterblich zu erhalten vermögen, und die den, der sie besitzt, so glücklich machen, wie einem Menschen nur möglich ist.

(S. 185)

Der Unterschied zwischen geschriebenen Texten und dem, was sich zwischen Lehrer und Schüler in einem lebendigen Dialog (oder in »Dialektik«) abspielt, ist der Unterschied zwischen Unfruchtbarkeit und Fruchtbarkeit. Zwar arbeitet das Argument des Sokrates mit einem Vergleich, aber die Glieder seines Vergleichs – Erdboden und Seele – weisen in Wirklichkeit eine natürliche Verwandtschaft auf, insofern sie beide lebendige Substanzen sind. Insoweit sie beide von Leben beseelt sind, sind Erdboden und Seele auch beide einer Kultivierung oder einer sorgenden Aktivität des Gärtners zugänglich. Mit anderen Worten, die Seele *gleicht* nicht nur dem Erdboden, sie ist selbst eine Art Erdreich – nennen wir sie eine organisch-spirituelle Substanz –, in die der Lehrer wie der Gärtner ihre wertvollsten Samen säen und ihr Wachstum bis zur vollen Reife begleiten können. (In der Cura-Fabel haucht Jupiter, wie wir uns erinnern, dem Lehm, aus dem Cura die Menschheit erschafft, Geist ein; und bis der Tod den Geist vom Stoff scheidet, bleibt die biospirituelle Natur der Menschen im wesentlichen eine humische, kultivierbare Substanz.)

Wissen ist nach Platons Auffassung im Leben verwurzelt. Das Leben des Geistes ist in allererster Linie dies – es ist Leben. Die gesamte beseelte Persönlichkeit des Schülers ist es, die von dem Lehrer die Samen des Wissens empfängt und ihnen den Boden bietet, in dem sie wachsen können. So neigt der platonische Pädagoge dazu, seinen Appell dramatisch und leidenschaftlich unmittelbar an das *Leben* des Schülers zu richten, denn nur dort, wo Leben ist, gibt es ein Potential für Wachstum. Die oben angeführte Passage aus dem *Phaidros* enthält Platons leidenschaftlichstes Bekenntnis seines Glaubens an die Mission der Erziehung. Das »höchste Glück«, das ein Mensch erlangen kann, so sagt er mit der Stimme des Sokrates, rührt daher, dass er in der Seele eines Schülers neues Leben nährt. Platon musste solches Glück aus der einen wie der anderen Perspektive gekannt haben, denn er war sowohl ein begeisterter Pädagoge als auch einer der eifrigsten Schüler des Sokrates. Und er hätte zu ersterem auch nicht werden können, wenn er nicht als letzterer begonnen hätte. Der Lehrer pflanzt Samen in die Seele eines Schülers, welcher seinerseits neue Samen hervorbringen wird, die dann in die Seelen anderer Schüler gepflanzt werden. Durch solche Weitergabe verewigt die Erziehung ihre Mission.

Platon erklärt, dass das Aufziehen neuen Lebens in der Psyche eines Schülers durch ein über lange Zeit hinweg geführtes Gespräch (*synusia*) zwischen Lehrer und Schüler stattfindet. Das Gespräch in Echtzeit, das durch das Medium von Liebe und Verbundenheit vermittelt ist, lässt den empfänglichen Geist fruchtbar werden und ermöglicht die Weitergabe der wesentlichen Wahrheiten der Philosophie. In seinem berühmten Siebten Brief (sofern er diesen Brief tatsächlich verfasst hat – die meisten Forscher halten den Text heute für echt) führt Platon aus, wie es zu einem solchen Gespräch kommt und zu welchen Ergebnissen es führt. Zunächst einmal stellt er die erstaunliche Behauptung auf, dass sich die Wahrheiten seiner Philosophie nicht in Sprache und erst recht nicht in geschriebener Sprache ausdrücken lassen und dass er, Platon, seine Philosophie niemals schriftlich niedergelegt hat: »Es gibt ja auch von mir darüber [über das Wissen von den Dingen, mit denen ich mich beschäftige] keine Schrift und kann auch niemals eine geben; denn es lässt sich keineswegs in Worte fassen wie andere Lerngegenstände, sondern aus häufiger gemeinsamer Bemühung um die Sache selbst und aus dem gemeinsamen Leben entsteht es plötzlich – wie ein Feuer, das von einem übergesprungenen

Funken entfacht wurde – in der Seele und nährt sich dann schon aus sich heraus weiter« (S. 413).

Diese Worte gehören zu den schönsten in der Geschichte der Philosophie, und die meisten Erzieher in Fragen des Geistes wissen, was Platon meint, wenn er erklärt, dass bestimmt Arten von Wissen nicht durch Osmose aufgenommen oder durch die Rede mitgeteilt werden, sondern dass sie in einem Blitz der Einsicht geboren werden, der irgendwo tief im Innern der beseelten Individualität des Schülers aufflammt. Dieser verborgene Winkel, in dem Verstehen nach langem Austausch mit dem Lehrer plötzlich gleich einem Funken hervorgebracht wird, ist kein Ort, den Worte erreichen können, zumindest nicht direkt oder unmittelbar. Worte können Informationen und Meinungen (*doxa*) übermitteln, aber sie können an und für sich nicht die Wahrheit der Sache offenbaren, von der sie sprechen. Bestenfalls können sie dazu beitragen, den Moment der Einsicht herbeizuführen. Das ist der Grund, weshalb der geschriebene Diskurs wirkungslos ist, wenn es um eine philosophische Erziehung geht. Ihm fehlt der beseelende Geist, der es von Zeit zu Zeit der inneren Bedeutung von Wörtern gestattet, im Geist des Schülers zum Leben zu erwachen. Dieser beseelende Geist erfüllt die Gegenwart des Lehrers und das fortlaufende Gespräch. Ebenso wie der Gärtner Leben kultivieren, es aber nicht hervorbringen kann, vermag auch der Lehrer wahre Erkenntnis nicht zu erzeugen, sondern nur den Prozess zu begünstigen, durch den sie im Geist des Schülers geboren wird.

Platon behauptet dann, dass nur wenige Seelen dazu befähigt seien, den wahren Gegenstand der Philosophie zu verstehen, und dass die Erkenntnis des Guten (welche der Gegenstand der Philosophie *ist*) nur in einer Seele Wurzeln schlagen könne, die selbst gut ist. Dort, wo der Boden ausgebleicht und verflucht ist, wird nichts wachsen; und wo die Seele »von schlechter Art« ist, »könnte nicht einmal Lynkeus sie wieder zum Sehen bringen« (S. 419, 421). Dies ist ein Ausdruck von Platons sogenanntem Elitarismus, der auf der Vorstellung beruht, dass die Mehrzahl der Menschen einfach nicht mit einer Fähigkeit begabt ist, »die Sache selbst« (*to pragma auto*) zu begreifen, dass daher die »höhere Bildung« nur für die auserwählten Wenigen bestimmt ist. Platon war der Ansicht, dass nur selten ein engagierter Lehrer einem Schüler begegnet, der für die Philosophie – das heißt, für das *Leben* der Philosophie – geeignet ist.

Auch wenn seine Lehre zweifellos elitär ist, liegt in ihrem Credo ebensoviel Demut wie Anmaßung, denn sie erlegt am Ende der Wirksamkeit der Pädagogik derart starke Beschränkungen auf, dass sie jede triumphalistische Haltung auf seiten des Pädagogen ausschließt. Der Lehrer ist überwiegend unfähig, Wissen weiterzugeben. Nur wenn der Schüler bereits fruchtbar ist, kann die Erziehung ihren Gärtnerzauber vollbringen. So engagiert und demokratisch gesinnt er oder sie auch sein mag, so breit auch der Same gestreut werden mag, der Lehrer oder die Lehrerin wird auf bedeutungsvolle und dauerhafte Weise nur eine winzige Minderheit der Schüler erreichen.

Die platonische Akademie mit ihren verhältnismäßig anspruchsvollen »Aufnahmebedingungen« war für ebendiese Minderheit gedacht. Um aber zu verstehen, weshalb Platon überhaupt eine Schule gründete, muss man die im Siebten Brief geäußerte Überzeugung ernst nehmen, dass die Wahrheit in der Seele des Schülers erst »aus häufiger gemeinsamer Bemühung um die Sache selbst und aus dem gemeinsamen Leben« zur Entfaltung gelangt (wobei »die Sache selbst« die Sache der Philosophie oder die Erkenntnis des Guten ist). Die Akademie war der Ort, an dem der Schüler tagein, tagaus mit »der Sache selbst« lebte, in der Gesellschaft anderer, die wie er um sie bemüht waren und mit denen das Gespräch der Philosophie nie verstummte. Das Gespräch der Philosophie bedeutete somit mehr als verbalen Dialog und formale Diskussionen über philosophische Probleme; es bedeutete eine Partnerschaft, ein gemeinsames Bemühen um die Philosophie. Damit die Philosophie gedieh, musste sie sich im Leben ihrer Schüler verwurzeln, welches sich wiederum der Philosophie hingeben musste. Vor allem anderen war die Philosophie eine Lebensweise, und die Akademie war der Ort, an dem sie gelebt wurde.

Diejenigen, die in das Heiligtum der Akademie aufgenommen wurden, schlossen sich faktisch einer Sekte, einem Kult an, einer quasi-geheimen Bruderschaft sozusagen, die ihre eigenen Rituale, Symposien und Feiertage hatte. Mit »Symposien« sind hier nicht akademische Konferenzen gemeint, sondern regelrechte Feste mit Speis und Trank und Gesprächen, die ein untrennbarer Teil des Lebens in der Akademie waren. Über das, was sich in der Akademie genau abspielte, wissen wir nur wenig, aber es scheint ganz sicher zu sein, dass im allgemeinen Lehrplan dem Körper (Gymnastik und Regelung der Diät) ebensoviel Aufmerksamkeit geschenkt wurde wie dem Geist (Geometrie, Mathematik, Dialektik) und der Seele (Musik und Dichtkunst). Alles in allem war das Ziel der platonischen Bildung die Kultivierung des *ganzen Menschen*, denn die Wahrheit, nach der die Philosophie strebte, war eine totale Wahrheit und keine partielle. Das ist der Grund, weshalb die Lebensweise der Philosophie weit mehr war als ein bloßes System von Studienfächern und Übungen; sie war der Versuch einer ausgesuchten Gruppe von Individuen, in Übereinstimmung mit dem Wesen der Sache selbst zu leben. In einer solchen Bruderschaft, die auf Gemeinschaftlichkeit und Gespräch gegründet war, leistete jeder einen Beitrag zum Leben der Philosophie, so dass es die Gemeinschaft als ganze war und nicht nur die

Summe ihrer Individuen, welche den geistigen Garten der Akademie bildete.

Es lässt sich nicht bestreiten, dass die am Rand von Athen gelegene Akademie in mancher Hinsicht ein in sich abgeschlossener *paradeisos* für die privilegierten Wenigen war, abgesondert vom Tumult des Lebens in der Stadt. In anderer Hinsicht war sie ganz eindeutig *keine* hermetische Institution, in der Erkenntnis, Tugend und Schönheit um ihrer selbst willen gesucht wurden. Und die Gemeinschaft der Philosophen war auch kein Ziel an sich. Von der Anlage her wie auch faktisch war nämlich die Akademie ein Pflanzgarten für künftige Staatsmänner. Platon mag die Agora gemieden und hinter einer Mauer Schutz gesucht haben, aber das war lediglich eine taktische, keine ideologische Entscheidung. Damit meine ich, dass er der *polis* ebenso nachdrücklich verpflichtet war wie sein Lehrer Sokrates und dass sein Engagement für die Philosophie bis zum bitteren Ende ein Engagement für die Politik im weitesten Sinne blieb. Es ist wahr, dass ihn das betrübliche Schauspiel der athenischen Politik dazu veranlasst hatte, seine frühe Ambition, selbst ein Staatsmann zu werden, aufzugeben, und ihn dazu veranlasste, sein Leben der Reflexion zu widmen, aber Platons Hinwendung zur Philosophie war alles andere als eine Absage an politisches Engagement. Im Gegenteil, dieses Schauspiel überzeugte Platon davon, dass es für die *polis* keine Hoffnung gab, sofern nicht Philosophen zu Herrschern oder Herrscher zu Philosophen wurden. Die Akademie hatte faktisch eine wohldefinierte politische Aufgabe: Es ging darum, die künftigen Ratgeber von Herrschern, wenn nicht die künftigen Herrscher selbst in Philosophen zu verwandeln. Warum dieses Erfordernis? Damit das Hauptgeschäft der Politik, der Vollzug des Rechts, auf das Fundament der metaphysischen Wahrheit gegründet werden konnte. Jede andere Grundlegung (so beschaffen war Platons hochfliegender und naiver Glaube an die Berufung der Philosophie) würde nur die Anarchie der Zeit und den Alptraum der Geschichte verewigen.

So elitär oder paternalistisch seine politische Ideologie gewesen sein mag – sosehr sie tatsächlich der Demokratie feindlich gesinnt und dem Despotismus zugetan war –, es besteht kaum ein Zweifel, dass Platon zumindest in folgender Hinsicht in seinem Herzen ein »Republikaner« war: Er betrachtete sich in allererster Linie als Bürger von Athen, und ebenso wie Sokrates war er davon überzeugt, dass dem Bürger die Last der Verantwortung für das Wohlergehen der *polis* zufalle. Wenn er sich aufgerufen fühlte, die künftigen Führer der Stadt zu erziehen, so deshalb, weil er der Ansicht war, dass die Welt der Stadt das sei, was die Bürger durch ihre eigenen Handlungen und Entscheidungen aus ihr machen, und dass ihr Schicksal größtenteils in den Händen der Menschen, nicht der Götter liege (mag er auch in noch so vielen Dingen unrecht gehabt haben, hierin hatte er recht). Vieles hängt davon ab, wie wir handeln, und wie wir handeln, hängt in erheblichem Maße davon ab, ob wir wissen oder nicht wissen, was wir tun, wenn wir handeln. Wenn menschliche Gerechtigkeit mit der Kategorie der Wahrheit in Einklang stehen soll, dann muss sie auf einem umfassenden Wissen über die Grundlagen der Wahrheit beruhen. Auf Grund dieses Glaubens an die Priorität des grundlegenden Wissens (so naiv er auch gewesen sein mag) erfüllte Platon seine Pflicht als Bürger auf die radikalste Weise, die er sich vorstellen konnte: indem er sich der Aufgabe widmete, die nächste Generation städtischer Führer zu erziehen und ihr Potential zu kultivieren, die Sache der Philosophie zu begreifen. Letztlich war Athen der Garten, der für Platon die größte Bedeutung hatte. Diejenigen, die in die Akademie eintraten, traten in ihre Heterotopie am Rande der Stadt ein, um zu lernen, wie man zu einem wird, der für den Staat Sorge trägt.

Auch wenn das Schwergewicht in der Akademie zu einem

großen Teil auf Gemeinschaft, Gespräch und die Gefährten-schaft der Philosophie gelegt wurde, war der Boden, in den die höhere Bildung ihren Samen säte, die individuelle »Seele« des Schülers. Diese Seele, nennen wir sie die Eigenpersönlichkeit des Schülers, war vor allem für die Überzeugungskraft der Liebe empfänglich. Platon lernte von seinem Lehrer – er lernte nicht abstrakt, sondern sozusagen in eigener Person –, dass das befähigende Element des fortlaufenden Gesprächs der Philosophie die Liebe, *philia*, ist, die auch die Form von *eros* oder sexueller Anziehungskraft annehmen konnte. Das Wesen der pädagogischen Revolution, die Sokrates und in seinem Gefolge Platon herbeiführten, war die Einführung der Liebe in den Lernprozess – nicht allein der Liebe zur Weisheit (*philosophia*), sondern auch und vor allem der Liebe zwischen Schüler und Lehrer. Bei der potentiellen erotischen Komponente solcher Liebe ist uns heutzutage nicht ganz wohl, aber ungeachtet unserer Bemühungen, sie aus der Gleichung zu verbannen, ist persönliche Liebe zwischen Lehrer und Schüler – die keine fleischliche Liebe per se ist, sondern von ihrem Wesen her etwas ganz anderes – bis auf den heutigen Tag der lebendige Kern einer sinnvollen Erziehung im Reich des Geistes.

Anders als die berufsmäßigen Sophisten, die um Lohn lehrten, und ungeachtet der beredten Ausführungen Diotimas im *Gastmahl* über das Aufsteigen der Liebe vom Einzelnen zum Allgemeinen war Sokrates darauf festgelegt, jeden einzelnen seiner Schüler persönlich zu lieben. Oder besser gesagt, er liebte jenen formativen Ort in der Seele des Schülers, an dem die Liebe zur Weisheit Wurzeln schlagen und keimen konnte. Das Persönliche ist der Boden, in den das Allgemeine seinen Samen säen muss, und die Liebe ist der Hauptfaktor des Erblühens von Wissen in seinen abstrakten, allgemeinen Bestimmungen. Platon war mit Sicherheit einer der Nutznießer der liebevollen pädagogischen Sorge des Sokrates, und wenn er in seinem späteren Leben das Bedürfnis empfand, eine Schule zu gründen, so geschah dies zum Teil deshalb, weil er eine Umgebung schaffen wollte, die der Liebe förderlich war, eine Umgebung, in der das Leben der Philosophie wie unter der Fürsorge und Aufsicht eines engagierten Gärtners gedeihen konnte. Diese geduldige, interpersonale, auf Liebe beruhende Erziehung in ihrem idealen Begriff findet ihr lebendiges Bild in dem voll ausgebildeten Garten, der anders als die Adonisgärtchen zur Entfaltung kommt, wenn die Zeit reif ist.

Betrachtet man die Universität unserer Zeit, dann sind die ihr zugrundeliegenden Prinzipien in vieler Hinsicht andere als diejenigen der Akademie Platons, aber eines hat sich nicht sehr geändert. Die Universität dient immer noch als eine Stätte, an welcher der fortlaufende, interaktive Dialog der Erziehung in Echtzeit und -raum stattfinden kann. Die wesentliche Rechtfertigung für einen universitären Campus in einem Zeitalter von Telekommunikation und multimedialer Technik ist die Gelegenheit, die er zu Gespräch, zu Personalisierung und gemeinsamem Engagement bietet, zum Austausch von Worten in einer Gemeinschaft von Lernenden und zum freien Fluss der Liebe zwischen Lehrer und Schüler – ein Fluss, der durch ihren Körper ebenso geht wie durch ihren Geist. Studien haben gezeigt, dass Kinder viele Stunden am Tag fernsehen und den Dialogen zuhören können, aber wenn sie sich nicht selbst aktiv sprachlich betätigen, erwerben sie niemals Sprache. Ebenso mag eine virtuelle Universität, die mit Dingen handelt, welche Sokrates als den »Schatten« beseelter Sprache bezeichnet, Adonisgärtchen hervorbringen, aber keine Gärten wie die, welche durch die *synusia* von Lernenden und Lehrenden geschaffen werden.

Akademische Institutionen haben, seit Platon seine Akademie gründete, sowohl in ihrem Charakter als auch in ihrem Selbstverständnis einen erheblichen Wandel durchgemacht, aber in ihrer höchsten humanistischen Berufung sind sie in ihren wesentlichen Zielen immer noch nachweislich der pädagogischen Revolution Platons treu: Wissen hervorzubringen und nicht Informationen, Gedächtnis und keine Mnemotechnik, Engagement und nicht Willfährigkeit. Von Sokrates lernte Platon, dass gewisse Arten der Pädagogik an das appellieren, was in der Eigenpersönlichkeit des Schülers am persönlichsten ist – ein Winkel im Ich, welcher der Welt zugleich entrückt ist und ihr offensteht. Wenn man sich diesen Winkel als eine Art Garten vorstellt, wie Platon es tat, dann kann man verstehen, warum er von Pädagogen als Gärtnern der Seele sprach und warum einige von uns, ob wir uns nun als seine direkten Erben betrachten oder nicht, uns Universitäten als Stätten vorstellen, die zu den kostbarsten Gärten der Welt gehören.

7

Die Gartenschule Epikurs

Was soll man tun in sogenannten finsteren Zeiten, in denen die Welt, die sich »zwischen Menschen abspielt«, ihnen keine sinnvolle Bühne für ihr Reden und Handeln mehr zur Verfügung stellt, in denen der wohlerwogene Diskurs seine Überzeugungskraft verliert und die Rolle des Bürgers in der öffentlichen Sphäre nicht durch Stärkung, sondern durch Kraftlosigkeit definiert ist? Es gibt Zeiten, in denen der Denker, der Patriot oder das Individuum keine andere Wahl haben, als sich auf die Zuschauerbänke zurückzuziehen, wie Platon es tat, als er den Gedanken an eine Laufbahn als Staatsmann aufgab und am Rande von Athen eine Schule gründete. In ihrem Buch *Menschen in finsteren Zeiten* schreibt Hannah Arendt: »Die Weltflucht in den finsteren Zeiten der Ohnmacht ist immer zu rechtfertigen, solange die Wirklichkeit nicht ignoriert wird, sondern als das, wovor man flieht, in der ständigen Präsenz gehalten wird« (S. 38). Gleiches ließe sich über die Zufluchtsstätte sagen, die Gärten den Menschen traditionell zur Verfügung gestellt haben, wenn ihre *condition humaine* unter Belagerung stand. Ein Garten als Zufluchtsstätte kann entweder ein Segen oder ein Fluch sein, je nach dem Ausmaß an Wirklichkeit, das ein solcher sicherer Hafen bewahrt. Manche Gärten werden zu Orten der Flucht, die die Wirklichkeit auszusperren suchen (wie etwa der Garten der Finzi-Contini in dem Roman von Giorgio Bassani, in dem eine jüdische Familie und ihre Freunde den Bezug zur Wirklichkeit verlieren, nachdem Mussolini in Italien die Rassengesetze eingeführt hat). Andere Gärten hingegen werden zu Orten der Rehumanisierung mitten unter den Kräften der Finsternis oder ihnen zum Trotz.

Im Jahre 306 v. Chr. – zu einer Zeit, in der sich die griechische Welt immer mehr verfinsterte – schlug in Athen ein erklärter Feind der Platoniker seinen Wohnsitz auf und fing sozusagen an, seinen Garten zu bestellen. Der damals dreißigjährige Epikur, Athener von Geburt, aber Ionier durch Erziehung und Temperament, erwarb ein Haus in dem vornehmeren Bezirk Melite sowie ein kleines Gartengrundstück unmittelbar vor dem Dipylon-Tor, an der Straße, die auch zur Akademie Platons führte. Wir wissen, dass ihn der Garten nur 80 Minen kostete, das waren 20 Minen weniger als der Betrag, den der Sophist Gorgias üblicherweise von seinen Schülern für den Unterricht eines Jahres forderte. Dass das Grundstück klein war, wird durch verschiedene zeitgenössische Verweise auf den »kleinen Garten« (*kepidion* oder *hortulus*) bestätigt. Doch in diesem kleinen Garten schlug eine der großartigsten und erfolgreichsten Schulen der Geschichte Wurzeln und verbreitete sich über die alte Welt, in der sie über sieben Jahrhunderte lang unter heidnischen wie christlichen Völkern in Blüte stand.

Die Gartenschule, wie sie dann genannt wurde, war nach Platons Akademie und dem Lykeion, das Aristoteles am Nordrand von Athen gegründet hatte, die dritte permanente griechische Schule. Alle drei hatten eine ähnliche Infrastruktur: ein Privathaus (mit Wohnräumen und Bibliotheken sowie Speiseräumen) und ein außerhalb der Mauern gelegenes Grundstück (Akademie, Lykeion und Garten) zu Vorträgen und Unterweisung. Der wesentliche *juristische* Unterschied zwischen dem Gartengrundstück Epikurs und der Akademie wie auch dem Lykeion bestand darin, dass ersteres auf Epikurs eigenen Namen eingetragen war – mit anderen Worten, es war Privat-

eigentum –, während sowohl die Akademie als auch das Lykeion Gymnasien einschlossen, die auf öffentlichem Grund
standen. Das erwies sich als ein wesentlicher Unterschied, denn
es bedeutete, dass die Gartenschule im Gegensatz zur Akademie und zum Lykeion nicht der Aufsicht der Gymnasiarchen
der Stadt unterstand; somit war sie die erste Schule, die ein gewisses Maß dessen genoss, was wir heute als »akademische
Freiheit« bezeichnen würden. In seinem juristischen Status als
Privateigentum spiegelte der Garten eine der Säulen der epikureischen Philosophie wider: die Bekräftigung dessen, was
Perikles als »Idiotie« bezeichnet hatte, womit er eine apoliti-
sche Haltung oder ein Abseitsbleiben meinte. Epikur war in der
Tat ein militanter »Idiot«, der seinen Garten als Stätte des
Rückzugs aus dem öffentlichen Leben auffasste. Er hatte keine
politischen Ambitionen und auch keine Neigung, in die Angelegenheiten und Streitigkeiten der *polis* einzugreifen. Als Denker unterschied sich Epikur vom herkömmlichen griechischen
Denken dadurch, dass er den Begriff des Glücks entpolitisierte
und ihn von seiner traditionellen Verknüpfung mit der Rolle
eines Bürgers loslöste. Pythagoras, Protagoras, Platon, Aristoteles, die Sophisten und fast alle anderen griechischen Denker
vor Epikur mit Ausnahme der Kyniker waren der Ansicht gewesen, dass ein Mann nur als Mitglied der *polis* sein inneres
Potential erfüllen und in vollem Umfang menschlich und
glücklich werden könne. Ein Mann ohne Stadt stehe »ohne
Verbindung da […] wie ein Stein auf dem Spielbrett«, hatte
Aristoteles erklärt. Dieser griechische Glaubensartikel, der
Arendt so teuer ist, war bemerkenswert weit verbreitet und
hielt sich auch noch, lange nachdem jedem, der offene Augen
hatte, klargeworden war, dass das Führen eines öffentlichen
Lebens bei denen, die sich auf seine endlosen Polemiken einlie-
ßen, zur Förderung des Glücks wenig, viel jedoch dazu beitrug,
Enttäuschung und Elend herbeizuführen.

Epikur hatte offene Augen. Er sah, dass eine politische Karriere ein Leben in ständiger Angst und meist ein unrühmliches oder gewaltsames Ende bedeutete. Er war in Athen zugegen, als der Redner Hypereides und verschiedene andere hingerichtet wurden und als der edle Demosthenes einem ähnlichen Schicksal nur dadurch entging, dass er sich selbst das Leben nahm. Epikur beobachtete neue und immer absurdere Auflagen des gleichen betrüblichen Schauspiels von Intrigen und Torheit, das Platon in seiner Jugend angewidert hatte; doch anders als Platon, welcher glaubte, die *polis* müsse durch die Philosophie revolutioniert werden, war Epikur der Überzeugung, dass man den Streitigkeiten und den Machtkämpfen der *polis* entschlossen aus dem Wege gehen müsse. Die Philosophie sollte, das war jedenfalls seine Überzeugung, den Interessen des *summum bonum* dienen, welches das Leben ist, und nicht den Interessen der Stadt.

Um zu verstehen, wie der Garten Epikurs den Kern seiner Philosophie zum Ausdruck bringt und sogar verkörpert, müssen wir zunächst einmal daran denken, dass es sich dabei um einen richtigen Küchengarten handelte, um den sich seine Schüler kümmerten, die das Obst und das Gemüse aßen, das sie dort anbauten. Wenn sie hier sorgsam den Boden bestellten, taten sie das jedoch nicht allein um der Nutzpflanzen willen. Ihre gärtnerische Tätigkeit war auch eine Form der Einübung in die Wege der Natur: in ihre Kreisläufe von Wachstum und Verfall, ihren generellen Gleichmut, ihr ausgeglichenes Wechselspiel von Erde, Wasser, Luft und Sonnenlicht. Hier, im Zusammenwirken von Lebenskräften im Mikrokosmos des Gartens, ließ der Kosmos seine größeren Harmonien zutage treten; hier entdeckte die menschliche Seele ihren wesentlichen Zusammenhang mit der Materie wieder; hier zeigten lebendige Dinge, wie fruchtbar sie auf die aufmerksame Sorge und die Aufsicht eines Gärtners reagierten. Die wichtigste pädagogische Lektion jedoch, die der epikureische Garten denjenigen erteilte, die ihn pflegten, war die, dass das Leben – in all seinen Formen – von Natur aus sterblich ist und dass die menschliche Seele das Schicksal aller Dinge teilt, die auf der Erde und in ihr wachsen und vergehen. So verstärkte der Garten die grundlegende Überzeugung Epikurs, dass die menschliche Seele einer moralischen, spirituellen und intellektuellen Kultivierung ebenso zugänglich sei wie der Garten einer organischen Kultivierung. Ja, man könnte sagen, es sei vor allem dem Garten zu verdanken gewesen, dass das, was Michel Foucault als die *culture de soi* der Antike bezeichnet, zum wesentlichsten Element der epikureischen Pädagogik wurde. Wie kam es dazu?

Das höchste Ziel der epikureischen Bildung war nicht die Erlangung von Weisheit oder Gerechtigkeit, sondern die Erlangung von Glück. Epikur verstand Glück als eine Geistesverfassung und glaubte, es bestehe in erster Linie aus *ataraxia*, was wir mit »Seelenfrieden« oder »geistiger Ruhe« wiedergeben (wörtlich bedeutet der griechische Ausdruck »Unerschütterlichkeit«). Diese *ataraxia* ist nun für Menschen, die üblicherweise von Sorgen geplagt werden und von einem gesteigerten Bewusstsein für den Tod, das die sterbliche Seele verwirrt und beunruhigt, kein spontaner oder »natürlicher« Zustand. Menschen neigen nicht von Natur aus zu Abgeklärtheit. Somit ist *ataraxia* in Wirklichkeit eine höchst kultivierte Geistesverfassung, eine, zu deren Erlangung es systematischer Disziplin, Erziehung und bedingungsloser Hingabe an die »wahre Philosophie« des Epikureismus bedarf. Nur ein richtiges Verständnis der Wirklichkeit kann die Seele von ihren Todesängsten befreien, und das ist der Grund, weshalb Epikur seine Schüler aufforderte, tagein, tagaus nach den etablierten Lehren des Epikureertums zu leben, in dem das Leben der Philosophie und die Philosophie des Lebens ein und dasselbe waren.

Da *ataraxia* durch die Erkenntnis des wahren Wesens der Dinge ermöglicht wird oder ihr entspringt, bestand die erste Aufgabe des Schülers darin, sich ein vollständiges Verständnis der Axiome der epikureischen Lehre anzueignen. In dem sogenannten Kleinen Aufriss – einem kurzen, verdichteten Text für Anfänger – legte Epikur seine Theorie über die Atome und das Leere, über die Sterblichkeit der Seele sowie darüber dar, dass in menschlichen Angelegenheiten keine göttliche Vorsehung walte. »Der Glaube an die Sicherheit des Wissens« sei, so behauptete er, das beste Gegenmittel gegen menschliche Angst. Epikur war der Ansicht, dass Menschen eine schwächende Furcht vor dem Tode haben, und zwar nicht so sehr deshalb, weil sie Angst vor dem Sterben haben, sondern weil sie das Unbekannte fürchten und sich daher Sorgen über die Frage machen, was nach dem Tod mit der Seele geschehen wird. Dadurch, dass er an der Gewissheit festhält, dass die Seele aus Atomen zusammengesetzt ist und sie daher nach dem Tode kein geisterhaftes Nachleben erwartet, kann der Epikureer damit beginnen, Befürchtungen über den Tod abzulegen und dessen Unvermeidlichkeit auf die kosmische Ordnung der Dinge zurückzuführen. Das Kultivieren dieser Gewissheit macht es möglich, dass die *ataraxia* im Laufe der Zeit in der Seele zur Blüte gelangt.

Wie kultiviert man nun eine derartige Gewissheit? Während der Platonismus Meditieren über die Unsterblichkeit der Seele forderte, lautete die Forderung des Epikureismus, man solle über die Sterblichkeit als Schicksal des Leibes wie der Seele meditieren, welche gemeinsam geboren sind und wieder sterben (»Geboren sind wir nur einmal; zweimal ist es nicht möglich, geboren zu werden. Notwendig ist es, die Ewigkeit hindurch nicht mehr zu sein«, Epikur, *Briefe ...*, S. 83). Auch hier spielte der Garten eine entscheidende pädagogische Rolle, denn dadurch, dass er täglich die Verflechtung von Wachstum und Verfall vor Augen führte und zeigte, wie der Tod nicht nur die Beendigung, sondern auch die Vollendung des Lebens ist, diente er dazu, die menschliche Sterblichkeit im Denken seiner Schüler wieder zu etwas Natürlichem zu machen. Der Garten diente auch als Warnung vor den Gefahren, die den Zustand der *ataraxia* bedrohen, den man, nachdem man ihn einmal erreicht hat, ständig aufrechterhalten muss. *Ataraxia* ist von derselben Spannung erfüllt, welche die in sich ruhende Heiterkeit von Gärten durchzieht, nämlich von der Spannung zwischen Ordnung und Entropie. Die Epikureer, die den *hortulus* bestellten, wussten, dass beständige Wachsamkeit und Eingreifen erforderlich waren, um die ungebärdigeren Kräfte der Natur in Schach oder unter wirksamer Kontrolle zu halten. *Ataraxia* erforderte eine ähnliche Wachsamkeit, wenn sie nicht tiefsitzenden Störungen wie der Furcht vor dem Tod oder Schuldgefühlen gegenüber den Göttern weichen sollte. Mit anderen Worten, die Angst sollte durch das Leben der Philosophie nicht so sehr überwunden als vielmehr verwandelt werden, so wie Gärten – wenn sie gut angelegt sind – die Natur eher verwandeln als überwinden. Ja, eine deutliche Spannung zieht sich durch den Zustand der *ataraxia*, wenngleich in einer stillen und beherrschten Form, die ganz ähnlich der beherrschten Spannung ist, von der die heitere Erscheinung menschlicher Gärten erfüllt ist.

Um in vollem Umfang zu würdigen, wie die Aktivität der Gartenpflege als wesensgleiches Tun mit der *culture de soi* des Epikureertums zusammenhing, müssen wir das Ausmaß verstehen, in dem alle epikureischen Werte und Tugenden vom *summum bonum* – dem Leben – hergeleitet waren, und ebenso die Art und Weise, in der man sie systematisch kultivierte, weil sie imstande waren, die wesentliche Güte des Lebens oder das, was Epikur die »Freude« des Lebens (griechisch *hedone*, von *hedys:* »süß«) nannte, zu steigern und zu fördern. Freude ist die kostbare Frucht des epikureischen Gartens. Nichts wird stärker missverstanden als der epikureische Begriff der Freude, der in jeder Hinsicht ein kultiviertes Phänomen war. Freude, wie Epikur sie verstand, hatte wenig (wenn überhaupt etwas) mit der Befriedigung von Gelüsten zu tun (tatsächlich verdammte Epikur mehrfach Wollust, Luxus, Gefräßigkeit und Zügellosigkeit jeglicher Art). Statt dessen hatte sie alles mit der Pflege von persönlichen und sozialen Tugenden zu tun, der sich die epikureische Gemeinschaft widmete.

Obenan unter den epikureischen Tugenden steht die Freundschaft. »Von dem, was die Weisheit für die Glückseligkeit des gesamten Lebens bereitstellt, ist das weitaus Größte der Erwerb der Freundschaft« (*Briefe ...*, S. 75). Freundschaft ist ein Gut an sich – Epikur war der Ansicht, es sei wichtiger, jemanden zu haben, mit dem man gemeinsam essen kann, als etwas zu essen zu haben – und zugleich eine praktische Notwendigkeit. Freunde kommen einander in Zeiten der Not zu Hilfe. Die Gewissheit, dass man sich in kritischen Augenblicken an seine Freunde wenden kann, um Schutz und Unterstützung zu suchen, stärkt die geistige Ruhe. Da Freunde ein Puffer gegen die unvorhersehbaren Wechselfälle des Lebens sind, tragen sie dazu bei, die relative Sicherheit zu garantieren, auf welche die *ataraxia* zu ihrem Bestand angewiesen ist. Über die pragmatischen Erwägungen hinaus ist jedoch die Freundschaft aus eigenem Recht unentbehrlich für das Glück, denn nichts verleiht dem Leben eine so angenehme Note wie gute Gefährtenschaft. Darum muss der Epikureer die Kunst der Freundschaft systematisch pflegen, als ob sie ein lebendiger Garten sei. Epikur lehrt, »[a]uch die Freundschaft habe ihren Grund im Nutzen; allerdings müssten wir den Anfang machen – müssen wir doch auch erst den Samen in die Erde einsetzen« (Diogenes Laertius, *X. Buch: Epikur*, S. 101). Der Erwerb und die Bewahrung von Freundschaft verlangen Vorausschau, Umsicht und Selbstverbesserung, denn sie erfordern, dass man in sich selbst Eigenschaften entwickelt, die einen dem Freund empfehlen und für ihn anziehend machen und die die Qualität der Gefährtenschaft erhöhen werden.

Daher rührt die Wichtigkeit des Gesprächs. Für Epikur gibt es keine bedeutendere Form menschlicher Freude, keine höhere Form sterblichen Glücks als ein intelligentes, fruchtbringendes und angenehmes Gespräch zwischen Freunden, welche zuzuhören, zu inspirieren und zu erhellen verstehen. Damit man ein würdiger Gesprächspartner wird, ist es erforderlich, sich eine Beherrschung sprachlicher Fertigkeiten anzueignen, ein gewisses Maß an ungekünstelter Beredsamkeit zu erlangen und den eigenen Geist durch fortwährende Beschäftigung mit der Philosophie zu erweitern. Die besten und wohltuendsten Gespräche sind durchgängig mit einem Austausch von Ideen und der Suche nach der Wahrheit verbunden. Die Erinnerung an solche Gespräche verschafft Glück bis weit in die Zukunft hinein, sie wird ein unerschöpflicher Vorrat der Freude selbst in den schlimmsten Augenblicken von Trübsal und Schmerzen. Am Ende seines Lebens überwand Epikur die körperlichen Schmerzen, die ihn täglich peinigten, indem er sich mit Dankbarkeit an einige der Gespräche erinnerte, die er in vergangenen Jahren mit Freunden geführt hatte.

In ebendieser Manier empfahl Epikur die Kultivierung von »Liebenswürdigkeit« im Auftreten und in der Persönlichkeit. Liebenswürdigkeit wurde von Epikur als eine Form der Großzügigkeit den Mitmenschen, besonders den eigenen Freunden gegenüber verstanden. Eines der charakteristischen Vermächtnisse des Epikureismus bei den Römern war der Kult der *suavitas*, der Liebenswürdigkeit, von der man nach Ansicht Ciceros »in Reden und in seinem ganzen Wesen ein gewisses Quantum« besitzen sollte (Cicero, *Laelius. Über die Freundschaft*, S. 81). Die Liebenswürdigkeit, die in radikalem Gegensatz zum ungehobelten Wesen der Kyniker, zum Hochmut der Platoniker und zur Strenge der Stoiker stand, war eine Verhaltensweise und eine Eigenschaft der Stimme, die einen für andere angenehm und anziehend machte. Auch dies war eine erworbene Tugend, und überall in der antiken Welt wurde ein liebenswürdiges Auftreten zu einem charakteristischen Zug der Epikureer.

Eng verknüpft mit der Liebenswürdigkeit war *epieikeia* oder die Rücksichtnahme auf andere. Die epikureische *epieikeia* – die Vorläuferin der christlichen *caritas* – war nicht die förmliche Höflichkeit des »großherzigen Mannes« oder herablassenden Adligen, sondern eine echte *philia* oder Liebe zur Menschheit. Bezeigt wurde sie Höhergestellten ebenso wie Niedergestellten und Gleichen, und sie nahm die Form von Freundlichkeit, Höflichkeit, Güte und Respekt an. Die Rücksichtnahme auf andere bedeutete jedoch keineswegs, dass man ihre Gefühle schonte, wenn Kritik oder Einwände erforderlich wurden. Im Gegenteil, *parrhesia* oder Ehrlichkeit der Rede war eine vorrangige Verhaltensmaßregel des Epikureers. Gegen Schmeichelei und Sykophantentum, vor denen er besonderen Abscheu hegte, forderte Epikur bei allem Umgang mit anderen Menschen, wie bescheiden oder wie mächtig sie auch sein mochten, unaggressive Aufrichtigkeit.

Persönliche oder gesellschaftliche Tugenden wie diese waren ebenso wie die traditionellen moralischen Tugenden Mäßigkeit, Besonnenheit, Tapferkeit und Gerechtigkeit allesamt Teil des epikureischen Projekts der Selbsthumanisierung. Ich möchte hier noch eine Trias weiterer Eigenschaften – Geduld, Hoffnung und Dankbarkeit – erwähnen, die man als existentielle Dispositionen gegenüber den zeitlichen Ekstasen Vergangenheit, Gegenwart und Zukunft bezeichnen könnte. Im Gegensatz zur populären Auffassung steht nichts in größerem Gegensatz zur epikureischen Lehre als die Einstellung des *carpe diem* mit ihrem eifrigen Haschen nach den Freuden der Gegenwart. Wenn man für den gegenwärtigen Augenblick lebt, dann verurteilt einen das zu einer endlosen Besorgnis darüber, dass man die Gegenwart nicht anzuhalten vermag, dass sie beständig ins Nichts entgleitet. Für den Epikureer ist die richtige Einstellung, die man im Hinblick auf die Gegenwart kultivieren muss, vielmehr die *Geduld*, die dazu führt, dass man mit Heiterkeit das hinnimmt, was das Leben in der Gegenwart schenkt, wie auch das, was es versagt. Geduld hat nichts mit Entsagung zu tun. Sie bedeutet, dass man bereit ist, Entbehrung ohne Murren zu ertragen und andererseits Segnungen zu empfangen, wenn sie gewährt werden. Untrennbar mit der Geduld verbunden ist die *Hoffnung*, die Epikur als Erwartung des künftigen Guten definierte. Hoffnung ist die richtige Einstellung gegenüber der Zukunft, ebenso wie Dankbarkeit die richtige Einstellung gegenüber der Vergangenheit ist. Dankbarkeit für das Glück vergangener Zeit bleibt eine Quelle des Glücks in der Gegenwart sowie in weiterem Sinne ein Garant künftigen Glücks. Nicht einmal Zeus kann die Freuden der Vergangenheit (Gespräche mit Freunden beispielsweise) fortnehmen, die Erinnerung an sie übt ihre segensreiche Wirkung auf die Gegenwart aus und wird dies auch weiter tun, was immer das Schicksal einem für die Zukunft bestimmt haben mag.

Von diesen drei Tugenden ist die Dankbarkeit bei weitem die wichtigste. Sie ist nicht nur ein Effekt oder eine Konsequenz des Glücks, sondern auch eine Schöpferin von Glück, denn sie macht es möglich, dass die Bekräftigung des inneren Wertes des Lebens gedeiht und seine Schmerzen und sein Ungemach in Vergessenheit geraten. Als die wesentlichste Zutat des epikureischen Glücks gehört die Dankbarkeit gänzlich in die Kategorie der *culture de soi*. Mit anderen Worten, sie ist eine in hohem Maße kultivierbare Einstellung: »Es liegt doch ganz in unserer Gewalt, dass wir die Widerwärtigkeiten [des Lebens] gleichsam in ewiger Vergessenheit verscharren und die glücklichen Stunden froh und vergnügt in der Erinnerung bewahren« (Cicero, *De finibus bonorum et malorum*, S. 57, 59). Der Tor hingegen erinnert sich nur an Unglücksfälle und vergangene Fehler. Denjenigen, die davor warnten, einen Menschen vor seinem Tode glücklich zu nennen (so das berühmte Wort Solons), warf Epikur Undankbarkeit vor: »Dem vergangenen Guten gegenüber undankbar ist die Stimme, die spricht: ›Schau auf das Ende eines langen Lebens!‹« (Epikur, *Briefe ...*, S. 97). Es gibt vieles, was nicht in unserer Macht liegt – künftige Unglücksfälle beispielsweise –, und viele von unseren Besitztümern einschließlich Gesundheit, Freunden und Reichtum können uns fortgenommen werden, aber nichts kann uns unsere Dankbarkeit für vergangene Segnungen nehmen.

Für Epikur war Undankbarkeit unter Männern und Frauen außerordentlich verbreitet, und ebenso außerordentlich schädlich war sie seiner Ansicht nach für die menschliche Seele. Nicht viel hat sich geändert – tatsächlich sind die Gesellschaften immer törichter und zukunftsorientierter geworden –, seit Epikur schrieb: »Ein törichtes Leben ist undankbar und angsterfüllt; ganz eilt es in die Zukunft« (Seneca, *An Lucilius. Briefe über Ethik*, S. 119). Heute neigen wir zu der Annahme, dass eine nach vorn blickende Einstellung uns jung erhält, aber Epikur war der Ansicht, das Gegenteil sei der Fall. Der Undankbare, in die Zukunft versunken, altert vor der Zeit (»Gedenkt er nicht des ihm zuteil gewordenen Guten, so ist er schon heute zum Greis geworden« [Epikur, *Briefe ...*, S. 83]), während der dankbare Epikureer seinen Zugriff auf die Jugend selbst im hohen Alter bewahrt: »Es gilt also zu philosophieren für jung und für alt, auf dass der eine auch im Alter noch jung bleibe auf Grund des Guten, das ihm durch des Schicksals Gunst zuteil geworden, der andere aber Jugend und Alter in sich vereinige dank der Furchtlosigkeit vor der Zukunft« (Diogenes Laertius,

X. Buch: Epikur, S. 101). In einem Augenblick wahrer philoso-
phischer, wenn nicht psychologischer Einsicht verknüpft Epikur die Undankbarkeit sogar mit Unersättlichkeit: »Die Undankbarkeit der Seele macht das Lebewesen grenzenlos lüstern
nach Speisefinessen« (Epikur, *Briefe ...*, S. 95). Solcher Unersättlichkeit sind, so könnten wir hinzufügen, auch diejenigen
verfallen, die, wenn sie könnten, gern in alle Ewigkeit weiter-
leben würden, da sie vom Leben nie genug bekommen haben
(und es gibt unter uns heutzutage viele derartige Möchtegern-
Unsterbliche), während der Epikureer vom Leben wie nach einem Fest Abschied nimmt, mit einem Gefühl der Fülle, der Zufriedenheit und Sättigung.

Dieser kurze Überblick über die Grundsätze und die Ethik
des Epikureismus macht deutlich, dass Epikur in seinem Bemühen, ein Leben zu führen, welches frei war von den Sorgen, die
seine Mitbürger tyrannisierten, seine Direktiven tatsächlich
von einer höheren Ordnung der Sorge bezog als derjenigen,
welche die politischen Erschütterungen seiner Zeit beherrschte.
Ich meine seine Sorge um das Eintreten für die Sache des
menschlichen Glücks im Gegensatz zum Eintreten für die Sache dieser oder jener Ideologie oder Partei. Epikur war davon
überzeugt, dass der Zweck der Philosophie nicht darin bestehe,
über die Stadt zu herrschen, sondern darin, das Glückspoten-
tial eines sterblichen Lebens ebendadurch zu erhöhen, dass
man das Glück von seinen traditionellen Verbindungen zum
Bürgerstatus befreite. Da die *polis* die Sache des menschlichen
Glücks nicht mehr beförderte, sondern ihr vielmehr entge-
genstand, war es, das glaubte Epikur jedenfalls, erforderlich,
persönliche Verantwortung für das eigene Glück zu übernehmen. Ebenso wie der Garten erfordert persönliches Glück eine
Selbstkultivierung und *culture de soi*. Das war die wesentliche
Lektion, die auf dem Gelände der Gartenschule erteilt wurde.

Arendt schreibt: »Nur muss man [d.h. diejenigen, die sich

auf der Flucht vor der Wirklichkeit befinden] sich darüber klar sein, dass der Realitätscharakter dieser Wirklichkeit nicht in der Innerlichkeit liegt und auch nicht dem Privaten als solchem entstammt, sondern der Welt, der man noch eben entkam« (*Menschen in finsteren Zeiten*, S. 38). Diese Einsicht trifft auf die Epikureer zu, für die das persönliche Glück im Grunde eine Forderung war, die im Rahmen einer Welt erhoben wurde, die einer derartigen Forderung entweder gleichgültig gegenüberstand oder ihr mit politischer Verachtung begegnete. Epikurs Rückzug aus der öffentlichen Sphäre war *kein* Rückzug in eine »Privatheit«, wie wir diesen Begriff heute verstehen. Er mag ein Rückzug in »Idiotie« gewesen sein, nicht aber ein solcher in Privatheit. Der Garten hatte zwar einen privaten Eigentümer, und diese private Eigentümerschaft war ein wesentliches Element der marginalen Freiheit von städtischer Autorität, welche die Schule genoss, aber das intensiv gemeinschaftliche Leben der Gartenschule straft jede Vorstellung von Privatheit, wie Arendt sie versteht, Lügen. Epikur zog sich nicht in eine Festung der Einsamkeit zurück; er zog sich in einen Garten zurück, der durch die gemeinschaftliche Teilhabe aller Mitwirkenden zu einer der lebenskräftigsten und lebensbejahendsten Schulen der antiken Welt heranreifte.

So wie der Epikureismus keinen Rückzug in »Privatheit« darstellte, war er auch kein Rückzug in das, was Arendt an anderer Stelle als das »Leben des Geistes« bezeichnet, welches auf unirdische Meditationen und Abstraktionen ausgerichtet ist. Die Epikureer waren keine Asketen. Nie schmähten sie den Körper, noch verherrlichten sie ihn. Neben einem Leben der Kontemplation führten sie bewusst ein körperliches Leben, dessen soziale, erotische und sinnliche Dimensionen nach den Maßstäben erfasst wurden, welche die Lehre vorgab. Und wenn man auch sagen könnte, dass Epikur eine strategische »Flucht vor der Wirklichkeit« ergriff, bemühte er sich nicht um ein

»Entkommen aus der Wirklichkeit«. Dieser Unterschied ist entscheidend. Epikur suchte die Freistatt seines Gartens auf, ohne dass er jemals aufhörte, die Wirklichkeit anzuerkennen, vor der er flüchtete. Ja, der Garten war für Epikur ein Ort, von dem aus und an dem die Wirklichkeit neu konzipiert, ihre Möglichkeiten neu gedacht werden konnten. Oder besser gesagt, er war ein Ort, an dem die menschlichen und sozialen Tugenden, die von der sogenannten realen Welt mit Füßen getreten wurden, unter sorgfältig gehüteten Umständen wieder gedeihen konnten.

Freundschaft, Gespräch, Dankbarkeit, geistige Ruhe – das waren keine privaten Freuden des isolierten Ichs, ebensowenig wie der epikureische Garten eine Stätte der Einsamkeit war. Es waren Tugenden, die man gemeinschaftlich oder sozusagen pluralistisch kultivierte. Man könnte sie als soziale Tugenden bezeichnen, aber vielleicht wäre es präziser, sie als politische Tugenden im Exil zu bezeichnen. Denn politische Tugenden haben ihre Grundlage in sozialen Tugenden. Wenn die öffentliche Sphäre es ihnen nicht mehr gestattet zu gedeihen, dann ist es für diese sozialen Tugenden um so wichtiger, dass sie an speziellen Zufluchtsstätten Asyl finden, die zur Welt Abstand halten, aber nicht von ihr abgeschnitten sind.

Zahlreiche Philosophen vor und nach Epikur haben sich mit der Frage des menschlichen Glücks auseinandergesetzt, und viele haben die Kultivierung moralischer und sozialer Tugenden gefordert, aber unter den Alten war er einer der ganz wenigen, die ihre Schüler dazu aufforderten, *die Sterblichkeit zu kultivieren*. Er forderte von ihnen nicht, ihren Begrenzungen heroisch zu trotzen oder sich stoisch ihrer Notwendigkeit zu fügen, sondern vielmehr, die Sterblichkeit als Mittel wie auch als Zweck des Glücks zu kultivieren. Er schaute sich die Welt in finsteren Zeiten an und sah die Absurdität ihrer herrschenden Zwänge, ihren perversen Drang, sich gegen den Zustand der

Heiterkeit zu verschwören, ihre Tendenzen, Leiden hervorzubringen, die wenig mit den Göttern zu tun hatten und alles mit dem menschlichen Unvermögen, die Welt zu humanisieren. Stoische Resignation war nicht genug. Der Stoizismus forderte Apathie, während der Epikureismus Selbstverantwortlichkeit, die Freuden der Gemeinschaft und eine Beziehung zum Tod forderte, die diesen als die angemessene Erfüllung des Lebens ansah.

Arendt fragt, »wie weit man der Welt auch dann noch verpflichtet bleibt, wenn man aus ihr verjagt ist oder sich aus ihr zurückgezogen hat« (*Menschen in finsteren Zeiten*, S. 38). Epikur stellte statt dessen die Frage: Wie weit bleiben wir auch dann noch unserer Humanität verpflichtet, wenn die Welt, die sich zwischen uns abspielt, sie verraten oder entstellt hat? Bis zum Schluss galt die Verpflichtung Epikurs dem Humanen, nicht einer Welt, die höllisch geworden war. Seine Gartenschule erhob nicht den Anspruch, der Welt zu Hilfe zu kommen und sie vor ihrem eigenen Inferno zu retten. Sie hatte einen weit bescheideneren und letztlich weit wirksameren Ehrgeiz: inmitten des Infernos Platz für das Humane zu schaffen, indem sie ihm einen Boden bereitstellte, in dem es wachsen konnte.

Sind wir Epikureer? Dieser Tage hört man häufig, die abendländische Dekadenz habe die Form eines verschärften Epikureertums angenommen, aber wo ist der Garten? Wo ist die *ataraxia*? Sicher, wenn man die populäre Vorstellung von Epikureertum als Philosophie eines krassen Materialismus akzeptiert, der den Freuden des Tages nachjagt, dann könnte man die zeitgenössischen Gesellschaften im Westen als epikureisch in ihrer Ausrichtung ansehen. In Wirklichkeit aber könnte von der populären Vorstellung von Epikureertum nichts weiter entfernt sein als der Epikureismus selbst. Andererseits könnte von epikureischer *ataraxia* nichts weiter entfernt sein als unsere zwanghafte Hektik, unser Jahrmarkt der Wünsche und unsere Angst angesichts des Todes. Dem müssen wir noch hinzufügen, dass nichts in größerem Widerspruch zur epikureischen Ethik der Kultivierung stehen könnte als unsere Ethik des Konsumierens. Geduld, Hoffnung und Dankbarkeit? Das sind existentielle Einstellungen, die wir nahezu verbannt haben. Der Gegenwart begegnen wir in der Form der Ungeduld, der Zukunft in der Form der Verzweiflung und der Vergangenheit mit der Undankbarkeit des Toren. Dort, wo die Befriedigung an die Stelle der Dankbarkeit tritt, wie sie das in unserer senilen neuen Welt tut, wird Unersättlichkeit zu einem Schicksal. Diese »Undankbarkeit der Seele macht das Lebewesen grenzenlos lüstern nach Speisefinessen«, und sie führt zu einem armseligen und degenerierten Hedonismus.

Ein echter Hedonismus stellt an uns ganz andere Anforderungen als diejenigen, welche unser Verhalten heute lenken. Er fordert von uns, dass wir als Gärtner menschlichen Glücks den Fluch der Sterblichkeit in die Quelle vieler Segnungen verwandeln. Ganz offensichtlich sind wir alles andere als Epikureer.

8

Die Gartengeschichten Boccaccios

Die menschliche Kultur hat ihren Ursprung in Geschichten, und in ihrer fortlaufenden Historie werden ständig Geschichten erzählt. Wo wären wir ohne Geschichten? Ohne die Kunst des Erzählens? Ohne die narrative Organisation von Geschehnissen und die Strukturierung der Zeit, die sie vermittelt? Wenn Sie mich fragen, wo ich herkomme oder was gestern abend bei der Versammlung passiert ist oder warum mein Freund so verstört ist, dann kann ich kaum antworten, ohne eine kleine Geschichte zu erzählen. In seinen förmlichen ebenso wie in seinen informellen Ausprägungen ist das Geschichtenerzählen eine der grundlegendsten Formen menschlicher Interaktion. Das Gewebe des Lebens selbst wird in Geschichten hinein und durch sie gewoben, und dies in solchem Maße, dass die Qualität der menschlichen Konversation in erheblichem Umfang davon abhängt, wie weit wir die Kunst des Erzählens beherrschen. Diese Kunst ist eine Sache, die wir in unsere Beziehungen zu anderen Menschen tagein, tagaus entweder einbringen oder auch nicht einbringen.

Alles schön und gut, werden Sie sagen, aber was hat das Geschichtenerzählen mit Gärten zu tun? Das ist eine Frage, die wir dem besten Geschichtenerzähler des abendländischen Kanons, Giovanni Boccaccio, stellen müssen, der das *Dekameron* verfasst hat und dazu eine Vielzahl sogenannter kleiner Werke, die in ihrer Statur alles andere als unbedeutend sind.

Boccaccios *Dekameron* (1350) ist, obschon kein lehrmäßiges Werk, eine der elegantesten Äußerungen des Epikureismus in seiner echten neuzeitlichen Form. In der Einleitung zu diesem Werk wird erzählt, wie auf dem Höhepunkt des Schwarzen Todes im Jahre 1348 sieben junge Frauen und drei Männer den Entschluss fassen, die von der Seuche verheerte Stadt Florenz zu verlassen und sich in eine Villa im Hügelland der Umgebung zurückzuziehen, wo sie dann zwei Wochen damit verbringen, Gespräche zu führen, entspannende Spaziergänge zu unternehmen, zu tanzen, Geschichten zu erzählen und zu feiern, wobei sie darauf bedacht sind, nicht die Regeln des anständigen Verhaltens zu durchbrechen oder die *dignità* der Damen zu kompromittieren. Nichts könnte in schärferem Kontrast zu den Schrecken eines von der Pest heimgesuchten Florenz stehen als die idyllische Gartenlandschaft, die sie auf dem Lande erwartet (eine Gartenlandschaft, in der die zehn Mitglieder der *brigata* den größten Teil der Geschichten des *Dekameron* erzählen). In der Stadt ist die bürgerliche Ordnung der Anarchie gewichen; aus der Liebe zum Nachbarn ist die Furcht vor dem Nachbarn geworden (der jetzt die Furcht vor Ansteckung verkörpert); wo es früher Verwandtschaftsrecht gab, handelt jetzt jeder auf eigene Faust (viele Familienmitglieder flüchten vor ihren infizierten Lieben und lassen sie in ihren Todesqualen allein und ohne Beistand zurück); und dort, wo es einst Höflichkeit und Anstand gab, herrschen jetzt Verbrechen und Delirium.

Während ihres zweiwöchigen Aufenthalts in wohlgepflegten Gärten und Landhäusern gehen die jungen Florentiner, die ein dringendes Bedürfnis nach Ablenkung von den Schrecken des Todes und nach Trost für ihre familiären Verluste haben, daran, die Bande der Gemeinschaft wiederherzustellen, die in Florenz durch die Pest nahezu zerrissen worden sind. Auch wenn ihre Eskapade in der Tat eine »Flucht vor der Wirklichkeit« ist, stellen ihre bewussten Bemühungen, während ihres Aufenthalts in den Hügeln von Fiesole einem nahezu idealen Code von Geselligkeit zu folgen, eine direkte Antwort auf den Zusammenbruch der sozialen Ordnung dar, den sie hinter sich lassen. In dieser Hinsicht ist ihr Aufenthalt nach den Maßstäben Hannah Arendts, die ich im vorangegangenen Kapitel angeführt habe, völlig »gerechtfertigt« (»Die Weltflucht in den finsteren Zeiten der Ohnmacht ist immer zu rechtfertigen, solange die Wirklichkeit nicht ignoriert wird, sondern als das, wovor man flieht, in der ständigen Präsenz gehalten wird«).

Das erklärte Ziel der *brigata* ist es, das *piacere* oder das Vergnügen zu maximieren, welches ihnen ihre schöne Umgebung bietet. Wir sahen bereits, dass der epikureische Hedonismus alles andere ist als eine bloße Befriedigung von Gelüsten oder eine Befreiung von Selbstdisziplin, dass er vielmehr ein kultiviertes Phänomen darstellt, welches wie ein Garten eine gewisse Struktur erfordert, in deren Rahmen er gedeihen kann. Dies bekräftigt erneut die »Königin« des ersten Tages, Pampinea, die ihrer Truppe bei ihrem ersten Ausflug erklärt: »In Lust und Freuden müssen wir leben, denn aus keinem anderen Grund sind wir dem Jammer entflohen. Weil aber alles, was kein Maß und Ziel kennt, nicht lange währt, so meine ich [...], es sei notwendig, dass wir übereinkommen, einen Oberherrn zu wählen« (Boccaccio, *Dekameron*, S. 29). Sie verknüpft dann die Wörter *Ordnung* und *Vergnügen* in ihrer Erklärung dahingehend, dass »unsere Gesellschaft in Ordnung und Vergnügen, und ohne dass unser guter Ruf darunter leidet, so lange aufrechterhalten [bleibt], wie es uns gefallen wird« (S. 30; das Italienische ist noch emphatischer: *la nostra compagnia con ordine e con piacere e senza alcuna vergogna viva e duri quanto a grado ne fia*; wörtlich »mit Ordnung und mit Vergnügen oder ohne irgendwelche Schande«).

Die *brigata* nimmt den Vorschlag Pampineas an und gibt

ihren vergnüglichen Aktivitäten eine höchst organisierte Struktur. Sämtliche Mitglieder werden sich darin abwechseln, für einen Tag »König« oder »Königin« zu sein und damit die Verantwortung für praktische Entscheidungen im Hinblick auf Mahlzeiten, Ruhezeiten, Spaziergänge, Gesang, Heiligung des Feiertags und dergleichen zu übernehmen. Und was das Wichtigste ist, der König oder die Königin legt das Thema für die Geschichten seines oder ihres Tages fest. Ihrem Plan entsprechend erzählt jedes Mitglied der *brigata* eine Geschichte am Tag, so dass insgesamt hundert Geschichten zusammenkommen. Da der Aufenthalt genau zwei Wochen dauert und jeweils an zwei Tagen der Woche aus Gründen der Feiertagsheiligung keine Geschichten erzählt werden, gibt es insgesamt zehn Erzähltage (und daher trägt das Buch seinen Titel *Dekameron*). Dadurch, dass sie ihren vierzehn Tagen solch eine »bestimmte Form« geben, sorgen die Mitglieder der *brigata* nicht nur für das Vergnügen ihres Aufenthalts, sondern sie errichten auch die Ordnung, die der Architektur des *Dekameron* selbst zugrunde liegt.

Das Verleihen einer Form ist entscheidend für die *Vergesellschaftung* des Vergnügens, die wiederum für seine Dauerhaftigkeit und Stabilität entscheidend ist. Eine derartige Vergesellschaftung zähmt die ungebärdigeren egoistischen Triebe von Individuen, aber sie hat nichts mit der Verdrängung von Trieben oder mit Entsagung zu tun (der größte Teil der Geschichten des *Dekameron* straft jede derartige Ethik der Verdrängung Lügen); sie hat vielmehr vor allem damit zu tun, die soziale Ordnung in den Ort zu verwandeln, an dem das Vergnügen seine höchste Erfüllung findet. In der Welt Boccaccios ist das Vergnügen vorbehaltlos sozial, ohne im mindesten aufzuhören, »natürlich« zu sein. Natur und Gesellschaft sind keine Gegensätze; allenfalls sind sie schöpferische Verbündete beim Projekt des menschlichen Glücks. Dort, wo das Vergnügen ihre jeweiligen Ansprüche im Gleichgewicht hält, gedeiht es wie ein italienischer Garten. Das ist einer der Gründe dafür, dass die Gärten des *Dekameron* als der ideale Raum für die humanisierte *letizia* oder die »Freude« der *brigata* erscheinen. Die elegante Art und Weise, in der sie Natur und Form miteinander verbinden, macht sie auf mehr als eine Weise zu »Lustgärten«. Machen wir uns einen Augenblick Gedanken über diese Verbindung.

Nach der Beschreibung, die Boccaccio gibt, haben die Gärten des *Dekameron* offenbar eine ästhetische Signatur, die sie, und sei es nur durch Herkunft oder Abstammung, mit der italienischen Gartenkunst der Renaissance verknüpft. Diese Kunst, die in Mittel- und Süditalien im 16. und 17. Jahrhundert zur Entfaltung kam, ist im Laufe der vergangenen Jahrhunderte von mehreren hervorragenden Forschern gründlich untersucht und mit beredten Worten kommentiert worden. Ich werde hier nicht den Anspruch erheben, ihren Einsichten etwas hinzuzufügen, sondern will nur bemerken, dass diese Forscher in Boccaccios Gärten mit Sicherheit gewisse prototypische Züge ihres Forschungsgegenstandes wiedererkennen würden, nämlich einen Stil der Gartenarchitektur, in dem die Kunst weder die Natur dominiert (wie sie das beispielsweise in Versailles tut) noch der Natur schmeichelt (wie das in englischen Landschaftsgärten des 18. Jahrhunderts geschieht), sondern vielmehr mit der Natur zusammenarbeitet, um einen humanisierten Raum zu schaffen, der höchst kunstvoll und zugleich vollkommen »natürlich« ist in dem Sinne, dass er die Arten und die Landschaften der Natur zwanglos zur Schau stellt.

Ich möchte hier eine besonders einfühlsame Kommentatorin, Edith Wharton, zitieren, deren Buch *Italian Villas and Their Gardens* immer noch einer der Klassiker auf diesem Gebiet ist. In ihrer Einleitung, die den Titel »Italienischer Gartenzauber« trägt, schreibt Wharton, »eines Tages« habe der Renaissance-Architekt von der Terrasse seiner Villa hinabgeschaut und festgestellt, dass die »umgebende Landschaft« in seinen Garten »zwanglos einbezogen« war. »Die beiden gehörten derselben Komposition an«, schreibt sie. Wenn diese Entdeckung der »erste Schritt« der großen italienischen Gartenkunst war, wie Wharton behauptet, »dann bestand der nächste darin, dass der Architekt auf die Mittel verfiel, durch die sich Natur und Kunst in seinem Bild miteinander verschmelzen ließen«. Sie fährt fort:

Unabhängig davon, wie weit noch andere Faktoren zu dem Gesamteindruck des Zaubers beitragen mögen, stellt man fest, dass es, wenn man sie einen nach dem anderen beseitigt, wenn man die Blumen, das Sonnenlicht, die reichhaltige Färbung der Zeit *fortdenkt*, dem allem zugrundeliegend eine tiefere Harmonie des Plans gibt, die nicht von irgendwelchen zufälligen Effekten abhängig ist. Das soll nicht heißen, dass ein Plan eines italienischen Gartens ebenso schön sei wie der Garten selbst. Die beständigeren Materialien, aus denen letzterer besteht – das Mauerwerk, das immergrüne Laubwerk, die Effekte von fließendem oder stehendem Wasser, vor allem die Linien der natürlichen Landschaft –, bilden allesamt einen Teil des Plans des Künstlers. Diese Dinge sind aber in der einen Jahreszeit ebenso schön wie in einer anderen; und selbst diese sind nur das Beiwerk des Grundplans. Die innere Schönheit des Gartens liegt in der Anordnung seiner Teile – in den konvergierenden Linien seiner langen Ilexwege, dem Wechsel von sonnigen freien Flächen und kühlem Waldschatten, dem Verhältnis zwischen Terrasse und Rasenplatz oder zwischen der Höhe einer Mauer und der Breite eines Weges. Keines dieser Details war für den Landschaftsarchitekten der Renaissance nebensächlich: er

erwog die Verteilung von Schatten und Sonnenlicht, von geraden Linien des Mauerwerks und gekräuselten Linien des
Blattwerks ebenso sorgfältig, wie er die Beziehung seiner
gesamten Komposition zur umgebenden Landschaft abwog.
(Wharton, *Italian Villas and Their Gardens*, S. 8)

Liest man Boccaccios Beschreibung des Gartens in der Einleitung zum dritten Tag (siehe Anhang 1) genau, dann stellt man
fest, dass sie in zwei entgegengesetzten Richtungen vorgeht.
Einerseits führt sie eine derartige Fülle von Flora, Fauna und
Früchten in die Szenerie ein, dass sie dem Garten einen paradiesischen Charakter verleiht, der jedes Maß an Realismus
übersteigt. Andererseits preist sie die »Anordnung von Teilen«
und die Harmonie des Plans, die Wharton als das Wesen des
»italienischen Gartenzaubers« ansieht. Infolge dieser Neben-
einanderstellung gewinnt der paradiesische Charakter des
Gartens eine illusorische Qualität. Die offensichtliche Betonung der Künstlichkeit hebt die Tatsache hervor, dass dieser
Garten eine menschliche Schöpfung ist, dass seine Zauber
sorgfältig geplant sind und seine Umgebung immer noch den
Gesetzen der Natur unterworfen und daher den Kräften von
Verfall, Tod und Katastrophe ausgeliefert ist. Auch hier – gerade hier – wirft die Seuche ihren langen Schatten auf die
Mauern, die diesen Garten wie einen Tempel abgrenzen.
   Obgleich der Garten von Mauern eingefasst ist, erscheint er
den Lesern von Boccaccios *Dekameron* als Quintessenz oder
Extrakt seiner kultivierten Landschaft und Umgebung, in der
Villen, Loggien, Gärten, Wiesen, Seen und Haine eine Art Su-
per-Gartenensemble bilden, das unter der Herrschaft menschlichen Planens bleibt (wie das bei einem großen Teil der toska-
nischen Landschaft auch heute noch der Fall ist). Und falls wir
irgendeinen Zweifel daran hegten, dass die Mauern eines Gartens immer durchlässig sind, schickt die erste Geschichte des

dritten Tages den ungehobelten Masetto auf das von Mauern umgebene Gelände eines Klosters wie eine wahre Naturgewalt, wo er unter dem Deckmantel eines taubstummen Gärtners fröhlich darangehen wird, die sexuellen Wünsche einer Clique von neun Nonnen zu erfüllen (siehe Anhang 1, der diese Geschichte enthält). Mauern, seien sie rings um das Ich errichtet oder um einen Garten, sperren die Natur nicht aus, sondern unterwerfen sie bestenfalls einer Regulierung durch den Menschen.

Masetto ist zwar eine Naturgewalt, aber wir dürfen uns nicht (wie die Nonnen) durch seine Posen eines ungebildeten Einfaltspinsels täuschen lassen. Auch wenn seine sexuellen Begierden vollkommen »natürlich« und unvermittelt sein mögen, sind doch sein Verhalten und seine Taktik alles andere als spontan. Ja, man könnte sagen, dass er in vieler Hinsicht das Gegenstück zu dem Architekten ist, der den Garten entworfen hat, in dessen Rahmen diese Geschichte angesiedelt ist. Damit meine ich, dass er mit Vorsatz handelt, dass er sich sein Vorgehen überlegt und es nach einem Plan ablaufen lässt, der sich in den Dienst der Natur stellt. Hierbei gleicht er auch dem Gärtner, der seinen Samen im voraus sät und zu gegebener Zeit die Früchte seiner Mühen erntet.

Ungeachtet aller Veränderungen, welche die Anwesenheit Masettos in das spirituelle wie das erotische Leben des Klosters hineinträgt, führt sein Eindringen nicht zu Anarchie und Unordnung. Im Gegenteil, am Ende der Geschichte werden die libidinösen Energien des Klosters einer maßvollen Regulierung und gerechten Verteilung unterworfen, die es ihnen ermöglichen zu gedeihen, ohne die Fundamente der institutionellen Ordnung zu untergraben. Die Geschichte ist schließlich ein Loblied auf die Findigkeit der Protagonisten, wenn es darum geht, dem Vergnügen eine »bestimmte Form« zu geben. In dieser Hinsicht ist die Äbtissin, mit der er eine Abmachung trifft, die für alle zufriedenstellend ist, nicht weniger heroisch (gemessen an Boccaccios Maßstäben für Heroismus) als Masetto.

Wenn in christlicher Symbolik ein Kloster der Ort ist, an dem Nonnen ihre mystische Hochzeit mit Christus feiern, holt die Ankunft Masettos seinen Garten sozusagen wieder auf die Erde herab und öffnet ihn erneut den Ansprüchen der Natur. Für Boccaccios Subtilität als Schriftsteller ist es charakteristisch, dass er den dritten Tag – den »pornographischsten« Tag des *Dekameron* – mit Anspielungen auf Dantes *Läuterungsberg* einleitet (*L'aurora già di vermiglia cominciava …*), der im Garten Eden gipfelt. Die Anspielung auf den *Läuterungsberg* ist natürlich heimtückisch, wie der gesamte dritte Tag bestätigt, angefangen damit, dass die Masetto-Geschichte mit der Zahl Neun spielt, die für Dante die heiligste aller Zahlen war (die Dreifaltigkeit, mit sich selbst multipliziert). Wenn ich sage, dass Boccaccio den Garten wieder auf die Erde herabholt, dann meine ich damit nicht einfach, dass er ihn in einen Ort erotischer Freuden im Stil des *Rosenromans* verwandelt, der als eine ausgedehnte sexuelle Allegorie fungiert. Ich meine vielmehr, dass er die erotische Ökonomie des Klosters unter menschliche Aufsicht stellt. Das befreite und doch geregelte Sexualleben des Klosters findet jetzt sein angemessenes Sinnbild in dem sprießenden Garten, unter dessen menschlicher Aufsicht sich die Fruchtbarkeit der Natur entfalten darf (die Nonnen bringen »Mönchlein in Menge« zur Welt), allerdings unter sorgfältig beaufsichtigten und kontrollierten Umständen.

Insofern der Garten, in dem diese Geschichte erzählt wird, seine Existenz menschlichem Planen verdankt, ist er mehr als lediglich ein angemessener Schauplatz für diese Geschichte. Den Garten und das Geschichtenerzählen im *Dekameron* bindet nämlich eine tiefere und allgemeinere Analogie zusammen, denn generell könnten wir sagen, dass die Erzählkunst Boccaccios von ästhetischen Prinzipien beherrscht wird, welche denjenigen ähneln, die wir in der Gartenkunst der Renaissance am Werk sehen. Ich meine nicht nur die exquisite Architektur des *Dekameron* als ganzen mit ihrem Erzählrahmen, ihrer ausgewogenen Abfolge von Themen, ihrer Vielfalt von Stimmen und ihrem durchgängigen Wechselspiel von Perspektiven. Ich meine auch die Analogie von Geschichte und Garten. Eine Geschichte gleicht schließlich einem Garten. Sie hat ihre charakteristische Form, ihren gegliederten Rhythmus, ihre Seitenwege, ihre sich entfaltenden Perspektiven, ihre Verwicklungen und Überraschungen, ihre unheimlichen Abgründe, ihre wechselnden Erscheinungsweisen und ihre transitive Beziehung zur »wirklichen Welt«, die jenseits ihrer imaginären Grenzen liegt. Und was für Boccaccio das Wichtigste ist, wenn die Geschichte gut erdacht ist und gut erzählt wird, dann bereitet sie Vergnügen.

Nehmen wir die Masetto-Geschichte. Betrachtet man die dezente Kunstfertigkeit, durch die ihr geradliniger Stil geprägt ist – ich meine die geordnete Entfaltung der Handlung, die durchgängigen Anspielungen auf christliche Symbolik, die Persiflage der höfischen Liebe (insbesondere der in diesem Zusammenhang gängigen Verurteilung einer Verführung von Nonnen), den Humor, der nichts zurückhält und doch nie in Vulgarität verfällt, die Parodie der Lehre des Augustinus, dass die menschliche Rede ihre Quelle in unerfülltem Begehren hat (Masetto fängt erst an zu sprechen, als er übersättigt ist), die glänzenden Wortspiele mit den Tropen Hochzeit und Gärtnerei –, dann verschmelzen alle diese Dinge literarische Kunstfertigkeit und Naturalismus in eben der Weise, in der der italienische Garten, wenn wir Wharton und einer Vielzahl anderer Forscher Glauben schenken, Natur und Planung miteinander verschmilzt. Ja, Boccaccios vielgepriesener Naturalismus ist nicht so sehr eine Lehre der Souveränität der Natur über das

Verhalten und die Motivation des Menschen wie vielmehr ein bestimmter Stil des Geschichtenerzählens. Dieser ungekünstelte und doch höchst raffinierte Stil, für den Boccaccio zu Recht berühmt ist – ein Stil, der zugleich durchsichtig und komplex, kühn und subtil, alltäglich und gelehrt ist –, war das Ergebnis einer außerordentlichen Formalisierung der Kunst des Erzählens, die schließlich dazu diente, diese Kunst zu *naturalisieren*.

Boccaccios Leistung können wir daran ermessen, dass wir ihn mit einigen seiner schlichteren Quellen vergleichen. Betrachten wir den *Novellino*, eine gegen Ende des 13. Jahrhunderts entstandene Sammlung von einhundert kurzen Vignetten, die sich dem Leser als ein Strauß schöner Blumen darbietet (»wir wollen auf den folgenden Seiten Beispiele für besonders schön gelungene Reden aufschreiben; Muster für feine Umgangsformen und geziemende Antworten, Beispiele von ruhmreichen Taten und vortrefflichen Geschenken, von Liebesglück und Leid« [Anonymus, *Il Novellino*, S. 17]). Die Geschichte 89 des *Novellino* ist typisch für das Schwergewicht, welches das Werk auf Pointen und schlagfertige Antworten legt:

Eine vornehme Gesellschaft speiste eines Abends in einem reichen Florentiner Haus. Darunter war auch ein Hofmann, der nie um eine Geschichte verlegen war. Nach dem Essen begann er eine zu erzählen, die kein Ende nahm. Ein Diener des Hauses, der das Essen abtrug und vielleicht nicht ganz satt geworden war, sprach ihn darob an: »Derjenige, von dem Ihr die Geschichte habt, hat sie Euch nicht vollständig erzählt.« Und jener: »Weshalb nicht?« – »Weil er Euch das Ende vorenthielt.« Darauf schämte sich der Hofmann und beendete seine Geschichte.

(S. 197, 199)

Boccaccio bearbeitet diese Vignette in der ersten Novelle des sechsten Tages, der dem *Novellino* und seiner Verherrlichung von Witz und Eleganz mit dem für diesen Tag gestellten Thema Tribut zollt: erzählt wird von denen, »die durch ein geschicktes Wort fremde Neckereien zurückgegeben oder durch kühnes Erwidern und schnellen Entschluss einem Verlust, einer Gefahr oder Kränkung entgangen sind.« Hier die Fassung Boccaccios:

Wie manche von euch aus eigener Erfahrung oder doch vom Hörensagen wissen mag, weilte vor noch nicht langer Zeit in unserer Stadt eine Edeldame, die von erlesenen Sitten und der Rede kundig war. Da ihre rühmlichen Eigenschaften nicht verdienen, dass ihr Name verschwiegen werde, will ich euch berichten, dass sie Madonna Oretta hieß und des Messer Geri Spina Gemahlin war. Nun geschah es zufällig, als sie einmal, so wie auch wir eben tun, auf dem Lande verweilte, dass sie mit mehreren anderen Damen und Edelleuten, die sie an jenem Tage bewirtet hatte, zu ihrem Vergnügen von einem Orte zum andern lustwandelte. Da indes die Entfernung zwischen ihrem Ausgangsort und dem Ziel, das sie sämtlich zu Fuß erreichen wollten, vielleicht etwas groß war, sagte ein Edelmann aus der Gesellschaft: »Madonna Oretta, beliebt es Euch, so will ich Euch einen großen Teil des Weges, den wir noch vor uns haben, durch eine wunderschöne Geschichte so sehr verkürzen, dass Ihr glauben sollt, Ihr säßet zu Pferde.« Darauf antwortete die Dame: »Nicht nur beliebt es mir, ich bitte Euch sogar darum, und es soll mir höchst willkommen sein.«

Der Herr Ritter, der seinen Degen im Streit wohl auch nicht besser zu führen wusste als zum Erzählen seine Zunge, fing nach dieser Erlaubnis seine Geschichte an, die in der Tat an sich gar schön war, die er aber jämmerlich verdarb, da er bald das gleiche Wort vier- und fünfmal wiederholte, bald auf das schon Gesagte zurückkam, bald sich mit dem Ausruf: »Nein, das hab ich falsch erzählt!« unterbrach, bald endlich die Namen falsch sagte oder untereinander verwechselte, ganz zu schweigen, dass seine Worte weder dem Charakter der Personen noch den erzählten Ereignissen irgend entsprachen.

Der Madonna Oretta brach über diesem Erzählen der Angstschweiß aus, und es wurde ihr beklommen ums Herz, als wäre sie krank. Endlich aber konnte sie es nicht mehr aushalten, und da sie gewahr wurde, dass der Edelmann in die Tinte geraten war und nicht wieder herausfand, sagte sie scherzhaft: »Messer, Euer Pferd hat einen harten Trab. Drum bitt ich Euch, lasst mich wieder absteigen.« Der Edelmann, der zum Glück geschickter im Verstehen als im Erzählen war, fühlte den Stachel und kehrte ihn zu Scherz und Heiterkeit. Dann aber wendete er sich andern Geschichten zu und ließ die eine, die er begonnen und schlecht ausgeführt hatte, unbeendigt.

(Boccaccio, *Dekameron*, S. 480f.)

Dort, wo die Geschichte des *Novellino* dem Leser eine einzige Blüte des Witzes bietet, nimmt die Version Boccaccios sozusagen den Weg in einen kleinen Garten. Zunächst einmal führt sie eine Geschlechterdynamik ein, die der schlagfertigen Antwort Madonna Orettas, welche vor Eleganz wie vor Takt funkelt, eine ganz andere Stoßrichtung verleiht. Die Metapher des Reitens erwächst zwanglos aus dem Zusammenhang (Damen und Ritter, ein langer und ermüdender Fußweg über Land usw.). Die Eigenarten der Art und Weise, in der der Ritter seine Geschichte verstümmelt, werden in so etwas wie einer Art von negativem Manifest des Erzählstils katalogisiert, während der Leser unmittelbar in das Unbehagen und die Verzweiflung einbezogen wird, welche die holprige Leistung in Madonna Oretta hervorruft. Die sexuellen Konnotationen des Reitens in der Geschichte tragen ebenfalls dazu bei, eine offensichtliche Parallele zwischen der Ungeschicklichkeit beim Geschichtenerzählen und der Ungeschicklichkeit im Liebesakt herzustellen. Kurz, auch wenn diese Überarbeitung ebenfalls in einer schlagfertigen Antwort gipfelt, hat sie eine Dichte, die weit mehr beinhaltet als eine Pointe. Sie artikuliert einerseits eine Ästhetik des Geschichtenerzählens und andererseits (genau wie alle anderen Geschichten des sechsten Tages) eine dezente soziale Ethik.

Unter einem gewissen Gesichtspunkt ist die Analogie zwischen Reiten und Geschichtenerzählen einfach eine geschickte Redefigur, die Madonna Oretta durch ihr »kühnes Erwidern« Gelegenheit bietet, sich mit einer eleganten Metapher aus einer unangenehmen Lage herauszuwinden und zugleich ihrem Gesprächspartner zu Hilfe zu kommen, ohne ihn zu beleidigen. Es geht hier aber noch um mehr, denn die Reitkunst steht in langem traditionellem Zusammenhang mit *virtù* – Tugend, verstanden als Beherrschung und Kontrolle widerspenstiger Kräfte –, eine Verknüpfung, die sich bis zu Platons berühmter Allegorie im *Phaidros* zurückverfolgen lässt, wo die tugendhafte Seele mit einem Wagenlenker verglichen wird, dem es gelingt, seine Pferde, während sie in unterschiedliche Richtungen streben, auf dem geraden Weg zu halten. Indem Boccaccio den schlechten Erzählstil des Ritters mit schlechter Reitkunst vergleicht, meldet er tatsächlich für das gute Erzählen einen ethischen und nicht nur ästhetischen Anspruch an.

Nichts bereichert die menschlichen Beziehungen und die Bande der Gemeinschaft mehr als die Beherrschung der Erzählkunst. Geschichten bieten eine Form von sozialem Vergnügen, selbst wenn man sie in der Einsamkeit der eigenen Privatgemächer liest (oder heutzutage sich ansieht). Über ihr Vermögen zum Erfreuen hinaus (oder vielleicht ist das auch ein Teil der Freude, die sie bereiten) bekräftigen sie in exemplarischer, dramatischer oder allegorischer Form die Werte, welche Gemeinschaften zusammenhalten. Dass Boccaccio das Geschichtenerzählen als Teil einer Ethik der nachbarschaftlichen Liebe ansah, wird aus seiner Vorrede zum *Dekameron* deutlich. Hier erklärt er, von allen moralischen Tugenden sei bei weitem die wichtigste die Dankbarkeit (auch darin war er ein echter Epikureer). Er stellt dann seinem Leser das *Dekameron* als einen Akt der Dankbarkeit für die Großzügigkeit dar, die ihm verschiedene Freunde in Zeiten erwiesen haben, in denen er Not und Unglück litt (seine einhundert Geschichten spielen natürlich ebenfalls in einer Zeit des Unglücks). Er widmet sein Buch speziell den Frauen, da sie diejenigen sind, welche die Art von Ablenkung und Vergnügen, die die Literatur zur Verfügung stellen kann, am dringendsten brauchen. Die Frauen, so sagt er, haben kein solches Glück wie die Männer, wenn es darum geht, Trost für ihren Kummer oder Ablenkung von ihrer Langeweile zu finden. Männer haben unzählige Quellen von Zerstreuung (es »bieten sich ihnen Spaziergänge dar, Neuigkeiten, die sie hören oder besehen können, Vogelstellen, Jagd, Fischerei, Reiten, Spielen und Handelsgeschäfte« [Boccaccio, *Dekameron*, S. 9]), die Frauen hingegen sind allzuoft »abhängig von Willen, Gefallen und Befehl ihrer Väter, Mütter, Brüder und Gatten, die meiste Zeit auf den kleinen Bezirk ihrer Gemächer beschränkt« (S. 8). In seiner Widmung an solche Frauen erhebt das *Dekameron* den Anspruch, ihnen die zeitweilige Tröstung und das Vergnügen zu bieten, welche die *brigata* selbst in den Gärten von Fiesole findet. Geschichten ändern die Wirklichkeit ebensowenig wie Gärten; doch indem sie eine Zuflucht vor der Wirklichkeit bieten, erfüllen sowohl Geschichten als auch Gärten ganz reale menschliche Bedürfnisse, darunter dasjenige, von Zeit zu Zeit Abstand von der Wirklichkeit zu gewinnen.

Der sechste Tag stellt die Kunst des Geschichtenerzählens in den umfassenderen Kontext des guten Sprechens. Da ja die Rede das vornehmste Medium sozialer Beziehungen darstellt, haben unser sprachliches Verhalten, unsere Redeweise, unsere Beherrschung der Ausdrucksmöglichkeiten und unser Streben nach Beredsamkeit auch hier eine wesentliche ethische Dimension. Man könnte sagen, dass verbale Virtuosität, die in ihren zahlreichen Formen durch den sechsten Tag verherrlicht wird, im Grunde eine Form der Großzügigkeit gegenüber anderen ist. (Die Großzügigkeit gehört neben ihrem Gegenstück, der Dankbarkeit, für Boccaccio zu den höchsten menschlichen Tugenden.) Die Kunst, gut zu sprechen, mag im Gesamtzusammenhang des menschlichen Überlebenskampfes wie eine bescheidene Tugend erscheinen, aber der sechste Tag erinnert uns daran, dass wir unserem Nachbarn vor allem in den Worten begegnen, die wir miteinander wechseln, in dem Gespräch, das wir führen, den Geschichten, die wir erzählen, der Ausdrucksweise, deren wir uns bedienen – kurz, er erinnert uns daran, dass wir in diesem Garten der Sprache zusammenkommen, der wie alle Gärten gedeihen kann, wenn er richtig gepflegt wird. Wenn es im *Dekameron* eine positive »Moral« gibt, dann ist sie vor allem in den taktvollen *exempla* für Stil zu finden, die der sechste Tag bietet, und nicht in den Lobpreisungen moralischer Tugend des zehnten Tages, dessen *novelle* zum größten Teil vor tödlicher Ironie triefen.

Boccaccio war kein Moralist. Er war kein Reformator oder Möchtegern-Prophet. Über menschliche Lasterhaftigkeit oder die Aussichten der Menschheit auf Erlösung machte er sich keine großen Gedanken. Er traktierte seine Leser nicht von einer selbsterrichteten Kanzel moralischer, politischer oder religiöser Überzeugungen herab mit Predigten. Wenn die ethischen Ansprüche, die er für das *Dekameron* in seiner Vorrede erhebt, letztlich außerordentlich bescheiden sind (der Verfasser hofft, mit seinen Geschichten denjenigen Zerstreuung und Trost zu bieten, die dafür Bedarf haben), so deshalb, weil die Verfassung des Menschen selbst etwas Bescheidenes ist. Die Pest beweist das nur zu gut. Mensch zu sein heißt, anfällig für Unglück und Katastrophe zu sein. Es heißt, dass man sich von Zeit zu Zeit in der Lage befindet, Hilfe, Trost, Ablenkung oder Erbauung zu brauchen. Unsere Lage ist größtenteils eine Sache des Alltags, nicht des Heroischen, und unsere minimale ethische Verantwortung unserem Nachbarn gegenüber besteht, dem Humanismus Boccaccios zufolge, nicht darin, ihm oder ihr den Weg zur Erlösung zu zeigen, sondern darin, ihm oder ihr dabei zu helfen, über den Tag zu kommen. Diese Hilfe nimmt viele bescheidene Formen an, und nicht die geringste von ihnen ist die, die Sphäre der sozialen Interaktion durch Witz, Anstand, Geschichtenerzählen, Gefährtenschaft, Konversation, Höflichkeit und Geselligkeit erfreulicher zu gestalten. Die Freude und nicht das Elend des Lebens zu vergrößern: das ist die *arché* oder das erste Prinzip von Boccaccios Humanismus, der nicht der triumphalistische Humanismus späterer Epochen ist (welche die selbstsichere Menschheit als die Krone der gesamten Schöpfung ansahen), sondern der zivile Humanismus nachbarschaftlicher Liebe. (Nicht zufällig beginnt Boccaccio seine Vorrede mit dem Wort *umana* [»menschlich«]: *Umana cosa è aver compassione degli afflitti* [»Mitleid mit den Betrübten zu haben ist etwas Menschliches«].)

Es verdient noch einmal gesagt zu werden, dass die zeitweilige Flucht der *brigata* aus den demoralisierten Verhältnissen eines von der Pest heimgesuchten Florenz keine unmittelbaren Auswirkungen auf die »Realität« der Dinge hat. Nach zwei Wochen, die sie in ihrer Gartenlandschaft vor den Toren der Stadt verbracht haben, kehren die zehn Geschichtenerzähler zu den Schrecknissen zurück, die sie hinter sich gelassen hatten, aber in dieser Zeit sind schließlich die Geschichten des *De-*

kameron ebenso wie die Gartenumgebung, in der sie erzählt wurden, in der Realität dazwischengekommen, und sei es nur dadurch, dass sie die verwandelnde Kraft der Form bezeugen. Indem sie die Wirklichkeit in narrativen Formen neu fassen, lassen sie das, was sonst durch den gestaltlosen Fluss der Momente der Wirklichkeit verborgen ist, geformt hervortreten, genau wie ein Garten die Aufmerksamkeit auf die ästhetisch bestimmten Beziehungen zwischen den Dingen in ihm lenkt (Kapitel 5). Das ist der Zauber von Gärten wie von Geschichten: Sie verwandeln das Reale, auch wenn sie es scheinbar unangetastet lassen.

Wenn Boccaccios Kunst des Geschichtenerzählens einerseits und seine humanistische Ethik andererseits beide ihr Korrelat in der Ästhetik des italienischen Gartens finden, dann steht seine »Politik« nicht weniger in Beziehung zu dieser Ästhetik. Bei allem Schwergewicht, welches das *Dekameron* auf die Tugenden der Formgebung legt (ganz gleich, ob sie auf das Ich, auf die Rede, auf die Beziehungen oder das Verhalten von Menschen angewendet wird), enthält es vernichtende Brandmarkungen von Tyrannen, welche absolute Souveränität über die Natur oder über ihre Untertanen ausüben möchten. Tankredi (vierter Tag, Geschichte 1) und Gualtieri (zehnter Tag, Geschichte 10) sind die beiden eindrucksvollsten Verkörperungen dieses tyrannischen Drangs zu totaler Kontrolle. Wenn der ideale Garten einer ist, in dem die Natur unter der Lenkung durch die Kunst gedeiht, dann ist der Tyrann einer, der die Natur durch das Aufzwingen eines fremden Willens unterjochen und beherrschen möchte. Politisch gesprochen übersetzt sich diese Ablehnung tyrannischer Macht in die lebenslange Treue Boccaccios zu den republikanischen Institutionen von Florenz, welche *libertas* und zivile Ordnung Seite an Seite existieren ließen. Sie erklärt auch seine feindselige Einstellung zu denjenigen italienischen Stadtstaaten, deren kleine Despoten rasch damit bei der Hand waren, die Bürgerfreiheit zu ersticken. Anders als sein Freund Petrarca, der sich um die Gunst der dünkelhaften Fürsten bemühte und häufig an ihren Höfen seinen Wohnsitz aufschlug, lehnte Boccaccio ihre Schmeicheleien durchgehend ab und blieb den Idealen der republikanischen Freiheit verpflichtet. Dieses Engagement ist im *Dekameron* überall deutlich erkennbar, ohne jemals aufdringlich zu werden oder übermäßige Aufmerksamkeit auf sich zu ziehen. Ja, es ist untrennbarer Bestandteil des *diletto*, den dieses Buch dem Leser Seite für Seite verschafft.

9

Klösterliche, republikanische und fürstliche Gärten

Manche Gärten blicken nach innen, andere nach außen, einige öffnen sich der Welt, andere schließen sich von ihr ab. Das mittelalterliche Kloster träumte vom Paradies, nach dessen Bild es konzipiert war. Dort fand eine weltflüchtige Spiritualität Zuflucht vor dem Toben irdischer Leidenschaften und hielt durch Gebet und schweigende Kontemplation die Aussicht offen, dass die Seele im Himmel beständigen Feiertag halten würde. In den Mauern des Klostergartens konnte sich der Geist nach innen wenden und tief in seiner Einsamkeit über die transzendente, einheitliche Quelle der Schöpfung meditieren, die dort nur als erahnte anwesend war. So verkörperte der Garten eher die Verheißung von Glück als das Glück selbst – das heißt, die Verheißung eines jenseits der Grenzen des sterblichen Lebens, in einer anderen Welt angesiedelten *gaudium*. Zwar war auch das Mönchskloster von Menschen geschaffen, aber es wandte seinen Blick ab von dem, was »der Mensch aus dem Menschen gemacht hat« (Wordsworth), und richtete ihn auf den Schöpfer der Menschheit und des Kosmos, in den sich der Mensch als Person wie ein Findling eingetaucht sah.

Andererseits gibt es Gärten, die nach außen blicken, die sich in einem ausgreifenden Geist der Bejahung dem Schauplatz der Geschichte öffnen und den Blick auf das bürgerliche Umfeld lenken, in das sie sich schmiegen. Um ein Beispiel hierfür zu finden, wollen wir in der Zeit zurück bis zum Beginn des 15. Jahrhunderts gehen und vom Zentrum von Florenz aus einen Spaziergang über den Arno unternehmen, der uns zur Villa eines Renaissance-Literaten namens Roberto Rossi führen wird. Unseren Weg treten wir an mit Leonardo Bruni, Coluccio Salutati und Niccolò Niccoli, drei hochgestellten Humanisten, die im kulturellen und politischen Leben der Stadt Florenz in der bedeutendsten Periode der florentinischen Republik eine wichtige Rolle spielten, zu einer Zeit, da Florenz seine Freiheit erfolgreich gegen die feindlichen Tyranneien rivalisierender italienischer Stadtstaaten verteidigte, allen voran gegen Mailand, dessen Despot Gian Galeazzo Visconti so freundlich war, während seiner Belagerung von Florenz im Jahr 1402 zu erkranken und zu sterben. Das von Bruni um 1406 verfasste Werk *Dialogi ad Petrum Paulum Histrum* schildert den Spaziergang dieser Individuen durch Florenz auf dem Weg zu Rossis Villa. Bevor sie das Gebäude betreten, schreiten sie durch einen Garten, der Salutati entzückt: »Wie überaus schön sind die Bauwerke unserer Stadt und wie prächtig!« ruft er aus. »Daran haben mich jetzt nämlich, als ich im Garten war, jene Bauten erinnert, die uns vor Augen stehen. [...] Aber seht doch den Glanz der Gebäude; schaut ihre Feinheit und Anmut an!« (Bruni, *Opere letterarie e politiche*, S. 118).

Bevor wir fortfahren, sollten wir bemerken, dass Salutati, Bruni, Niccoli und Rossi (die wichtigsten Gesprächspartner in Brunis Dialog) keine besonders in sich gekehrten Männer waren. Sie waren bedeutende Vertreter des florentinischen »Bürgerhumanismus«, der im Gegensatz zum mittelalterlichen asketischen Ideal für den Vorrang des tätigen vor dem beschaulichen Leben eintrat, der seine Aufmerksamkeit von der Erlösung auf die Freiheit verlagerte und für eine Ideologie der Verantwortlichkeit und Teilhabe des Bürgers an der Ausübung der Selbstregierung eintrat. Salutati amtierte von 1375 bis zu seinem Tod im Jahre 1406 als Kanzler von Florenz. Bruni, der eine glänzende Lobrede auf Florenz und seine republikanischen Traditionen schrieb, folgte ihm dann in dieser Eigenschaft nach. Niccoli, der sich eifrig der Pflege des klassischen Altertums widmete, verbrachte einen großen Teil seiner Zeit damit, alte lateinische Texte aus verschiedenen Teilen Italiens zu sammeln und den »Barbarismus« seiner mittelalterlichen Vorgänger anzuprangern, die schlechtes Latein geschrieben und schändlich dabei versagt hatten, das kulturelle Erbe der Antike zu bewahren. Rossi war ein florentinischer Humanist, der sein Leben ebenso der Gelehrsamkeit wie dem politischen Leben seiner Stadt widmete.

Der Garten, der Salutati so entzückt, ist von der Innenstadt von Florenz gerade weit genug entfernt, um einen umfassenderen Rundblick auf die Stadt zu gestatten, als man ihn erhaschen konnte, während man auf dem Weg dorthin durch die Straßen schritt. Sein hauptsächlicher Vorzug besteht für die Bürgerhumanisten darin, dass er sich zu der in sich ruhenden Pracht von Florenz hin öffnet, der Stadt der *libertas*, die Salutati dann folgendermaßen preist: Ganz zu Recht habe Leonardo Florenz den Vorzug vor anderen zeitgenössischen Städten gegeben; »und ich bin nämlich der Ansicht, dass weder Rom noch Athen noch Syrakus so elegant und sauber gewesen sind, dass sie vielmehr in dieser Hinsicht von unserer Stadt bei weitem übertroffen werden« (S. 118, 120). Die Freunde schließen sich Salutati an bei seiner Lobrede auf die Vorzüge, die Florenz über andere Städte erheben, darunter vor allem die standhafte Absage an Tyrannei, und im Nu geht ihr Dialog zu der Frage über, ob Caesar mit seinen imperialen Ambitionen der »Vatermörder seines Vaterlandes« (*patrie sue fuerit parricida;* S. 120) gewesen sei. Für diese Männer voller politischer Leidenschaft ist der Patriotismus alles, und das ist der Grund, weshalb für sie der Garten Rossis in allererster Linie über eine

Landschaft des Republikanismus blickt – also über eine Stadt, in der die politische Souveränität bei den Bürgern liegt und nicht bei Fürsten oder Prälaten. Was dieser Garten ihnen enthüllt, ist eine Sauberkeit und Schönheit, deren Wahrer die freien Bürger der Stadt sind. Ja, aus dieser Perspektive ist es Florenz als Ganzes, das als ein Garten erscheint, der von seinen Bürgern, seinen Künstlern, vornehmen Familien, Humanisten und Dichtern wohl gepflegt und wohl versorgt wird.

Um es konkreter zu sagen, aus der Perspektive des Bürgerhumanismus, mit der die Gesprächspartner Brunis an ihren Gegenstand herangehen, erscheint Florenz als der Garten, in dem die klassische Kultur und insbesondere die vorkaiserliche römische Kultur eine blühende Wiedergeburt erlebt. Indem er mit dem Namen seiner Stadt spielt, stellt Bruni in der Widmung seines Buches an Pietro Paolo Istriano fest: »Diese Stadt ist nämlich nicht nur durch ihren Volkreichtum, durch die Pracht ihrer Bauwerke und die Größe ihrer Unternehmen überaus blühend [*florentissima est*], sondern es sind hier vor allem auch gewisse Samen der besten Künste der ganzen Menschheit, welche schon gänzlich erloschen zu sein schienen, erhalten geblieben, und sie wachsen von Tag zu Tag« (S. 78). Die *humanitas* der Alten, deren Samen über Jahrhunderte hinweg geschlummert hatten, treibt hier hinaus in das Reich der Erscheinung und Objektivierung. Dieses »Flor(enz)ieren« der Antike stellt sich als die erste Blüte dessen dar, was die Historiker traditionell als die italienische Renaissance bezeichnen, und all das wird, Bruni und seinen Freunden zufolge, durch die *cura* der Literaten ermöglicht, die es sich zur Aufgabe machten, die klassische Kultur dadurch wieder zum Leben zu erwecken, dass sie mühevolle Anstrengungen unternahmen, um ihre verlorenen Werke wiederzubeschaffen, ihren Vorbildern nachzueifern und in sich selbst von neuem deren Ideal der *humanitas* zu pflegen. Gewiss hatte Bruni die Wiederauferstehung der klassischen Weisheit im Sinn, als er seinen Dialog an den Tagen stattfinden ließ, »die für die Auferstehung Jesu Christi als Feiertage gelten« (S. 82).

Der Dialog selbst ist eine Gattung, die Bruni aus ihrer klassischen und vor allem ciceronianischen Vergangenheit wiederzubeleben trachtete. Zu Beginn der *Dialogi*, bevor sich die Gruppe niederlässt, um das Hauptthema des Buches – nämlich den Zustand der Kultur zum gegenwärtigen Zeitpunkt – zu erörtern, setzt Salutati zu einer Lobrede auf den Dialog an. »Denn was, bei den unsterblichen Göttern, gibt es, das zum Erkennen und Erörtern subtiler Angelegenheiten größeren Wert haben könnte als eine Disputation, in der gleichsam mehrere Augen eine in die Mitte gestellte Sache von allen Seiten betrachten […]?« (S. 84). Die Vielfalt der Meinungen, das Ausformulieren von Gedanken, der Austausch von Ideen – das sind die Tugenden, die Salutati mit nahezu missionarischer Inbrunst verficht, in impliziter Polemik gegen das mönchische Ideal der schweigenden Kontemplation. Der Gedanke muss in der Rede erblühen. In der öffentlichen Sphäre muss der Diskurs sprießen. »Es ist nämlich absurd, innerhalb der Mauern und in Einsamkeit mit sich selbst zu sprechen und auf vieles zu sinnen, unter den Augen der Menschen aber und in der Versammlung zu verstummen, als wisse man nichts« (S. 84, 86). Wenn die Kultur dem Erdboden gleicht, dann ist der Verkehr das, was sie fruchtbar macht. Ein Mensch, der sich intensivem Studium hingibt, dabei aber versäumt, das Gelernte mit anderen zu erörtern, gleicht dem Landmann, »der, obgleich es ihm möglich wäre, den gesamten Boden zu bestellen, nur gewisse unfruchtbare Waldgebirge pflügt, den besten Teil seines Landes aber, den fettesten und fruchtbarsten, unbestellt ließe« (S. 86). Das ist nicht Salutatis Fehler, denn er gesteht: »Ich nämlich, der ich bis auf den heutigen Tag so gelebt habe, dass ich meine ganze Zeit und meine ganze Kraft auf die Bemühung um das Lernen verwendete, habe offensichtlich aus diesen Auseinandersetzungen oder Unterredungen, welche ich Disputationen nenne, so großen Nutzen gezogen, dass ich von den Dingen, die ich gelernt habe, einen großen Teil allein dieser Sache zu verdanken glaube« (S. 88). Buchgelehrsamkeit allein fördert den Geist nicht. Nur produktive Gespräche können das zuwege bringen.

Das Gespräch ist für die Gelehrsamkeit ebenso unentbehrlich wie für das Leben der Republik, denn beim Republikanismus, wie die bürgerlichen Humanisten ihn verstanden, geht es generell um eine Vielzahl von Stimmen, die sich in einem offenen Forum zu Gehör bringen. Der Austausch von Meinungen – selbst dort, wo die Angelegenheit keinen politischen Inhalt hat, und selbst dann, wenn sie sich in einem privaten Garten abspielt – ist der beste Schutz gegen unbegründete Vorurteile und blinde Ignoranz, denn er unterwirft Meinungen den Ansprüchen der Vernunft, welche die natürliche Feindin der Tyrannei ist. Diskussion, Debatte und Erwägung sind die Mittel, mit denen die Bürger in einer Republik ihre wohlüberlegte Weisheit zur Geltung bringen. Das Schweigegebot von Klöstern und Tyranneien ist eine Regel, die aller politischen Verantwortlichkeit zuwiderläuft.

Das Gespräch erfüllt noch einen weiteren ganz entscheidenden Zweck: die Pflege der Mittel der Rhetorik. Wie die meisten Humanisten ihrer Generation waren Salutati und Bruni Verehrer Ciceros, in dem sie einen Mann von außerordentlicher Weisheit und Gelehrsamkeit sahen, welcher aufstand, um die römische Republik gegen die kaiserlichen Parteien zu verteidigen. Sowohl durch die Macht des Wortes als auch der Macht des Wortes zuliebe griff Cicero die Feinde der Republik an. Sein Dialog *De oratore*, den sich die florentinischen Humanisten zu Herzen nahmen, erinnert seine Leser daran, dass die »Blumen« der Rhetorik, um einen klassischen Topos zu ge-

brauchen, vor allem unter denjenigen Regierungsformen blühen, in denen es auf die Rede ankommt, in denen Konsens
durch begründete Überzeugung erzielt wird und nicht durch
autokratische Verfügung und in denen politische Entscheidungen der Feuerprobe von Argument und Gegenargument auf
dem Forum der Öffentlichkeit ausgesetzt werden. Kein Zufall
ist es, dass der Schauplatz von *De oratore* ein Garten (die tus-
kulanische Villa des Crassus) ist und dass dieser Ort ausdrücklich an den außerhalb der Stadtmauern gelegenen *locus amoenus* aus Platons *Phaidros* erinnert, einem Werk, das ebenfalls
die Kunst der Rhetorik behandelt. Anders als Platon jedoch, der
die politischen Fähigkeiten der Rhetorik mit ebensolchem Arg-
wohn betrachtete wie die Demokratie, glaubte Cicero an das
republikanische Bündnis von Beredsamkeit und Weisheit und
setzte sich dafür ein. Seine Schrift *De oratore*, die in Brunis
Dialogi überall im Hintergrund steht, ist tatsächlich ebensosehr eine Verteidigung des Republikanismus wie ein Loblied
auf die Kunst der Rhetorik.

Wenn die Humanisten in Brunis *Dialogi* im Jahre 1406 von
Rossis Villa aus ihre Blicke über Florenz schweifen lassen,
dann sehen sie die Wiedererweckung von Freiheit, Gelehrsamkeit, Beredsamkeit und Weisheit – von Tugenden, deren Samen
von den römischen Vorfahren gesät worden waren, die Florenz
als eine römische Kolonie gegründet hatten. Ob sie die Dinge
»realistisch« sahen oder durch die Brille ihres republikanischen Idealismus, ist hier nicht die Hauptfrage (die florentini-
sche Republik war selbst in ihrer Glanzzeit alles andere als ein
ideales Gebilde; ihr Charakter war weitgehend oligarchisch,
und nur ihre führenden Bürger übten tatsächlich politische
Macht aus). Entscheidend ist, dass sie sich als die Sachwalter
dieses wiedererstehenden Gartens betrachteten. In einer Republik sind alle Bürger Gärtner. Da sie ja an die Wirksamkeit
der Worte und Handlungen eines Bürgers glaubten, hegten die

Bürgerhumanisten keinen Zweifel, dass es ihre Hingabe an ihre Sache, ihr Einsatz für die Weisheit der Alten und ihr Kreuzzug gegen die Ignoranz ihrer mittelalterlichen Vorväter waren, die diese Renaissance herbeiführten. Wichtiger noch, sie glaubten, dass die ungehinderte Freiheit der öffentlichen Sphäre der eigentliche Boden sei, in dem die Wiederbelebung Wurzeln schlagen konnte. Diese Freiheit gedenkt Salutati von dem offenen Garten der Villa Rossis aus zu sehen.

Mit dem Niedergang der florentinischen Republik und dem Aufstieg der Medici in der zweiten Hälfte des 15. Jahrhunderts nahm die italienische Renaissance unter der Schirmherrschaft von Päpsten und autokratischen Fürsten einen ganz anderen Charakter an. Zwar bewahrte sie einen großen Teil der kulturellen Werte des früheren Humanismus (Beredsamkeit, Gelehrsamkeit, Verehrung der klassischen Antike und so fort), aber sie trennte die Pflege dieser Werte vom politischen Status des Bürgers. Als dieser vom Untertanen abgelöst wurde, gehörte der »Garten« jetzt nur noch dem Fürsten, und seine vielfältigen Verzierungen dienten überwiegend dazu, vom Ruhm des Herrschers zu künden. Die Symbolik des Parks des Medici-Palastes in Florenz ist in dieser Hinsicht bezeichnend. Dies war ein eingefriedeter Garten, der stark dem eines Klosters ähnelte, mit Paradiesmotiven, die mehr die Macht des Fürsten als diejenige Gottes verherrlichen sollten (in dieser Hinsicht hatte seine Hinneigung zum mittelalterlichen Kloster eher ästhetischen als theologischen Charakter). In ähnlicher Weise war der Park des Herzogspalastes von Urbino, der nach dem Medici-Vorbild angelegt war, ebenfalls ein eingefriedeter Garten, in dem der Herzog in regelmäßigen Abständen in seiner gottähnlichen Rolle als Richter und Rechtsprecher seinen Untertanen Audienz gewährte. Die Tatsache, dass dieser Garten so angelegt war, dass man ihn von den Fenstern hoch oben sah, kennzeichnet ihn als fürstlichen Garten par excellence.

Um das Wesen dieser Monopolisierung der Macht durch den Fürsten, den Papst oder den Herzog zu ermessen, brauchen wir nur die *Dialogi* Brunis mit einem der großen Dialoge der italienischen Hochrenaissance, dem *Buch vom Hofmann* von Baldesar Castiglione, zu vergleichen. Im Verlauf von vier Nächten gehen im Herzogspalast von Urbino die Teilnehmer des Dialogs – eine ehrwürdige Gruppe von Adligen und Gelehrten – daran, die Qualitäten zu definieren, die ein idealer Hofmann besitzen sollte: Eleganz, Anmut, Gewandtheit beim Gebrauch von Waffen, Talente in Kunst und Literatur, angenehme Manieren in Rede, Haltung und Betragen. Der *Hofmann* ist zwar eine eindrucksvolle Abhandlung über Selbstzucht, in der die Auffassung vertreten wird, der Höfling und die Hofdame sollten mit bemühter Künstlichkeit unter einem Firnis von natürlicher Anmut und Nonchalance agieren, ganz ähnlich wie der italienische Renaissancegarten die Natur in einer Weise unter die Herrschaft der Kunst brachte, welche die Erscheinungen der Natur eher gesteigert zur Geltung brachte, als dass er sie überwältigte. Was Bruni und Salutati jedoch an Castigliones Buch betrüblich gefunden hätten, falls sie es ein Jahrhundert zuvor hätten lesen können, ist die Art und Weise, in der es die politischen Realitäten der damaligen Zeit verinnerlicht und sich liebedienerisch zu eigen macht, nämlich die Monopolisierung der Macht durch einen einzigen Herrscher statt ihrer Verteilung auf eine Vielzahl freier Bürger. Nahezu alle persönlichen Qualitäten, deren Erwerb Castiglione seinem Hofmann empfiehlt, haben als höchstes Ziel weder dessen Selbstverwirklichung noch seinen Beitrag zum Gedeihen der Stadt, sondern die Verfeinerung seiner Fähigkeit, dem Fürsten zu gefallen und seine Gunst zu erringen.

Die Kunst der guten Rede beispielsweise wird von ihrer politischen Aufgabe (also davon, in einem offenen Forum zu überzeugen) losgelöst und wegen ihrer Fähigkeit empfohlen, die Konversation bei Hofe anmutiger und lebhafter und letztlich dem Fürsten angenehmer zu gestalten (ein allzu leidenschaftliches Beharren auf den eigenen Ansichten beispielsweise ist ein höfisches Laster, das dem Fürsten Verdruss bereitet und daher um jeden Preis vermieden werden muss). Esprit, Ernst, Gelehrsamkeit, Männlichkeit – alle derartigen Eigenschaften dienen letztlich dazu, sich einzuschmeicheln. Der Untertitel des *Buches vom Hofmann* hätte lauten können *Unterordnung mit Eleganz*, hätte nicht eine solche Offenheit in unmittelbarem Gegensatz zur Ethik der Verschleierung, Verstellung und Verheimlichung gestanden, die das Buch kennzeichnet.

Die Unvereinbarkeit der politischen Welten der beiden Dialoge tritt am klarsten in ihren Schauplätzen zutage. Die *Dialogi* Brunis spielen sich bei Tageslicht im Freien ab; die Protagonisten schreiten durch die Straßen von Florenz und betrachten die Stadt von einem hoch gelegenen freien Aussichtspunkt aus. Der Schauplatz des *Hofmanns* ist abgeschlossen, zurückgezogen und nächtlich. Die Dialoge finden im Verlauf von vier Nächten alle in demselben Raum im Herzogspalast von Urbino statt. Weder die Dialoge Brunis noch diejenigen Castigliones spielen sich buchstäblich in einem Garten ab (in den *Dialogi* werden sie am zweiten Tag in einem Portikus abgehalten, im *Hofmann* ist ihr Schauplatz ein elegantes Gemach), aber man könnte sagen, dass uns, sinnbildlich gesprochen, der Unterschied zwischen dem offenen Garten der Villa Roberto Rossis und dem eingeschlossenen Garten des Herzogspalasts von Urbino alles sagt, was wir über den Unterschied zwischen den politischen Kontexten wissen müssen, aus denen die Texte hervorgehen und auf die sie eingehen. Bei Bruni ist die Selbstgestaltung des Humanisten vor allem eine Form des politischen Aktivismus; bei Castiglione ist die Selbstgestaltung des Höflings vor allem eine Form der politischen Unterwürfigkeit. Bei Bruni lockt die Außenwelt; bei Castiglione wird die Welt jenseits des Hofes gedämpft und ausgesperrt. Bei Bruni ist die Republik selbst der Garten; bei Castiglione ist der Garten eine Trope für die Kultivierung der Manieren.

Im vierten Buch des *Hofmanns* hebt einer der Sprecher, Pietro Bembo, zu einem langen, begeisterten Selbstgespräch an, welches das Schwergewicht fort vom Hof auf das Reich idealer, körperloser Schönheit verlagert. Die jenseitige Stoßrichtung seiner neuplatonischen Rede scheint in direktem Gegensatz zu dem vorrangigen Interesse zu stehen, welches das Buch an weltlichen personalen Attributen hat, deren angemessener Ort der Hof des Fürsten ist und nicht der Hof der himmlischen Schönheit, und das geht so weit, dass Bembo von einer der Hofdamen, die neben ihm sitzt, mit einem diskreten Zupfen an seinem Gewand wieder auf die Erde zurückgerufen werden muss. Diese Spannung oder gar dieser regelrechte Widerspruch zwischen Bembos mystischem Flug auf den Flügeln göttlicher Liebe und dem höfischen Kontext seiner Rede ist nicht so wesentlich, wie er auf den ersten Blick aussehen könnte. Zunächst einmal gehen die Sprecher in Castigliones Dialog daran, ein Porträt des perfekten Höflings zu entwerfen, und das verleiht dem Buch eine gewisse idealisierende platonische Ader. Wichtiger noch, der Renaissance-Platonismus stand zuerst in Florenz zu der Zeit in Blüte, in der die Medici ihre Macht festigten. Unter der Schirmherrschaft von Cosimo de' Medici gründete Marsilio Ficino 1462 in der Villa Careggi bei Florenz seine platonische Akademie, und unter Lorenzo dem Prächtigen (gest. 1492) wurden viele der führenden Intellektuellen und Humanisten von Florenz in ihren Garten gelockt, wo sie ihre Aufmerksamkeit schönen und göttlichen, poetischen und mythischen Dingen zuwandten und das Geschäft des Regierens dem Fürsten überließen. Die faktische Entrepublikanisierung von Florenz, die unter den Medici stattfand, hatte zweifellos etwas mit dem verstärkten Reiz des Platonismus zu tun. Infolge seines spekulativen Schwungs und seiner Träume von einem transzendenten Reich idealer Schönheit war der Platonismus eine Ablenkung, ein Trost und zugleich eine Form der spirituellen Berauschung. Dies, gekoppelt mit Ficinos brillanten Bemühungen, den Platonismus mit dem Christentum zu versöhnen, ließ die Höfe Italiens zu besonders gastlichen Orten für die neue Philosophie werden.

Ficino sah seine Akademie als die wahre Wiedergeburt der Akademie Platons in Athen – als die *academia platonica rediviva* –, doch in Wahrheit waren das zwei Institutionen ganz unterschiedlicher Art. Die Akademie in Careggi betonte die leidenschaftliche spirituelle Transzendenz des Platonismus weit mehr, als es die Akademie Platons getan hatte. Was nach Ansicht Ficinos in Careggi seine Wiedergeburt erlebt hatte, war der »Garten der Musen« – der Musen, denen die Akademie Platons der Tradition zufolge geweiht gewesen war. Das waren die Musen, die nach Ficinos Ansicht Platon seine göttlichen dichterischen Kräfte verliehen und die erhabenen Mythen und Fabeln inspiriert hatten, von denen seine Werke erfüllt sind. Der Garten der Akademie von Careggi hatte in seine Mauern nicht nur die Musen berufen, sondern auch eine ganze Versammlung von Göttern, Göttinnen und himmlischen Nymphen, deren inspirierende Kräfte reichlich auf den großen Platon herabgeregnet waren. Jupiter, Saturn, Minerva, Apoll, Venus, Merkur – sie alle hatten Ficino zufolge eine zeugende Rolle bei der Geburt der platonischen Philosophie gespielt. Darum war diese Philosophie mit den Kräften göttlicher Prophezeiung begabt: »Denn er [Platon] rast bisweilen und schweift umher, wie ein Weissager, und dabei verhält er sich nicht wie ein Mensch, sondern wie ein Seher und Wahrsager: und er tritt nicht so sehr als ein Lehrender auf wie vielmehr als Priester und Weissager, welcher teils zwar rast, teils aber die anderen entsühnt und sie ebenso zu göttlicher Raserei mitreißt« (Ficino, *Opera omnia*, Bd. 2, S. 1129). Dies schreibt Ficino an Lorenzo den Prächtigen in der Vorrede zu seinen Platon-Übersetzungen.

Mit dieser starken Betonung der orakelhaften Aspekte der platonischen Schriften ging in Ficinos Platonismus eine Abschwächung der politischen Anliegen Platons einher. Die Akademie in Careggi verfolgte ausdrücklich *nicht* den Zweck, ein Tummelplatz für künftige Staatsmänner zu sein. Sie hatte kein Ziel, welches über das hinausreichte, was sich in ihren eigenen Mauern abspielte: »In den Gärten der Akademie werden die Dichter unter Lorbeerbüschen Apoll singen hören. Im Vestibül der Akademie werden die Redner Merkur dabei zuschauen, wie er deklamiert. Im Portikus aber und auf dem Hof werden die Rechtskundigen und Staatenlenker Jupiter selbst hören, wie er Gesetze erlässt, Recht spricht und Reiche regiert. In den inneren Gemächern schließlich werden Philosophen ihren Saturn erkennen, welcher himmlische Geheimnisse erschaut« (S. 1129 f.). Mit solch leidenschaftlicher Rhetorik schildert Ficino seine Akademie als den Ort, an dem die Götter wieder auf die Erde herabgerufen werden, auf dass sie durch das Medium platonischer Weisheit von neuem mit Sterblichen Zwiesprache halten. Ficino macht deutlich, dass es der Philosophie, als Sophia personifiziert, nicht zukommt, sich in die Stadt des Menschen zu wagen, dass ihre wahre Heimat der Garten der Akademie ist, der sich selbst genügt. Wann immer sie sich aus den Mauern des Gartens hinauswagt, verirrt sie sich und wird besudelt. Das drückt er in der Vorrede folgendermaßen aus:

[Platon] umwand ihr [Sophia] nämlich als erster [...] die Schläfen mit einer Kopfbinde: außerdem kleidete er sie in ein Prachtgewand, wie es der erhabenen Tochter Minervas ziemt: das Haupt sowie die Hände und Füße bestrich er ihr mit wohlriechenden Salben. Schließlich [...] bestreute er sie mit verschiedenen Blumen und schmückte sie. So war und so ist auch jetzt die Kleidung dieser Göttin, wenn sie auf dem Gelände der Akademie umherwandelt, so ihr Schmuck. Sooft sie aber außerhalb der Gärten der Akademie umherschweift, verliert sie nicht nur stets die Salben und die Blumen, sondern sie fällt auch häufig – welch Entsetzen! – unter die Räuber, und wenn sie die Insignien ihrer Priesterschaft und Würde verloren hat, irrt sie allenthalben entblößt, sozusagen unheilig, umher, und so sehr erscheint sie entstellt, dass sie weder Phoebus noch Merkur, ihren Vertrauten, gefällt: und sie ist darüber hinaus auch weder ihrem Großvater Jupiter noch ihrer Mutter Minerva angenehm. Sobald sie sich aber auf den Rat der Mutter in die Mauern und Gärten der Akademie begibt, erlangt sie ihre frühere Schönheit wieder: und dort ruht sie wie in ihrem Vaterland mit größtem Vergnügen aus.

(S. 1129)

Bei Platon werden wir nichts finden, das diesem an Botticelli erinnernden Bild der mit Blumen, Salben und Kopfband geschmückten Sophia nahekäme. Mehr noch als Sophias Schönheit ist es ihre Verletzlichkeit, die Ficino hier allegorisch darstellt. Die Philosophie bedarf abgeschlossener Mauern, im Grunde braucht sie *Schutz*, wenn sie die ihr innewohnende Würde bewahren soll. Solcher Schutz beginnt mit dem Fürsten, der die Akademie beschirmt und ihren Mitgliedern das Privileg gewährt, mit Sophia in ihrem angestammten Garten zu wohnen. Ficino spart nicht mit Lob, und er scheut auch nicht vor Schmeicheleien zurück, wenn es darum geht, sowohl Cosimo als auch Lorenzo seinen Dank für ihre Patronage über die Philosophie abzustatten. (»Meine Eltern haben mir das Leben gegeben«, schreibt er, »aber durch Cosimo wurde ich dem göttlichen Platon wiedergeboren.«) Seine Dankbarkeit war gewiss echt, denn er glaubte, nur der Fürst besitze die Mittel (den Reichtum, die Autorität und die Macht), um den Garten der Philosophie gegen die feindlichen Kräfte der Welt abzuschirmen – einschließlich der Kräfte politischer Ambitionen und Ränke. Ohne die Wohltätigkeit des Fürsten wandert Sophia benommen durch die irdische Welt, ihres Schmucks beraubt und den Vulgaritäten der Straße ausgesetzt.

Der sichere Hafen der Villa Careggi führte eine lebhafte Gemeinschaft von Gelehrten, Dichtern, Künstlern und Philosophen zusammen, die einander durch ihre Hingabe an die Ideale platonischer Weisheit verbunden waren. Wenn der Bürgerhumanismus von Selbstbestimmung träumte, dann träumte die platonische Akademie von einem erheblich extravaganteren Humanismus, der die politische Sphäre völlig umging. Das Menschliche im verzauberten Garten der Philosophie wieder mit dem Göttlichen zu verbinden – das war der Leitgedanke der platonischen Akademie. Dieses erneute Zusammenfügen sollte dadurch bewerkstelligt werden, dass man verschiedenen Disziplinen – Jurisprudenz, Rhetorik, Ethik, Musik, Metaphysik und dergleichen – in systematischem und strengem Studium nachging. Noch wichtiger als das *negotium* des Studiums war das entspannte *otium* der Festlichkeit. Die Akademie förderte vor allem Gefährtenschaft, Diskussionen, Feste und »Freude an der Gegenwart«. Die Aufforderung, sich an der Gegenwart zu erfreuen – *laetus in praesens* – stand an der Mauer des Akademiegartens geschrieben und sollte daran erinnern, dass *hier* der Ort ist, an dem die geistige Harmonisierung des Menschlichen und des Göttlichen stattfindet, und dass *jetzt* der Zeitpunkt ist, der die Gelegenheit dazu bietet. *Laetitia* – ein Wort mit epikureischen Assoziationen, das Boccaccio wiederholt anführt, um den Aufenthalt der *brigata* in den Gärten von Fiesole zu beschreiben – ist der zweite Name des Gartens, denn die Götter sind weder ernst noch bange oder reumütig. Sie sind festlich gestimmt, und daher sollte der Geist der Akademie von göttlich-spielerischem Wesen gekennzeichnet sein, wie es einem wahren Lustgarten zukommt (»Hier bemühen sich nämlich junge Männer, während sie scherzen, um die sittlichen Gebote, und während sie spielen, um die Tätigkeit der Disputation, also gleichsam angenehm und leicht«, schreibt Ficino an Lorenzo; S. 1129). So formulierte Lorenzo selbst in seinem Gedicht »Canzona di Bacco« (»Lied des Bacchus«): »Lasst uns feiern allezeit.«

Der Unterschied zwischen der schweigenden Kontemplation Gottes im Kloster und der »beständigen Feier« in der Akademie Ficinos war der Unterschied zwischen dem Bestreben, das Menschliche zum Göttlichen emporzuheben, und dem Bemühen, die Götter auf die Erde herabzurufen. Beides sollte sich allerdings auf dem Gelände abspielen, das von den Gartenmauern eingefasst war. Im einen wie im anderen Fall sperrten diese Mauern den bürgerlichen Bereich aus, in dem Menschen miteinander als Menschen und nicht als Götter umgehen. Und was fürstliche Gärten wie den beim Herzogspalast von Urbino angeht, so sperrten sie den bürgerlichen Bereich nicht so sehr aus, als dass sie ihn unter der Alleinherrschaft des Despoten symbolisch einschlossen. Doch auch hier reichte die Parallele zwischen Klostergärten und fürstlichen Gärten weiter als die Tatsache ihrer Abgeschlossenheit. In beiden Fällen handelte es sich um Räume mit einem zentralen Organisationsprinzip, um das sich die Umgebung drehte – das war im einen Falle Gott, im anderen der Herrscher. In den offenen Gärten, wie ich sie genannt habe, ist das Organisationsprinzip ein ganz anderes. Der offene Garten wird nicht von einem Herrn dirigiert. Er hat keinen einzelnen, einheitlichen Brennpunkt, sondern zahlreiche Brennpunkte, und in ihm kann man ungehindert hierhin und dorthin gehen, wie Salutati und seine Freunde das in Brunis

Dialog tun, ohne von seiner Umgrenzungslinie eingeengt zu werden. Mit dem Aufstieg absoluter Monarchien sollten sich die offenen Gärten Europas in den Schatten zurückziehen.

10

Ein Wort zu Versailles

Ursprünglich hatte ich die Absicht gehabt, eine Erörterung des Parks von Versailles in diesem Buch zu vermeiden, und sei es auch nur aus Bescheidenheit. Die umfangreichen und zum größten Teil ausgezeichneten Forschungen, die im Lauf der Jahrhunderte diesem Ort gewidmet worden sind, verlangen etwas, das nicht hinter ihnen zurückbleibt, und überdies scheint Bescheidenheit die einzig angemessene Reaktion auf ein Werk der Kunst zu sein, dessen inhärente Unbescheidenheit eine Schönheit erstaunlichen Ranges hervorbringt. Oben habe ich ausdrücklich behauptet, dass Gärten – ungeachtet der Künstlichkeit, die in ihren Plan und in ihre Anlage eingeht – mehr und zugleich weniger sind als Kunstwerke (was zum Teil den biophilen Reaktionen zu verdanken ist, die sie in uns hervorrufen). Der Park von Versailles ist ganz eindeutig eine Ausnahme, denn diese Anlage ist so nahe daran, wie es nur möglich ist, die natürliche Welt der reinen Form unterzuordnen und die potentiell anarchischen Kräfte des Lebens unter eine solche Kontrolle zu bringen, dass sie vollständig ausgelöscht werden. Ich habe einmal zwei aufeinanderfolgende Tage in Versailles verbracht. Am ersten Tag verschlug mir das schiere Strahlen dessen, was das Auge kaum aufzunehmen und zu verarbeiten vermag, den Atem. Am Ende des zweiten Tages fand ich mich wieder, wie ich mich nach einer Stunde im provinziellen *jardin public* von Bouville sehnte, in dem die übermäßig organische

Präsenz eines Kastanienbaums Roquentin, den Grünhasser in Sartres *Ekel*, anwidert. Bescheidenheit ist so etwas wie eine Reaktion des Selbstschutzes auf die Selbstverherrlichung des Sonnenkönigs, die in Versailles vorgeführt wird.

Und dann sind da überall die greifbaren Anzeichen dessen, was Saint-Simon *ce plaisir superbe de forcer la nature* (»dieses stolze Vergnügen, der Natur Gewalt anzutun«) genannt hat. Hier war kein italienischer Renaissancearchitekt, der »eines Tages feststellte, dass die umgebende Landschaft ganz selbstverständlich einen Teil seines Gartens bildete und dass beide derselben Komposition angehörten«, um noch einmal an Whartons Kommentare zum italienischen Gartenzauber zu erinnern. Weit davon entfernt, die Mittel bereitzustellen, »durch die sich Natur und Kunst in seinem Bild miteinander verschmelzen ließen«, hat der Architekt von Versailles (André Le Nôtre) anscheinend zunächst einmal ein Heer menschlicher Bulldozer auf den Plan gerufen, um alles zu beseitigen, was dort wuchs, und das Gelände in eine flache, leere Ebene zu verwandeln, auf die er den Generalplan projizieren konnte. Man kommt nicht umhin, vor dieser völligen Beherrschung der Natur ein Zittern der Beklemmung, wenn nicht der Furcht zu empfinden.

Das ist natürlich genau die Art von Reaktionen, die der Park hervorrufen soll – ein nahezu gedducktes Gefühl der Beklommenheit angesichts der Macht, die ihm diese Form aufzwang. Alles an dem Park erinnert einen mit Nachdruck an seinen monarchischen Schöpfer. Überall gibt es sich schneidende Bezugslinien, die allesamt zum Schloss zurückführen, und das heißt, zum König in seiner unbedingten Souveränität. Es ist unmöglich, sich hier nicht einzuordnen, so streng ist die Gleichschaltung oder Koordination, die durch die eisernen Gesetze der Symmetrie, welche die Perspektiven des Parks beherrschen, vom Betrachter verlangt wird. Die Tatsache, dass Ludwig XIV.

seit langem tot ist oder dass die Französische Revolution die Institution enthauptet hat, auf deren Autorität sein Königtum ruhte, trägt nicht dazu bei, den intensiven Bezugsdruck der Gartenanlagen zu mildern. Solange dieser Park steht, lebt Ludwig XIV. fort als der Brennpunkt, zu dem alles in ihm hinstrebt. *Le roi est mort, vive le roi.*

Es ist nicht so sehr der *unterordnende* Charakter des Parks, der dazu führt, dass man sich nervös und elend fühlt, wenn man anderthalb Tage in Versailles verbracht hat – die Tatsache, dass er einerseits erbarmungslos die Natur unterordnet und andererseits sich selbst der Glorie des Königs unterordnet –, es ist vielmehr sein Repräsentationscharakter, der eine unterdrückende Wirkung ausübt. Repräsentative Parks stellen Ansprüche an den Betrachter, die gewaltsam und einengend sind. Ich sollte diese Aussage wahrscheinlich personalisieren und sagen, dass ich am umfassendsten auf Gärten reagiere, welche die »lethischen« oder verborgenen Dimensionen von Natur, Form und Denken gegenwärtig werden lassen. Wo Gärten repräsentativ werden – wo das, was das Auge sieht, nicht richtig betrachtet werden kann, es sei denn unter Bezugnahme auf eine vorab festgelegte Ordnung von Bedeutung –, da ersticken sie die Freiheit zum Umherschweifen, der liberalere Gärten Raum geben, oder beseitigen sie gar völlig. Versailles, ein Ort, an dem selbst das Wandern vom Zentrum her kontrolliert wird, ist ein Meisterstück repräsentativer Gartenkunst, und je erfolgreicher es bei seinen Ambitionen ist (die darauf gerichtet sind, all seine Kunst unter der einheitlichen Symbolik des *Roi Soleil* zusammenzufassen), desto mehr unterdrückt es schließlich eine Sensibilität wie die meine, die lieber eine von Undurchsichtigkeit durchzogene Klarheit sieht als eine repräsentative Transparenz.

Dies sind einige der persönlichen Gründe dafür, dass ich Versailles in diesem Essay auslassen wollte. Der Grund, weshalb ich mich dann doch entschloss, einige abgekürzte Bemerkungen einzufügen, ist der, dass Versailles Gelegenheit bietet, einen Aspekt meines Themas, und sei es auch *en passant*, zu erwähnen, der eine gewisse Aufmerksamkeit verdient. Bislang habe ich viel von Gärten und von der Kultivierung von Tugenden gesprochen. Laster lassen sich jedoch gerade ebenso kultivieren wie Tugenden, und das, was wir im Park von Versailles sehen – nicht repräsentativ, sondern sozusagen transsubstantiell –, sind Laster, die außerordentlich kultivierte Formen angenommen haben. Für manche ästhetischen Sensibilitäten ist ein überaus raffiniertes Laster weitaus schöner als jede ernsthafte Tugend. Laster geben sich nämlich leichter für die Transfigurationen der Form her als Tugenden, und das ist einer der Gründe dafür, dass erstere in einer höchst förmlichen Umgebung wie Versailles so gut gedeihen. Das Kultivieren von Neid, Gehässigkeit, Hochmut oder Habgier verwandelt diese Laster nicht in Tugenden; im Gegenteil, dadurch, dass es sie außerordentlich stark reglementierten Regeln und Normen unterwirft, verleiht es ihnen einen Stil, der sie erhaben macht, dabei aber ihr boshaftes Wesen unangetastet lässt. Der Park von Versailles erzielt eine Wirkung, die genau in diese Richtung geht.

Oben sprach ich davon, wie ein früher Besucher von Versailles von *ce plaisir superbe de forcer la nature* sprach. Im 17. Jahrhundert hatte das Adjektiv *superbe* noch eine dunkle christliche Konnotation von Hochmut oder *superbia*. Gewiss gibt es im Park von Versailles einen ästhetischen Drang, die Natur zu zähmen und sogar zu demütigen und sie dadurch zu unterwerfen. Noch angemessener könnte man jedoch sagen, dass das Gartenprojekt dem Laster (oder der Todsünde) der *superbia* überhaupt seine Entstehung verdankte. Wir wissen, dass der Gedanke an den Park von Versailles Ludwig XIV. am 17. August 1661 kam, als sein Finanzminister Nicolas Fouquet den prächtigen Park enthüllte, den er sich in Vaux-le-Vicomte angelegt hatte. So grandios und eindrucksvoll war dieser Park, dass Ludwig XIV. wutentbrannt aus Vaux-le-Vicomte davon-stürmte. Kurz darauf ließ er seinen Minister verhaften und in ein Verlies werfen, in dem Fouquet dann für den Rest seines Lebens schmachtete und nie vom König begnadigt wurde, ob-gleich es zahlreiche ernste Appelle von verschiedener Seite gab. Ohne Zweifel ließ die Pracht von Vaux-le-Vicomte darauf schließen, dass sich nur ein korrupter Minister einen derarti-gen Luxus leisten konnte. Für Ludwig wog jedoch Fouquets Vergehen noch schwerer als dieser Umstand. Der Park war eine Geste des Hochmuts gegenüber dem König selbst, denn der Glanz von Vaux-le-Vicomte ging über jedes vernünftige Maß hinaus. Nur der König hatte ein Anrecht auf derartige Großartigkeit. Genau wie Luzifer sich in seinem Hochmut über seine Stellung erhob und danach strebte, Gott gleich zu sein, hatte sich auch Fouquet das Hoheitsrecht des Königs an-gemaßt. Und so wie Gott Luzifer in die Tiefen der Hölle schleu-derte, warf Ludwig Fouquet in ein Verlies.

Ludwig war zwar über Vaux-le-Vicomte empört, aber sei-nem Unmut zugrunde – in seinem Gefühl beleidigten Sonnen-königtums verborgen – lag auch ein Gutteil Neid. So neidisch und eifersüchtig war der König auf das, was er in Vaux-le-Vicomte gesehen hatte, dass er, nachdem er seinen Minister bestraft hatte, sogleich Fouquets Heer von Architekten, Gärt-nern und Ingenieuren anstellte und das Projekt in Angriff nahm, den Park von Versailles anzulegen. Le Nôtre, der Vaux-le-Vicomte entworfen hatte, wurde mit dem Vorhaben betraut, und vieles von dem, was als Konzeption, Entwurf und Erzähl-technik in den Park von Vaux eingegangen war, wurde direkt auf Versailles übertragen. In diesem Sinne ist das, was wir in Versailles sehen, eine Pracht, die aus Neid, Eifersucht, Rivalität und profaner Imitation hervorgegangen ist, von absolutisti-scher Machtanmaßung ganz zu schweigen.

Und wie steht es mit Hochmut, *superbia?* Wenn Hochmut durch Unbotmäßigkeit und Überhebung definiert ist, kann dann ein König hochmütig sein? Er kann dies nur Gott gegenüber, denn nach der royalistischen Denkweise, zu deren Kanonisierung Ludwig XIV. beitrug, gibt es auf Erden nichts Höheres als seine Persönlichkeit. Indem er sich die Befugnisse und den Status Gottes auf Erden anmaßt, bleibt der absolute Monarch die lebende Inkarnation von *superbia.* Nie hatte sich die christliche Sünde des Hochmuts in solchem Umfang institutionalisiert wie unter der absoluten Monarchie Ludwigs XIV. In dem Maße, wie der Park von Versailles mit einem einzigen vorrangigen Ziel im Sinn entworfen worden war, nämlich dazu, den Sonnenkönig zu verherrlichen und seine auf Analogie beruhende Verwandtschaft mit Gott zu bekräftigen, stellte er Hochmütigkeit offen zur Schau und verlieh ihr eine der erhabensten Formen, die sie je annehmen sollte, ohne das ihr innewohnende Laster im mindesten abzuschwächen.

Doch die überragende Architektur des Parks von Versailles verkörpert einen Hochmut, der weit über die mittlerweile obsoleten Anmaßungen einer absoluten Monarchie hinausreicht. Ich meine den heftig humanistischen Hochmut, der im sogenannten Zeitalter der Vernunft seinen Anfang nahm und der die Menschheit in triumphalistischem Ton zu »Herrn und Eigentümern der Natur« erklärte (Descartes, *Abhandlung über die Methode,* S. 58) und die Menschen dazu aufforderte, diese Herrschaft und Eigentümerschaft durch eine wissenschaftlich angereicherte Ausübung von Macht und Willen, oder kurz von Willen zur Macht, zu verfolgen. Den militanten Humanismus des Zeitalters trägt Versailles ebenfalls voll zur Schau. Auch wenn wir schon vor langer Zeit aufgehört haben, Lehren vom göttlichen Recht der Könige Glauben zu schenken, und auch wenn nur wenige von uns der Ansicht sind, dass wir in einem Zeitalter der Aufklärung leben, haben wir immer noch nicht zur Genüge die Lehre des göttlichen Rechts der Menschheit demontiert, die in den zeitgenössischen westlichen Gesellschaften auf vielerlei Weise nach wie vor unangefochten herrscht, wenn nicht in der Theorie, so doch in der Praxis. Bei all seiner perversen Schönheit und wundersamen Verwandlung des Hochmuts wird Versailles uns keine große Hilfe sein, wenn es darum geht, ein weniger anmaßendes Verhältnis zur Natur zu finden als dasjenige, welches uns jene Ära hinterlassen hat.

11

Über die verlorene Kunst des Sehens

In Kapitel 5 stellte ich fest, dass ein Garten ein Ort ist, an dem Erscheinungen die Aufmerksamkeit auf sich lenken, aber das bedeutet nicht, dass sie zwangsläufig bemerkt werden, sosehr sie auch strahlen oder ins Auge fallen mögen. Dort, wo Erscheinungen, während sie hervortreten, um ihren Anspruch im Reich der Phänomene anzumelden, gleichzeitig in die Tiefen von Raum und Zeit zurücktreten, stellen sie besondere Anforderungen an unsere Beobachtungsfähigkeiten. Das ist eine schlechte Nachricht für Gärten, denn nichts wird heutzutage in westlichen Gesellschaften weniger gepflegt als die Kunst des Sehens. Man kann wohl sagen, dass es in unserer Epoche eine tragische Diskrepanz zwischen dem überwältigenden Reichtum der sichtbaren Welt und der außerordentlichen Dürftigkeit unserer Fähigkeit zur Wahrnehmung dieser Fülle gibt. Somit leben wir, obgleich es auf der Welt eine Vielzahl von Gärten gibt, in einer im wesentlichen gartenlosen Ära.

Ich weiß nicht, wie ich das ausdrücken soll, ohne dass es sich verbiestert anhört, und so will ich einfach als Tatsache behaupten, dass von den jungen Menschen, denen ich täglich begegne – und angesichts meiner Profession sind das ziemlich viele –, die meisten weit mehr auf ihren Computern oder in den Phantasieprodukten zu Hause sind, die über den Bildschirm zu ihnen gelangen, als in der dreidimensionalen Welt. Ich habe sogar den Eindruck, dass sehr viele von ihnen die sichtbare Welt überhaupt nicht mehr sehen, es sei denn aus den Augenwinkeln und undeutlich. Auf dem Campus unserer Universität beispielsweise durchqueren sie einen dramatischen Garten mit Skulpturen aus Papua-Neuguinea ausnahmslos mit gesenktem Kopf, so als fürchteten sie sich, auf die majestätisch aufragenden Formen, die danach verlangen, eingehend betrachtet und bestaunt zu werden, auch nur einen Blick zu werfen. Ich habe gesehen, wie am Spätnachmittag ein Student nach dem anderen, ohne auch nur den Blick zu heben, unter einem Baum hindurchging, auf dem direkt über ihm eine Eule aus Leibeskräften schrie. Im Laufe der Jahre habe ich verschiedene Studenten befragt, und es hat sich bestätigt, dass die meisten von ihnen nichts von der Existenz der meisten Dinge wissen, die den Campus von Stanford im Vergleich zu anderen amerikanischen Universitäten so ganz besonders kohärent angeordnet, abwechslungsreich und denkwürdig machen. Es ist erstaunlich, wie klein der Teil der Universitätsanlagen ist, der nach drei- oder vierjährigem Aufenthalt in das Blickfeld des typischen Studenten gerät. Der größte Teil der Haine, der Höfe, Gärten, Brunnen, Kunstwerke, Freiflächen und Gebäudekomplexe ist, so könnte man meinen, hinter einem Vorhang verschwunden. Das sind keine Studenten, denen es an Neugier mangelt. Ja, wenn man sich die Zeit nimmt, um ihre Aufmerksamkeit auf eine bestimmte Enklave zu lenken und sie auf einige ihrer subtileren Züge hinzuweisen, wie ich das gelegentlich tue, dann sind sie jedesmal beeindruckt und sogar erstaunt, so als sähen sie das Gelände zum erstenmal. Tatsächlich *sehen* es viele von ihnen zum erstenmal, ganz gleich wie oft sie an dem betreffenden Ort schon vorbeigegangen sind oder ihn durchquert haben.

Vor beinahe einem Jahrhundert entwickelte Rainer Maria Rilke in seinen *Duineser Elegien* die poetische Hypothese, es sei die Bestimmung der Erde, unsichtbar zu werden, es habe ein Prozess der Verwandlung des Sichtbaren in das Unsichtbare eingesetzt. Vielleicht ist der hier beschriebene pauschale Auszug der Jungen aus der sichtbaren Welt ein Teil dieser verhängnisvollen Geschichte. Nicht dass die Welt irgendwie weniger sichtbar wäre, als sie es in der Vergangenheit war; vielmehr nehmen wir ihre Fülle immer weniger zur Kenntnis. Die Umwandlung findet *in uns* statt. Es geht also nicht um die Unzulänglichkeit einer Generation, sondern um epochale Transformationen in dem Rahmen, in dem und durch den sich die Welt offenbart. Die grundlegende Unfähigkeit, einen Garten in seiner plastischen Präsenz zu sehen, ist die Folge einer historischen Metamorphose unserer Sichtweise, die mit unserer Seinsweise verknüpft ist. Denn so, wie sich unsere Seinsweise wandelt, tut dies auch unsere Sichtweise. Das Vermögen der menschlichen Sehkraft ist nicht neutral. Es ist den Gesetzen der Geschichtlichkeit ebensosehr unterworfen wie unsere Lebenswelten, unsere Institutionen und unsere Mentalität. In dieser Hinsicht unterscheidet sich das Sehen des Menschen grundlegend vom animalischen Sehvermögen, sosehr auch letzteres nach wie vor das organische Substrat des ersteren sein mag. Bei Menschen führt der Verlust des Augenlichts nicht zwangsläufig zu einem Verlust der Sehkraft. Die Sehkraft sieht kognitiv und synthetisch; sie nimmt Dinge in organisierten Anordnungen und bedeutungsvollen Totalitäten wahr. Das ist eine Umschreibung der Feststellung, dass die menschliche Sehkraft vor allem eine Sicht*weise* ist, eine, die unauflöslich mit den »Ordnungen der Gegenwart« verknüpft ist, wie Reiner Schürmann sie genannt hat, welche die Geschichte unseres Seins in der Welt durchziehen. Das, was unser Sehen sieht (und, ebenso wichtig, das, was es nicht sieht), ist durch sich historisch entfaltende Rahmenbedingungen determiniert, welche die empirische Reichweite unserer Wahrnehmung im voraus organisieren oder disponieren.

Wir leben somit in einem Zeitalter, dessen beherrschender Wahrnehmungsrahmen es immer mehr erschwert, das zu sehen, was direkt vor uns liegt, so dass ein großer Teil der sichtbaren Welt sozusagen aus dem Bild verschwindet, während das Auge zu einer Vielzahl pulsierender Bilder hingezogen wird. Eine einsichtige Beschreibung dieses Zeitalters liefert Italo Calvino in seinem Buch *Herr Palomar*, in dem es um Palomars wiederholtes Unvermögen geht, sein Leben dadurch bedeutsamer zu machen, dass er sich die Welt mit erhöhter Aufmerksamkeit und verstärkter Konzentration ansieht. Besonders herausgefordert wird Palomar, der auf den ersten Seiten des Buches als »nervöser Zeitgenosse, Bewohner einer hektischen und überfüllten Welt« (S. 9) vorgestellt wird, beim Besuch eines der berühmtesten Monumente Japans, des Ryoanji-Zen-Gartens in Kyoto (siehe »Das Sandbeet«, Anhang 2). In dem Handzettel, der dort an Touristen verteilt wird, heißt es: »Wenn unser inneres Auge sich in den Anblick dieses Gartens versenkt, fühlen wir uns befreit von der Relativität unseres individuellen Ichs, während uns die Ahnung des absoluten Ichs mit ruhigem Staunen erfüllt und unsere vernebelten Sinne reinigt« (S. 107). Das, was Palomar erfährt, ist aber gerade die Schwierigkeit, die innere Schau mit dem in Einklang zu bringen, was er in dem Garten sieht, denn ihm ist die »neurasthenische« Welt, zu der er gehört, im Wege. Sie wirkt jedem Versuch entgegen, sich »auf das Schauen zu konzentrieren«. Obgleich diese Welt alles den Blicken darbietet und Stätten und Bilder überbetont, führt sie faktisch einen Krieg gegen die Sehkraft – das heißt, gegen die Art einer durchdachten Sehkraft, welche die innere Schau harmonisch mit dem äußeren Objekt verbindet. Das Aufgebot von Linsen und Filmkameras, die dazu eingesetzt werden, »den Sand und die Steine [...] aus allen möglichen Winkeln aufzunehmen«, trägt nicht dazu bei, einer solchen Sehkraft zu Hilfe zu kommen, es verbündet sich vielmehr mit den Einrahmungsstrategien, die sie erstarren lassen. Und was die »ernsthafteren« Touristen angeht, die alles, was sie sehen, an dem überprüfen, was in ihren Reiseführern aufgeführt ist, und umgekehrt, so sind sie diejenigen, deren Sehkraft am stärksten verdunkelt ist.

Das etablierte Touristenprogramm hat dem Zen-Garten das »viel Raum und Zeit um sich her« (S. 109) genommen, ohne das er seine Tiefen einfach nicht der menschlichen Sehkraft offenbaren kann, zumindest nicht in den Formen, in denen er das seiner Anlage nach tun sollte. »Wir können den Sandgarten als einen Archipel von Felseninseln in der unendlichen Weite des Ozeans sehen oder als Gipfel hoher Berge, die aus einem Wolkenmeer aufragen«, heißt es in dem Handzettel – aber in Wirklichkeit *können* wir ihn nicht als solchen betrachten, und wir können ihn auch nicht »als ein Gemälde sehen, umrahmt von den Mauern des Tempels«. Am allerwenigsten können wir »den Rahmen vergessen und uns vorstellen, das Sandmeer erstrecke sich grenzenlos«. Wiederum kommt die Welt dazwischen und ebnet den Horizont von Raum und Zeit ein. Palomar bleibt also nichts anderes übrig, als »zu erfassen, was ihm der Zen-Garten hier und heute zu sehen gibt, in der einzigen Situation, in der man ihn heute betrachten kann, den Hals gereckt zwischen zahllosen anderen Hälsen«, und das, was er sieht, ist erwartungsgemäß eine Reflexion oder Projektion der Welt, in der er lebt und der er angehört. Im Sand sieht er »die menschliche Gattung in der Ära der großen Zahlen«, und er sieht, wie »die Welt […] die steinernen Buckel ihrer gegen das Schicksal der Menschheit indifferenten Natur« vorzeigt (S. 110). Ungeachtet der versuchsweisen Andeutung einer »möglichen Harmonie« zwischen diesen »inhomogenen Harmonien« sind die beiden Ordnungen des Seins in Palomars Geist nach seinen heroischen Bemühungen um konzentriertes Sehen alles andere als miteinander verschmolzen. Sie bleiben unüberwindlich voneinander isoliert. Das, was er letztlich in dem Zen-Garten sieht, ist die Unmöglichkeit, einen Zugang zu seiner spirituellen Transzendenz zu finden. Und das alles, weil der Garten nicht genug Raum und Zeit um sich hat, worin er seine Erscheinungen entfalten könnte.

Raum und Zeit haben sowohl eine subjektive als auch eine objektive Ausdehnung. Die Welt, der wir angehören, determiniert oder rahmt beide Dimensionen (die subjektive und die objektive) ebenso wie die wechselseitige Durchdringung beider. Was Calvino in seiner Skizze über den Zen-Garten beschreibt, gilt bis zu einem gewissen Grade für alle mit Bedacht angelegten Gärten. Damit Gärten in vollem Umfang im Raum sichtbar werden, brauchen sie einen Zeithorizont, für den das Zeitalter immer weniger Platz schafft. Die Zeit in ihren subjektiven und objektiven Korrelaten ist das unsichtbare Element, in dem Gärten zur Blüte gelangen. Gewiss bedürfen Gärten einer jahreszeitlich bedingten Zeit, um zu ihren kultivierten Formen heranzuwachsen. In Goethes *Wahlverwandtschaften* beispielsweise deutet der alte Gärtner auf einige Bäume, die sein Vater gepflanzt hat, als er, der Sohn, ein kleiner Junge war, und die gerade eben zur Reife gelangen. Und Čapek schreibt in einer bereits zitierten Passage: »Also elfhundert Jahre würde ein Gärtner brauchen, um alles, was ihm zukommt, auszuprobieren, zu bewältigen und praktisch zu verwerten. [...] Ich möchte gern wissen, wie die Birken in fünfzig Jahren aussehen werden.«

Andererseits brauchen Gärten, wenn sie einmal ihre lebendige Form gefunden haben, Zeit, um vom Betrachter gesehen zu werden. Parks wie Stowe und Stourhead in England empfangen jährlich viele Tausende von Besuchern, von denen ein großer Teil in Touristengruppen eintrifft, die ein paar Stunden auf dem Gelände verbringen, bevor sie zum nächsten Ort weiterziehen. Bei einem derart kurzfristigen Aufenthalt ist es schwierig, wenn nicht gar unmöglich, gedankenreiche Gärten wie Stowe und Stourhead so zu erleben, wie sie angelegt waren, nämlich als Orte der Selbstfindung, der spirituellen Kultivierung, der persönlichen Verwandlung. Längst vergangen sind die Tage, in denen die meisten von uns die Zeit oder den Willen für etwas Derartiges hatten, vom Konzentrationsvermögen ganz zu schweigen. Infolgedessen zeigen sich diese Gärten den meisten von uns nicht mehr (sie zeigen sich vielleicht ihren Pflegern, die täglich stundenlang auf dem Gelände verweilen, nicht aber dem, der ihnen nur einen flüchtigen Besuch abstattet). Sie mögen uns Bilder von sich darbieten, aber das, was den Bildern fehlt, ist das Strahlen des Phänomens als solches, das sich nur in der Tiefenzeit enthüllt, in der Art von Zeit, für die unser Zeitalter keine Zeit mehr hat. Alles in allem sind wir für das Phänomen mehr oder weniger blind.

Wenn wir es formelhaft ausdrücken wollten, könnten wir sagen, dass die menschliche Sehkraft im gegenwärtigen Zeitalter in erster Linie Bilder sieht und keine Erscheinungen. Oben habe ich bemerkt, dass der Unterschied zwischen Erscheinung und Bild darin liegt, dass erstere andeutet, während letzteres lediglich hinweist: Wo das Phänomen nicht aus Halbschattentiefen aufsteigt, gibt es keine Erscheinung als solche, sondern nur ein statisches und verdinglichtes Bild (Kapitel 2). Eines ist ein Garten mit Sicherheit: er ist ein Phänomen, und besagte Halbschattentiefen gehören dem Garten ebensosehr zu wie dem Geist oder der Seele des Beschauers. Wo diese beiden Tiefendimensionen einander begegnen und miteinander verfließen, tritt das Phänomen in Erscheinung. Wo eine der Dimensionen oder beide abwesend sind, bleibt das Phänomen hinter seinem »aufzeigenden« Potential, das heißt, hinter dem Potential dazu, sich als das zu zeigen, was es ist, zurück.

Man braucht nur Andrew Marvells Gedicht »Der Garten« zu lesen, um ein Gefühl dafür zu bekommen, wie weit ausgreifend das Phänomen unter Umständen sein kann, die andere sind als die von Calvino beschriebenen. Hier steigt der Sprecher in die verborgenen Winkel des Gartens hinab, die nicht von den psychischen Tiefen zu unterscheiden sind, welche der Garten in seinem Besucher aufschließt (siehe Anhang 3). Die geistige, seelische und imaginative Bewegung, die sich im Geist des letzteren abspielt, verliert nie den Kontakt zu dem, was das Auge in den Erscheinungen wahrnimmt, die es umgeben. Ja, die Bewegung findet in den Erscheinungen und durch sie hindurch statt, und sie gipfelt in einer zenähnlichen Vision anderer, grenzenloserer Welten als derjenigen, die das Auge als Organ wahrnimmt:

> Der Geist, der Ozean, drin jeder Art
> Von Dingen ein genaues Abbild harrt;
> Jenseits von dem schafft er jedoch
> Ganz andre Welten, andre Meere noch;
> Zu grünem Denken lässt vergehen er
> Ein jedes Ding in grünem Schattenmeer.

Das *itinerarium mentis*, das im Laufe des Gedichts entwickelt wird und in dem der Geist auf die Reise in »andre Welten, andre Meere« geschickt wird, ergreift nie die Flucht aus dem Garten, der die Reise ermöglicht und als ihr Gastgeber fungiert. Vielmehr nimmt die Reise nur ihren Fortgang, während der Sprecher im Garten *verharrt*. Die intensivsten Reisen – die visionärsten Reisen – finden manchmal statt, während man an Ort und Stelle bleibt, in Augenblicken der Stille, die nicht durch »Leidenschaft« versengt wird.

Japanische Gärten im allgemeinen und Zen-Gärten im besonderen sind dazu gedacht, das enthüllende Wunder des Phänomens, die Eröffnung der zurücktretenden Tiefen, in denen Raum und Zeit miteinander verfließen, zu maximieren. Da ich selbst nie in Japan gewesen bin, will ich mich nicht erkühnen, mich über das subtile Wesen von Zen-Gärten auszulassen; statt dessen möchte ich Shonin, einen japanischen Meistergärtner aus Michel Tourniers Roman *Zwillingssterne*, zitieren, der über die unterdeterminierte Komposition des Zen-Gartens folgendes sagt: »Ein Zen-Garten liest sich wie ein Gedicht, von dem lediglich einige Halbverse niedergeschrieben sind und bei dem es dem Scharfsinn des Lesers überlassen bleibt, die Lücken zu füllen« (S. 404). Der strenge Minimalismus des Zen-Gartens verbindet Sand und Felsen in Arrangements, »deren Bestimmung es ist, von einem bestimmten Punkt, im allgemeinen von der Galerie des Wohngebäudes aus, betrachtet zu werden« (S. 403f.). Während der Betrachtungspunkt festgelegt ist, steht es dem Auge und mit ihm dem »inneren Blick« des Geistes frei zu schweifen. Denn es ist der Geist, in dem »allein die Ideen einander begegnen und einander umarmen«, welcher hier das Sehen bewerkstelligt, nicht unabhängig vom Auge, sondern in ihm und durch es. Da der Garten mit Latenz geladen ist, eröffnet er sich einer starken Vermehrung unabhängiger Betrachtungsweisen. So lobt der Samurai »seine glühende, harte Schlichtheit, der Philosoph das Köstlich-Subtile, das an ihm ist, der betrogene Liebende den betörenden Trost, den er ausströmt« (S. 404). Nichts wird gesehen, was nicht da ist; vielmehr offenbart sich das, was da *ist*, in allen möglichen Erscheinungen und Verkleidungen.

Shonin erklärt, dass es bei der konzentrierten Energie des Zen-Gartens um den Kontrast zwischen feucht und trocken geht. »Dem Anschein nach gibt es nichts Trockeneres als diese Fläche heißen Sands, auf der ein, zwei oder drei Felsblöcke verteilt sind. Doch in Wahrheit gibt es nichts, das feuchter wäre. Denn die Wellen, die der fünfzehnzackige Stahlrechen des Mönchs kunstvoll im Sand gezogen hat, sind nichts anderes als die Wogen, die kleinen Wellen und Fältchen des endlosen Meeres« (ebd.). Die Steine, die den Weg säumen, »erinnern nicht an das holprige Bett eines trockenen Gießbachs, sondern im Gegenteil an die tobenden Wirbel des Wassers«. Der Sand und die Felsen haben nichts Repräsentierendes an sich. Sie symbolisieren keine Begriffe, und sie »stehen« nicht für etwas anderes. In seiner phänomenologischen Fülle gesehen, ist der Sand selbst ein grenzenloses Meer im Geist des Betrachters, so wie der Fels ein Berg ist für denjenigen, der ihn als solchen sieht. Die verwandelnden Fähigkeiten der Sehkraft gehen aus den Halbschattentiefen des Phänomens hervor. Oder um es mit den Worten Shonins zu sagen, der sich auf den Beschauer bezieht: »Diese spärlichen Elemente [Sand, Felsen, Strauch und Mauer], nach sorgsam berechnetem Gesetz verteilt, sind bloß ein Grundgewebe, das der Betrachter mit seiner persönlichen Landschaft bestickt, sind nur ein Model, in den er seine augenblickliche Stimmung gießt, damit sie Heiterkeit gewinnt. Potentiell enthält der Zen-Garten in seiner äußeren Kargheit alle Jahreszeiten, alle Landschaften der Welt, alle Schattierungen der Seele« (S. 404). Entscheidend ist hier das Wort »enthält«. Der Garten enthält alle Dinge, die über das hinausgehen, was buchstäblich ins Auge fällt. Diese Art und Weise des Sehens – nennen wir sie »Tiefenwahrnehmung« im radikalen Sinne – wird durch die Art und Weise ermöglicht, in welcher der Garten die Gegenwart dessen enthüllt, das sich nicht dem Auge zeigt, oder durch die Art und Weise, in welcher der Garten alles, was im Phänomen latent bleibt, in das Reich der Erscheinung hervorruft.

Nichts verkörpert das Phänomen mächtiger als der japanische Gartenstein. Der Stein ist ein zentrales Element nicht nur des Zen-Gartens, sondern auch des japanischen Haus- und Teegartens. Er zeigt der Welt ein Gesicht, während seine Unterseite vor den Blicken verborgen bleibt und wie die Wurzeln einer Pflanze ins Erdreich einsinkt. »Die Steine dürfen nie einfach nur auf den Boden gelegt werden«, sagt Shonin. »Sie müssen immer ein kleines bisschen eingegraben sein« (S. 397). Warum? »[D]er Stein besitzt einen Kopf, einen Schwanz, einen Rücken, und sein Bauch bedarf des warmen Dunkels der Erde.« Ein Stein verfügt über besondere Kräfte – beispielsweise die Kraft, entlang seiner Achse Energie oder »Geister« zu übertragen oder unsichtbare kosmische Kräfte zu kanalisieren –, aber er besitzt sie nur so lange, wie er teilweise in die Erde eingegraben bleibt. Die Tatsache, dass er teilweise eingegraben ist, bedeutet nicht, dass er nur einen teilweisen Blick auf sich zulässt. Tatsächlich lässt er einen vollständigen Blick auf sich zu als auf etwas, das aus der Erde die Energie oder die Leuchtkraft seines Strahlens bezieht. Ein nicht eingegrabener Stein besäße kein derartiges Strahlen. Er würde nicht erscheinen, er würde nur ausstellen. Nur dort, wo das Sichtbare in das Unsichtbare zurücktritt, manifestiert es sich als Phänomen. Shonin:

> Die Steine in einem Garten werden nach ihrer Bedeutung in drei Stufen eingeteilt: die Hauptsteine, die Zusatzsteine und der *Oku*-Stein. Die Zusatzsteine bilden das Gefolge des Hauptsteins. Sie sind hinter dem liegenden Stein in einer Linie plaziert, gruppieren sich als Sockel zu Füßen des stehenden Steins, drängen sich als Konsole unter den geneigten Stein. Der *Oku*-Stein tritt nicht in Erscheinung. Er ist das letzte Tüpfelchen, das innerste, verborgene Etwas, durch das die ganze Komposition erst zu schwingen beginnt – er kann seine Aufgabe unbemerkt erfüllen wie die Seele der Geige.
> (S. 398)

Der *Oku*-Stein ist ein anderer Name für die »lethische« oder nicht in Erscheinung tretende Dimension, in der die teilweise eingegrabenen Steine des Gartens vergraben sind. Wo nicht

181

die »heimliche Berührung« des *Oku*-Steins das Phänomen belebt, wird die Sehkraft ihrer Tiefenwahrnehmung entleert.
Oder besser gesagt, wo die Sehkraft nicht mehr zu Tiefenwahrnehmung fähig ist, kommt es nicht mehr dazu, dass die verborgene Gegenwart des *Oku*-Steins »die ganze Komposition
belebt«. In diesem Sinne ist der *Oku*-Stein überhaupt kein
Stein, sondern die Unterseite der Erscheinung als solcher. Er ist
das, was zur Erscheinung kommt, ohne unbedingt gänzlich
sichtbar oder zugänglich zu werden, eben wie ein Stein, der
teilweise eingegraben bleibt.

Einer besonders scharfen Tiefenwahrnehmung bedarf es,
um einer latenten Form in einem Marmorblock gewahr zu
werden. Nach Michelangelos berühmter Theorie der Extrak-
tion verlieh er nicht dem Stein eine Form, wenn er eine Statue
meißelte; er zog vielmehr die Form heraus, die bereits in dessen
Innerem verborgen lag, indem er das »überschüssige Mate-
rial« entfernte, das sie umgab. Shonin fragt jedoch: »Weshalb
schaffst du Skulpturen mit Hammer, Meißel oder Säge? Weshalb fügst du dem Stein Leid zu und bringst seine Seele zur
Verzweiflung? Der Künstler ist ein Betrachtender. Der Künstler schafft mit dem Blick die Skulptur« (S. 395). Shonins ganz
andere Auffassung von Plastik verschiebt das Schwergewicht
vom Schaffen zum Sehen und lässt so die (sehr westliche)
Unterscheidung zwischen Künstler und Betrachter verschwinden. »Der Skulpturenschöpfer und Dichter ist keiner, der Kieselsteine zerschlägt. Er ist einer, der Kieselsteine aufsammelt.«
Japan hat über tausend Inseln und mehr als 750 000 Berge, und
auf ihnen allen wimmelt es von Kieseln, Steinen und Felsen.
»Darin steckt freilich Schönheit«, erklärt Shonin, »doch ebenso
verschüttet und verborgen wie die Schönheit der Statue, die
euer Bildhauer mit Hammerschlägen aus dem Marmor holt.
Um diese Schönheit zu erschaffen, muss man nur zu schauen
verstehen« (S. 395f.). Darin, zu wissen, wie man schauen muss,

besteht die Kunst des Dichters und Skulpturenschöpfers. Das ist nicht nur die Voraussetzung, sondern auch die Form und die Substanz dieser Kunst. Schau ist ebenso schöpferisch wie Schaffen, sofern sie von der Kunst des Sehens besessen ist. Doch selbst in Japan ist die Kunst des Sehens, wenn wir Shonin Glauben schenken, an die Geschichte geknüpft, und schließlich geht sie (wie alle kostbaren Dinge) im Laufe der Zeiten verloren:

> Du kannst in Gärten aus dem 10. Jahrhundert Steine sehen, die damals von genialen Sammlern ausgewählt wurden. Diese Steine haben einen unvergleichlichen, unnachahmlichen Stil. Zwar haben die Strände und Gebirge Nippons sich seit neun Jahrhunderten nicht verändert. Dieselben Felsbrocken, dieselben Kiesel liegen dort verstreut. Doch das Sammelwerkzeug ist für immer verloren: des Sammlers Auge. Nie mehr werden sich Steine finden lassen wie diese. Und mit jedem begnadeten Garten ist es ebenso. Die Steine darin sind das Werk eines Auges, das die Beweise seines Genies hinterlassen und sein Geheimnis für immer mitgenommen hat.
>
> (S. 396)

Ob nun die Reflexionen Shonins in Michel Tourniers Roman echte Einblicke in das Wesen japanischer Gärten bieten oder ob es sich dabei letztlich um die von außen herangetragenen Grübeleien eines Westlers handelt, der sich die Stimme eines japanischen Meisters leiht, sie artikulieren zusätzlich meine allgemeine Behauptung, dass Augenlicht nicht dasselbe ist wie Sehkraft, dass die »innere Schau« der Sehkraft mit der Latenz des Phänomens korreliert und dass die Wahrnehmung der sichtbaren Welt mit Hilfe der Sehkraft durch die historische Entfaltung der Zeitalter sowohl determiniert als auch verändert wird. Wenn Gärten Mikrokosmen sind, die sozusagen durch die »heimliche Berührung« des *Oku*-Steins belebt werden, dann kann man auch hier durchaus sagen, dass sie für uns weitgehend unsichtbar geworden sind – nicht weil der *Oku*-Stein den Gärten fehlt, sondern weil er dem Zeitalter fehlt, dem wir angehören. Unser Zeitalter ist eines von Steinen, die nicht teilweise in die Erde eingegraben sind; oder anders gesagt, es ist ein Zeitalter ohne ein »grüne[s] Schattenmeer«. Wenn es kein grünes Denken ohne grünes Schattenmeer gibt, dann gibt es in diesem Zeitalter überhaupt kein wirkliches Denken; denn ebenso wie der japanische Gartenstein muss das Denken teilweise eingegraben sein, wenn es hoffen soll, Zugang zu dem zu gewinnen, was nicht schon offenkundig ist. Wenn es vieles gibt, das wir heute in der sichtbaren Welt nicht mehr zu sehen vermögen, so deshalb, weil die innere Schau, die man braucht, um es wahrzunehmen, entweder verdunkelt oder anderswohin gerichtet ist. Unsere Sehkraft ist heutzutage eher auf das Virtuelle als auf das Sichtbare ausgerichtet, eher auf Bilder als auf Erscheinungen und eher auf Repräsentationen als auf Phänomene.

Das verheißt nichts Gutes für Gärten, deren lebendige Formen in lethische Tiefen zurücktreten, die unserer inneren Schau, nicht aber notwendig unserer Sehkraft zugänglich sind. Damit die Felsen in einem Zen-Garten als bergige Inseln erscheinen oder ein Winkel der Villa Cimbrone in Ravello mit einer halb verschleierten Statue der Venus im Mittelpunkt ihrer Umfriedung als die Stätte erscheint, an der die Liebe auf die Erde zurückgekehrt ist, um die Sterblichen erneut in ihren Bann zu schlagen, oder damit eine Gasse in Stourhead als der Weg zur Selbstfindung erscheint, braucht man zuallermindest eine Bereitschaft zu verweilen und eine Neigung zum Nachdenken – Dinge, die unsere gegenwärtige Hektik mit Abscheu erfüllen. Es gibt in diesem Zeitalter nicht genug Heiterkeit, um

Gärten in vollem Umfang für uns sichtbar werden zu lassen. Darum könnte man sagen, dass wir in einer gartenlosen Epoche leben, ungeachtet der Tatsache, dass es mitten unter uns jede Menge Gärten gibt.

Was sollen wir mit diesen Gärten anfangen, die gleichwohl weiterhin die sichtbare Welt zieren? Shonin sagt, die japanischen Gärten aus dem 10. Jahrhundert enthielten Steine, welche »das Werk eines Auges [sind], das die Beweise seines Genies hinterlassen und sein Geheimnis für immer mitgenommen hat«. Gleiches ließe sich von den zahlreichen Gärten im Westen sagen, die aus früherer Zeit auf uns gekommen und die von heroischen Verwaltern restauriert, verschönert oder in Ordnung gehalten worden sind. Diese Gärten haben Beweise ihres Genies hinterlassen, aber ihr Geheimnis ist vielleicht nicht für immer dahin. Man muss glauben, dass das Geheimnis in dem Phänomen selbst überdauert. Vielleicht sind diese Gärten genau der Ort, an den wir uns wenden müssen, um die Kunst des Sehens von neuem zu lernen und wieder Zugang zu der Tiefenzeit zu erlangen, die in ihre Formen eingehüllt ist. Die sichtbare Welt ist schließlich nicht verschwunden. Sie ist nur zeitweilig unsichtbar geworden. Es gibt allen Grund zu der Annahme, dass Gärten uns dabei helfen können, ihre Sichtbarkeit wiederherzustellen, sofern wir ihr reichlich Raum und Zeit lassen, um sich zu zeigen. Es wäre nicht das erste Mal, dass uns Gärten in einer Zeit der Not zu Hilfe kämen.

12

»Wunder an Einfühlsamkeit«

Aristoteles stellte sich einmal die Frage: »Warum gleichen die Rhythmen und Melodien als stimmliche Äußerungen verschiedenen Seelenzuständen?« (*Problemata physica*, S. 163). Mit gleicher Tendenz könnte man fragen: Wie kann ein Garten, der aus Pflanzen, Wasser und Stein besteht, einem Seelenzustand gleichen? Ich würde noch nicht einmal das Wort »gleichen« verwenden. Kingscote hat keine Ähnlichkeit mit meiner *ataraxia*, und ich bringe diesen Gemütszustand auch nicht in den Garten mit; vielmehr finde ich ihn dort vor. Sollte Kingscote eines Tages verschwinden, dann verschwände auch die besondere innere Ruhe, zu der dieser Ort einen Zugang verschafft. Es gibt keine Seelenzustände, die nicht ihren angemessenen Platz auf der Welt haben; und wenn es auf der Welt keine Orte gäbe, dann gäbe es auf ihr auch keine Seele.

In einem seiner ersten Essays, das den Titel »Liebe zum Leben« trägt, spricht Albert Camus davon, wie er den Kreuzgang von San Francisco in Palma de Mallorca betrat, und er schreibt: »[Ich verschmolz] mit diesem Geruch des Schweigens, ich verlor meine Grenzen und war nichts anderes mehr als […] jener Vogelschwarm, dessen Schatten ich in der Höhe auf den noch sonnigen Mauern wahrnahm« (Camus, *Literarische Essays*, S. 66). Für einen Moment – und bei Camus' Lebensbejahung geht es immer um Momente der Intensität und nicht um das Kontinuum der Erfahrung – ist die Verschmelzung zwischen

Geistesverfassung und Garten so vollständig, dass die erstere den letzteren stützt und im Sein erhält:

> Im knatternden Flügelschlag seiner Tauben, im Schweigen, das sich jäh mitten in den Garten schmiegte, im zeitweisen Knirschen seiner Brunnenkette fand ich eine neue und doch vertraute Köstlichkeit. Klarblickend und lächelnd betrachtete ich dieses einzigartige Spiel des äußeren Scheins. Mich dünkte, bei der geringsten Bewegung könne der Kristall, in dem das Antlitz der Welt lächelte, zerspringen. Irgend etwas musste vergehen, der Schwarm der Tauben musste sterben und jede einzelne langsam auf ihre ausgebreiteten Flügel niedersinken. Einzig mein Schweigen und meine Unbeweglichkeit verliehen dem, was so stark einer Illusion glich, Glaubwürdigkeit.
>
> (S. 67)

Wenn man diese Passage liest, fällt es schwer, nicht an den kritischen Moment äußerster Stille und Reglosigkeit zur Mittagszeit in Camus' *Der Fremde* zu denken, als Meursault am Strand den Araber umbringt. *Der Fremde* gehört in französischen Oberschulen seit langem zur Pflichtlektüre, und wenn Schülern die unvermeidliche Frage gestellt wird: »Pourquoi Meursault tue-t-il l'Arabe?«, dann lautet die unvermeidliche Antwort: »À cause du soleil.« Das mag wie eine Pseudoantwort klingen, aber es ist schließlich viel exakter zu sagen, Meursault habe den Araber wegen der Sonne getötet, als zu behaupten, der überwältigende Glanz der Sonne sei irgendwie die »gegenständliche Entsprechung« zu Meursaults Geistesverfassung. T. S. Eliot sprach von der »gegenständlichen Entsprechung« in der Kunst als »einer Reihe von Gegenständen, einer Situation, einer Kette von Ereignissen, welche die Formel dieses *besonderen* Erlebnisses sein sollen«, also der Emotion oder der innerlichen Geistesverfassung, die der Künstler zu vermitteln sucht. *Der Fremde* lässt jedoch ebenso wie die oben angeführte Kreuzgang-Passage darauf schließen, dass in manchen Fällen eine Geistesverfassung mit einem äußeren Element oder einem Ort wesenseins ist und nicht nur nach Regeln der Analogie oder der Repräsentation in einer Entsprechung zu ihm steht. Das gilt ganz besonders für Gärten, welche Leben und Form oder Seele und Sinn auf eine Weise verbinden, die über die Formel der gegenständlichen Entsprechung hinausgeht.

In Shirley Hazzards Roman *Der Abend des festlichen Tages* verliebt sich die junge Engländerin Sophie bei einem verlängerten Sommerurlaub in Italien, wo sie ihre italienische Tante Luisa besucht, in Tancredi. Tancredi ist verheiratet, lebt aber getrennt, und seine Frau tritt in dem Roman nie auf. Als Sophie in Tancredis Haus einzieht, schlafen sie in einem Bett, das mitten in einem Garten liegt:

> Sie schliefen in einem Zimmer, dessen hohe Decke, dem Auge wohlgefällig, von gemalten Ästen überquoll, die Früchte und Blumen in gleicher Vielfalt trugen. Die weißen Wände hatten früher Paneele mit ähnlicher Verzierung getragen, diese waren jedoch weitgehend zerstört und um Türen und Fenster sogar übermalt worden. […] Das Bett stand auf einem niedrigen Podest zwischen zwei Fenstern. Die vier spiralig geschnitzten Bettpfosten trugen einen Baldachin, der aber schon zerschlissen war und den Anblick reifer Orangen und vollerblühter Rosen darüber freigab.
>
> (S. 102)

Es ist nicht klar, ob dies das eheliche Schlafzimmer Tancredis ist (Hazzard ist eine Meisterin des Ungesagten), aber wir wissen, dass sein gemalter Garten an den Garten im Freien grenzt, in dem das Paar jeden Morgen sein Frühstück einnimmt. Diese

Gartenwelt ist nicht das Bild oder das natürliche Analogon ihrer blühenden, farbenfrohen und letztlich illegitimen Romanze. Ihre Romanze mit all ihren Verzückungen und unaufgelösten Spannungen gehört zu dieser Gartenwelt und hat in ihr ihre Wohnung. Es gibt keinen anderen Ort, an dem die Romanze Wurzeln schlagen könnte, keinen anderen Ort, an den sie sich verpflanzen ließe.

Zu dieser Gartenwelt gehört auch das Landhaus von Sophies Tante Luisa. Eines Tages, als die Liebenden in Luisas Villa gerade beim Essen sind, wird der Garten unmittelbar hinter dem Esszimmer während eines heftigen Gewitters, das an den Nerven aller zerrt, entsetzlich zugerichtet. Während der Sturm tobte, aßen sie »das Obst und saßen dann stumm um den Tisch« (S. 95). Während des darauffolgenden Schweigens fragt sich Luisa (nicht Sophie), warum »die Liebe so häufig Kummer, soviel Verwicklungen bringt? Tancredi hatte Frau und Kinder. Und in Italien gibt es keine Scheidung. Es konnte für jeden Betroffenen nur schlecht enden« (ebd.). Während der ganzen Szene lässt Hazzard ihren freien indirekten Diskurs in Luisas Gedanken eingehen, während sie die Gedanken Sophies unausgesprochen lässt. Sophies Stummheit verleiht den Donnerschlägen, die sowohl in ihrem Innern als auch ringsum krachen, eine unheimliche Resonanz. »Und so verbrachten sie die Zeit, […] bis Sophie plötzlich ausrief: ›Aber das ist ja grässlich!‹ Ihre Gedanken [Luisas und Sophies?] liefen in zwei so verschiedene Richtungen, dass sie selbst hinzufügte: ›Dieses Gewitter.‹« Das »das« ist außerordentlich vieldeutig, es verweist sowohl auf den Sturm, der den Garten mit einer Zerstörungswut attackiert, »die geradezu Absicht zu sein schien«, als auch auf das, was sich gleichzeitig in Sophies psychischer Welt abspielt. Von diesem Augenblick an beginnt Sophies Beziehung zu Tancredi, was sich allerdings erst später herausstellt, eine Verwandlung durchzumachen, deren Gründe jedoch nie vollständig ausgesprochen werden. Langsam fängt sie an, sich von ihm zu lösen, während zugleich die Leidenschaft zwischen ihnen ernster und intensiver wird. Einige Wochen später kehrt Sophie dann nach England zurück, ohne einem verwirrten Tancredi je ihre tieferliegenden Motive zu erklären.

Wir befinden uns hier nicht im Reich von gegenständlichen Entsprechungen à la *König Lear*, wo das heftige Gewitter eine »Formel« für den seelischen Aufruhr und den geistigen Zusammenbruch liefert, den Lear im dritten Akt des Stückes durchmacht. Noch einmal, die Geistesverfassung Sophies wird nicht in dem leidenden Garten widergespiegelt, und sie findet in ihm auch keine Entsprechung; vielmehr geht beides ineinander über. Der Sturm, der die Blumen des Gartens niedermäht und seine Pflanzen umknickt, bildet nicht einfach die potentielle Katastrophe im Sinne einer Analogie ab, die der Liebe zwischen Sophie und Tancredi bevorsteht, falls sie im Bann ihrer gegenwärtigen Leidenschaft bleiben sollten. Er ist die Katastrophe selbst, eine, die in Gestalt einer Offenbarung kommt, deren genauer Inhalt für den Leser unenthüllt bleibt, während sie gleichzeitig ihre Auswirkungen in den Wunden, die sie dem Garten schlägt, offen manifestiert. Auch wenn wir nicht ganz sicher sein können, was genau in Sophies Gedanken vorgeht, besteht kein Zweifel daran, dass sie während des Sturms ebendiese Verwundungen in sich erleidet. Andererseits wissen wir zwar nicht endgültig, ob ihr in einem Blitzschlag von Einsicht klar wird, dass ihre Affäre mit Tancredi in der Welt, in die sie eingedrungen ist und in die sie von Rechts wegen nicht gehört, Unheil anrichtet, aber wir wissen sehr wohl, dass ihre freiwillige Selbstvertreibung aus dem Garten das Ende einer Romanze bedeutet, die dort ihren angemessenen – oder vielleicht unangemessenen – Ort hatte.

Der japanische Meistergärtner in Michel Tourniers Roman *Zwillingssterne* erklärt: »Garten, Haus und Mensch sind ein lebendiger Organismus, den man nicht zerstückeln darf. Der Mensch muss da sein. Nur unter seinem liebenden Blick entfalten sich die Pflanzen gut. Wenn der Mensch, aus welchem Grund auch immer, seine Wohnung verlässt, geht der Garten zugrunde, fällt das Haus in Trümmer« (S. 397). Wie wahr die Feststellung Shonins ist, hat an einer früheren Stelle des Buches der Tod von Deborah, einer ausgewanderten Amerikanerin, bestätigt. Sie und ihr Ehemann Ralph hatten sich auf der Insel Djerba vor der tunesischen Küste ein Haus gebaut. Auf »einer ausgedörrten Erde, gerade gut genug für Alfalfagras, Agaven und Aloe«, hatte Deborah einen Garten erstehen lassen, in dem unwahrscheinliche Gewächse, Bäume und Wasserpflanzen aller Art gediehen. Er war ein regelrechter »botanische[r] Überschwang mitten in den Wüste«, sagt der Erzähler Jean und fügt hinzu: »Es war mehr als ihr Werk, ihr Kind, es war die Erweiterung ihres eigenen Ich« (S. 360). Dieses »Wunder an Einfühlsamkeit«, wie Jean es nennt, war das Ergebnis eines vierzig Jahre währenden Kampfes, in dessen Verlauf »Tag für Tag im Hafen von Houmt-Souk Tütchen mit Samenkörnern, Gebinde von Zwiebeln, strohumwickelte Sträucher und vor allem säckeweise Kunstdünger und Pflanzenhumus anlangten« (S. 360). Jean beschreibt Deborahs Beziehung zu ihrem Garten als eine fortdauernde Schöpfung, »das heißt etwas, das täglich, stündlich von neuem geschah, ebenso wie Gott nach der Erschaffung der Welt sich nicht von ihr zurückgezogen hat, sondern sie weiterhin durch seinen Schöpferodem am Sein erhält, ohne den in der nämlichen Sekunde alle Dinge wieder ins Nichts zurücksänken« (ebd.).

Die Tiefe dieser Einfühlsamkeit und Selbsterweiterung in den Garten hinein tritt zutage, als Deborah auf einer Reise, die sie von Djerba fortführt, ernstlich erkrankt. In ihrem Fieberzustand kann sie von nichts reden als von ihrem Garten, sie klagt »sich geradezu eines Verbrechens an«, weil sie ihn so lange sich selbst überlassen hat. »Sie zitterte für ihren Oleander, dessen nächstes Blühen gefährdet sei, wenn man nicht daran denke, die verwelkten Blüten abzuzupfen. Sie sorgte sich, weil sie nicht wusste, ob die Azaleen geschnitten, ob Lilien- und Amaryrlliszwiebeln aus der Erde genommen und vereinzelt worden waren, ob die Bassins von den Wasserlinsen und Froscheiern befreit worden waren, von denen sie wimmelten« (S. 361). Ihr Ehemann und Jean bringen sie eilig nach Djerba zurück, wo sie am Vorabend eines katastrophalen Regensturms eintreffen, der in einer Nacht langanhaltender Qualen den Garten verwüstet und zugleich Deborahs Leben ein Ende bereitet. Es ist nicht klar, ob die Zerstörung des Gartens Deborahs Tod heraufbeschwört oder ob ihre Krankheit und ihre Abwesenheit von Djerba dazu führen, dass der Garten anfällig ist für die Verwüstungen, die der Sturm anrichtet.

Ebenweil unsere Gärten unsere Geistesverfassungen durchdringen und von ihnen durchdrungen werden, sind sie auch von einem spürbaren Gefühl der Verletzlichkeit erfüllt. So beherrscht sie auch sein mag, eine untergründige Spannung verfolgt ihre Erscheinungen, und sei es nur deshalb, weil Gärten von der lärmenden Welt jenseits ihrer Mauern abgesondert sind und im Kontrast zu ihr stehen, auch wenn sie sich immer mitten in ihr befinden. Insofern Gärten geschützte häusliche Schöpfungen sind, haben sie von Natur aus einen prekären Status, mögen sie in ihrem Stil auch noch so künstlich sein. Es besteht immer die Gefahr, dass im Gras die sprichwörtliche Schlange auftaucht. Ebenso sind die Geistesverfassungen, denen Gärten als Heimstätten dienen, prekär. So schreibt Eugenio Montale in einem Gedicht über einen ländlichen Garten voller Zitronenbäume: »Wunderbar schweigt hier der Krieg / selbstvergessener Leidenschaften«, nur um hinzuzufügen: »Doch dann versagt der Trug, die Zeit versetzt / uns in den Lärm der Städte« (Montale, *Gedichte*, S. 21, 23).

In der Verschmelzung von Ort und Seele ist die Seele ebensosehr ein Behältnis des Ortes, wie der Ort ein Behältnis der Seele ist, und beide sind denselben Kräften der Zerstörung ausgesetzt. Das bestätigt ein Gedicht des irischen Dichters Desmond O'Grady mit dem Titel »Pillow Talk«, in dem die Welt des »täglichen Kampfes« neben den Garten der ehelichen Liebe gestellt wird, den hier das berühmte unverrückbare Baumbett von Odysseus und Penelope symbolisiert. In einer Umkehrung der traditionellen symbolischen Werte von Licht und Schatten gehört die Welt des Kampfes dem Licht in all seinen Qualen an, während die Welt der ehelichen Zufluchtsstätte dem Schatten »froher weißer Arme« und beschatteter Schultern angehört:

Und aus den Qualen des Lichts,
alle vergangene Zerstörung hinter uns lassend,
wollen wir uns wieder auf jenem alten Bett niederlegen,
das standfest ist unter der Decke von Bambus und Algen,
und einander mit frohen weißen Armen empfangen.

Dann will ich dir die ganze Geschichte erzählen,
die das Geschick des Überlebens im täglichen Kampf ist:
die ausgeteilten Schläge, die eingesteckten Prügel,
von Jahren der Wanderschaft und Gewinnen und Verlusten
auf der Suche, nicht als ein Verheerer zu enden.

Während ich über dir wache, lass dein langes Haar
    herabfallen
und deinen Schultern Schatten geben, bevor du einschläfst,
denn diese ganze Stätte soll zerbrechen
und in Stücke fallen, kämest du abhanden.
    (O'Grady, *The Road Taken*, S. 416)

Im englischen Original kehrt das Wort *all* in jeder der drei Strophen des Gedichts wieder. Im letzten Fall bezieht es sich auf das Haus, seinen abseits gelegenen Garten und die häusliche Zuflucht der Liebe. Dass *all this place* in Stücke fallen könnte, falls die Gattin verlorenginge, zeugt von einer Verbindung, die sich nicht auf die Logik gegenständlicher Entsprechungen reduzieren lässt. Der Ort kann zerbrechen, selbst wenn seine Mauern intakt bleiben. Die Frage, die am Schluss des Gedichts offenbleibt, lautet, ob sich der Garten der Ehe vor »alle[r] vergangene[n] Zerstörung« schützen lässt und ob andererseits der Garten selbst diesen Schutz bieten kann.

Wenn jemand seine Jugend ruiniert, seine Seele der Verrohung anheimgegeben und seinen Geist betäubt hat, kann ihm dann ein Garten zu Hilfe kommen und ihn wieder ins Leben zurückführen? Das ist eine Frage für Patrick Lane, einen der führenden Dichter Kanadas, der um die Jahrhundertwende, im Alter von 60 Jahren, von einem Tag auf den anderen den Alkohol und die Drogen aufgab, die ihn in ihren Klauen gehalten hatten, seit er 15 Jahre alt war. Seine bemerkenswerte Autobiographie *What the Stones Remember: A Life Rediscovered*, die im Jahr 2005 erschienen ist, erzählt die Geschichte davon, wie er eine zerrüttete Geistesverfassung und einen geschundenen Körper den heilenden Kräften seines kleinen Gartens auf der Insel Vancouver anvertraute, den er während des ersten Jahres seiner Abstinenz oder noch länger kaum je verließ. Das Buch hat zwölf Kapitel, eines für jeden Monat des ersten Jahres, das er mit dem Versuch verbrachte, in der Zuflucht seines Gartens sich selbst in den Griff zu bekommen. Anfang Januar 2000 klingt die Stimme des Dichters so:

Ich ziehe mich gerade von dem Desaster fünfundvierzigjährigen Trinkens zurück. Vor zwei Monaten bin ich in ein Behandlungszentrum für Alkohol- und Drogensucht gestolpert. Jetzt bin ich mit Mühe und Not entgiftet. Wenn ich hier zwischen den Schwertfarnen stehe, fühlen sich meine Sinne wie dünnes Glas an, an den Rändern so scharf, dass ich fürchte, ich werde mich schneiden, wenn ich auch nur den Silikonrand eines Bambusblattes berühre. Wenn der Goldspecht seinen Schnabel in den Apfel schlägt, zucke ich zusammen. Meine Hände sind bleiche Tiere. Die geringsten Geräusche, eine Ammer, die zwischen den Schneeball-Blättern flattert, ein Wassertropfen, der auf die Zedernholzbretter fällt, lassen mich zusammenzucken. Ich kann das bittere Eisen in den Moosschichten auf den Ästen des Apfelbaums riechen. Mein Fleisch steht manchmal Qualen aus, und ich habe das Gefühl, als ob ich aus einem schattigen Ort zum ersten Mal ins Licht gekommen bin. Zum ersten Mal seit Jahren fühle ich mich lebendig.

(Lane, *What the Stones Remember*, S. 4)

Die Neugeborenen sind in höchstem Maße zerbrechlich und verletzlich, aber für diejenigen, die nach fast einem halben Jahrhundert verschärfter Selbstbeschädigung neu geboren worden sind, gilt das in noch höherem Maße. Tagein, tagaus bezieht der Dichter Kraft aus der Vitalität des Gartens, dessen Pflanzen, Tiere und Insekten sich ihm mit ihrem Leben offenbaren, als sei es das erste Mal. Lane liefert sich dem Lebensplan des Gartens aus, und er erklärt: »Der Garten beginnt mit meinem Körper. Ich bin dieser Ort, auch wenn ich ihn auf der abgeschwächtesten Ebene spüre, die man sich vorstellen kann« (ebd.). Es ist wirklich ein Fall, in dem jemand seine Geistesverfassung einem Ort überantwortet: »Ich denke nicht an das, was ich tun werde, ich versuche einfach zu fühlen, wo ich bin. […] Meine Gegenwart hier ist dieses Neue« (S. 6f.).

In seinem Garten entdeckt Lane manchmal leere oder volle Wodkaflaschen aus früheren Tagen. »Der ganze Garten erschien wie das Minenfeld eines Trinkers, ein Ort des Schreckens« (S. 122). Ausdauer und Geduld – Lektionen, die er von dem Garten lernt – sind es, die ihn dazu befähigen, den Inhalt einer ausgegrabenen Flasche in den Ausguss zu kippen: »Der Bambus steht für Ausdauer. […] Er gibt den Kräften nach, die ihn umgeben, aber nach dem Wind richtet er sich wieder auf. Wenn man eine derartige biegsame Stärke hat, dann hat man einen *Bambusgeist*« (S. 77). Ebenso: »Geduld, sage ich; sei wie der Koi in tiefem Wasser. Es gibt eine Zeit für jedes Ding. Der Gärtner kennt seine Stunden, genau wie die Fische. Alle Dinge in diesem Garten warten darauf, dass die Sonne höher steigt« (S. 21).

Chuang Tzu träumte einmal, er sei ein Schmetterling, und er überlegte, ob er es sei, welcher träumte, er sei ein Schmetterling, oder ob es ein Schmetterling sei, welcher träumte, er sei er. Ebenso gilt für Lane: »Der Garten und ich träumen einander, und alles hier ist eine einzige Harmonie« (S. 98). In dieser Harmonie gewinnt die Gegenwart ihre Bindungen an die Vergangenheit wieder. Wenn sich Lane an die Vergangenheit erinnert, »dann ist sie lebendig, und sie ist, als ob sie mich träumte. Ohne die Vergangenheit kann ich nicht lernen, in der sich entfaltenden Gegenwart zu leben« (ebd.). Wir leben in einem Zeitalter, das vergessen will, das die Gegenwart diskret und diskontinuierlich machen will, »aber Vergessen heißt, dass man alles wiederholen muss, was vorher gewesen ist. […] Die klaren Momente der Erinnerung müssen verstanden werden. Nur dann kann man sie loslassen« (ebd.). Der Garten ist der Ort, an dem diese Wiedergewinnung vergangener Zeit stattfindet. Indem er sich in den Garten träumt, bewirkt er eine Wiederbelebung der Glieder der Zeit, sei es der persönlichen, der historischen oder der geologischen, denn all diese Dimensionen der Vergangenheit kommen zusammen auf diesem kleinen Stück Land, das sein erweiterter Körper ist. Marcel Proust hat erklärt:

»Die wahren Paradiese sind die Paradiese, die man verloren hat«, aber der Gartentraum Lanes führt ihn zu einer anderen Schlussfolgerung: »Nichts ist verloren. Das alte Paradies von Metapher und Mythos wächst unter meinen lebendigen Füßen« (S. 136).

Während seines Heilungsprozesses findet Lane auch heraus, dass »zwei Menschen die Räume dieses Gartens bewohnen«: er und seine Gefährtin Lorna (S. 135). Manche Steine und Gegenstände in dem Garten sind von ihr hingelegt worden, und in ihren zwanzig Jahren gemeinsamen Lebens hatten die beiden viele Pflanzenarten in dem Garten gepflanzt und gepflegt. Lorna »hat meine Sucht jahrelang ertragen«, und jetzt »sind ihre kleinen Arme um mich in diesen neuen Nächten eine andere Art von Garten« (S. 20). Während Lane in seinem Garten gräbt, entdeckt er die Gegenwart all derjenigen, die im Lauf der Jahrtausende die Erde mit den Händen bearbeitet haben, darunter seine verstorbene Mutter, die ihn lehrte, wie man einen Garten bearbeitet, als er ein kleiner Junge war. Langsam, aber sicher wird der Garten auf Vancouver zu einer richtigen *Welt* – zu einer, die Lorna, Menschen aus seiner Vergangenheit, alte Vorgänger und natürlich seine unmittelbaren Nachbarn aus dem Gartenreich von Pflanzen, Tieren und Insekten einschließt.

Das Buch Lanes handelt von der prekären Verbindung eines Mannes zum Leben unter extremen Bedingungen, aber die Gesamtheit der Lebenskräfte, die in seinem Garten zusammenkommen, gehört dem kosmischen Leben des Planeten als ganzen an. Stein, Himmel, Wasser, Luft, Pflanze, Vogel – das sind die Dinge, aus denen die Seele des Dichters, wie er weiß, in ihrer menschlichen Weltlichkeit gemacht ist, deren Manifestation sie schließlich ist. Einen Garten kann man als einen Seelenzustand bezeichnen, weil sich der Garten und die Seele aus denselben Grundbestandteilen zusammensetzen, die sich in ein Spektrum erstaunlicher Formen aufspalten, welche bei all ihrer Unterschiedlichkeit ihre Verwandtschaft miteinander bewahren. Wenn Seele und Garten nicht eine Substanz miteinander gemeinsam hätten, wie könnte dann letzterer die erstere wiederbeleben und sie mit neuem Leben erfüllen? Wie könnte er der Seele ihre Vergangenheit ebenso zurückgeben wie ihre Zukunft? Wie könnte eines das andere träumen und umgekehrt? Nur unsere Betäubung ist es, die uns daran hindert zu erkennen: »Die Kraft, die Blumen durch die grüne Zündschnur treibt, treibt auch mein grünes Alter; sie sprengt der Bäume Wurzeln, zerstört auch mich« (Dylan Thomas). Und wenn Lane recht hat, dann gibt es nichts, was uns so stark aus einer derartigen Betäubung aufrüttelt wie ein lebendiger Garten.

13

Die Kluft zwischen den Paradiesen: Islam und Christentum

Es lohnt sich, noch eine weitere Passage aus Tourniers Roman *Zwillingssterne* anzuführen, in der einer der Erzähler, der sich Gedanken über die Weisheit japanischer Gärten macht, den östlichen Kult der Heiterkeit unserer westlichen Vorliebe für Stress, Lärm und Gefahr gegenüberstellt. Er sagt folgendes:

> Bei dem Gleichgewicht, das die Japaner zwischen dem menschlichen Raum und dem kosmischen Raum hergestellt haben, bedeuten diese Gärten, die am Berührungspunkt beider liegen, ein kunstvolles, von ihnen meisterhaft beherrschtes Unterfangen, das deshalb auch seltener scheitert – theoretisch ist ein Scheitern sogar unmöglich. [...] Übrigens scheint mir dieses Gleichgewicht – das, wenn es menschliche Gestalt besitzt, den Namen Heiterkeit trägt – der Grundwert östlicher Religion und Philosophie zu sein. Es ist schon bemerkenswert, dass der Begriff der Heiterkeit in der christlichen Welt kaum Platz hat. Die Geschichte von Jesu Leben und Taten ist voller Aufschreie, voller Tränen und Sprunghaftigkeiten. Die Religionen, die daraus hervorgegangen sind, hüllen sich in eine dramatische Atmosphäre, in der Heiterkeit sich als Lauheit, als Gleichgültigkeit, wenn nicht gar als Stumpfheit darstellt. Die elende Lage und der Misskredit, in die der Quietismus Madame Guyons im 17. Jahr-

hundert geriet, illustrieren ganz gut die Geringschätzung, mit der das Abendland solche Werte abtut, die sich nicht von der Tat, der Energie, der pathetischen Spannung ableiten. [...] Die vierzehn Meter hohe Bronzefigur [des Buddha von Kamakura] unter freiem Himmel inmitten eines wundervollen Parks strahlt von Milde, von schützender Kraft und lichtem, klarem Geist. [...] Kinder spielen und lachen im Schatten des Religionsstifters. Ganze Familien lassen sich vor ihm photographieren. Wer dächte daran, sich vor Christus am Kreuz photographieren zu lassen?

(S. 402f.)

Für den Kulturhistoriker sind die Bemerkungen Tourniers erstaunlich klarblickend. Friede und Stille sind in der abendländischen Kultur niemals vorherrschende Ideale gewesen, weder in der Antike noch in christlicher Zeit oder in der Moderne. Die einzige bemerkenswerte Ausnahme von der langen Tradition der westlichen Verachtung für Heiterkeit ist der Epikureismus, wenngleich man sagen könnte, dass selbst diese Philosophie im Grunde eine polemische und keine friedliche Lehre war (ein großer Teil ihrer Energien war darauf gerichtet, beispielsweise die Platoniker zu denunzieren und mit rivalisierenden Philosophien zu wetteifern). Woher kommt sie, diese Hypertension des Westens – diese unsere Unfähigkeit, still zu sitzen, so als sei Stillhalten ein Vorspiel zum Tod und nicht zur Seligkeit?

Die Moderne hat unsere Unruhe zweifellos verschärft, hat sie sogar pathologisch werden lassen, aber die Wurzeln dieses Zustands liegen weit zurück in vormoderner Vergangenheit. Niemand wird leugnen, dass es in christlicher Spiritualität einen starken monastischen Zug gibt mit seinen schweigenden Kreuzgängen der Kontemplation, aber Tournier hat etwas Wesentliches erfasst, wenn er auf das lärmende *Drama* der christlichen Erzählung verweist. Wenn das Christentum ein Teil der Geschichte und der Ätiologie der abendländischen Unrast ist – und dieser Ansicht bin ich –, dann ist es das wegen seines »unruhigen Herzens«, wie Augustinus es genannt hat, welches keine Ruhe findet, bis es an einen unmöglichen Ort außerhalb von Raum und Zeit gelangt ist, an dem Gott auf eine Weise, die niemals vollständig geklärt wird, seinen sonst endlosen Sehnsüchten schließlich ein Ende bereitet. Mögen wir im Westen auch noch so post-christlich geworden sein, das unruhige Herz der christlichen Vergangenheit regt sich immer noch in unserem Innern.

Unsere spirituelle Rastlosigkeit markiert eine der großen Klüfte nicht nur zwischen östlicher und westlicher Philosophie, wie Tournier behauptet, sondern auch zwischen dem Christentum und dem Islam. Das soll nicht heißen, dass der Islam und der Buddhismus beispielsweise auf der einen Seite der Kluft stehen und das Christentum auf der anderen. Die Kluft zwischen den erstgenannten beiden Religionen ist zweifellos ebenso bedeutend wie die zwischen dem Islam und dem Christentum, aber in diesem Kapitel geht meine Absicht dahin, mich ausschließlich auf letztere zu konzentrieren, und das möchte ich aus einer ganz spezifischen Perspektive tun: von der Art und Weise her, in der die beiden Religionen das Paradies sehen. Indem man diese jeweiligen Sichtweisen miteinander vergleicht und kontrastiert, kann man, glaube ich, die wahre Tiefe und das Ausmaß der Kluft offenlegen, die diese beiden Traditionen voneinander trennt. Auch wenn man natürlich die Elemente hervorheben könnte, die der Islam und das Christentum miteinander teilen, sind es hier die Unterschiede, die mich am meisten interessieren.

Für jemanden, der mit den hebräischen und christlichen Schriften vertraut ist, gibt es im Koran gewiss vieles Bekannte, aber ein auffälliger Aspekt dieses Werkes, der es von seinen

Vorläufern unterscheidet, sind die in ihm enthaltenen überaus zahlreichen Verweise auf das Leben nach dem Tode und ebenso seine plastischen Schilderungen der Freuden und Belohnungen, welche die Gerechten im Paradies zu erwarten haben. Erstaunlicherweise gibt es in der hebräischen Bibel keine direkten Erwähnungen des Paradieses. Im Neuen Testament – und dies gilt ungeachtet der zwanghaften Beschäftigung mit dem Leben nach dem Tode in christlicher Theologie, Dichtung und Ikonographie – finden sich nur außerordentlich wenige, meist fragmentarische Verweise auf das Paradies. Dort, wo die hebräische Bibel über das Thema weitgehend schweigt und die christliche Bibel unbestimmt und wortkarg bleibt, schreckt der Koran nicht davor zurück, immer wieder sowohl die Qualen der Hölle als auch die Freuden des Paradieses plastisch zu schildern.

Ein weiterer bedeutsamer Unterschied zwischen dem Islam und dem Christentum liegt darin, dass der Islam das Paradies kühn mit dem Garten Eden gleichsetzt. Ja, im Islam sind die beiden Pole des Lebens nach dem Tode die Hölle und das irdische Paradies. Im christlichen Leben nach dem Tode hingegen ist Eden eine Art Zwischenstation zwischen Hölle und Himmel, insofern die christliche Wohnstatt der Seligen kein irdisches, sondern ein himmlisches Paradies ist. Bei dieser Unterscheidung steht viel auf dem Spiel, nicht nur theologisch, sondern auch kulturell, und auf den folgenden Seiten werde ich zu zeigen versuchen, dass eine Religion, die auf ein himmlisches Paradies verweist, in ihrer Seele weitaus rastloser ist als eine, die sich Eden als endgültigen Wohnort der Seligen vorstellt.

Wenn der Islam tatsächlich eine »Friedensreligion« ist, wie seine Verfechter immer wieder betonen, dann nicht so sehr deshalb, weil er den Krieg ablehnt (die Geschichte der islamischen Welt straft jede derartige Behauptung Lügen, wie es die

Geschichte der Christenheit in gleicher Weise tut), sondern weil sein Paradies eine Stätte der Ruhe ist, wo sich die Gottesfürchtigen »an einem sicheren Standort, in Gärten und an Quellen« befinden (44,51f.). In dieses bereits existierende Eden der Heiterkeit, der Fülle und der Harmonie mit der kosmischen Ordnung werden die Gläubigen nach dem Tode gelangen: sie haben »die letzte Behausung zu erwarten, die Gärten von Eden, in die sie eingehen werden, sie und diejenigen von ihren Vätern, ihren Gattinnen und ihrer Nachkommenschaft, die fromm waren, während (gleichzeitig) die Engel durch alle Tore zu ihnen hereinkommen (mit den Worten): ›Heil sei über euch! (Dies ist euer Lohn) dafür, dass ihr geduldig waret.‹ Welch treffliche letzte Behausung!« (13,22–24). Für uns im Westen ist es schwer zu verstehen, wie die Religion, in deren Namen heutzutage soviel Gewalt entfesselt wird, den Frieden als ihr höchstes Ideal haben kann. Eine noch größere Herausforderung ist es zu ergründen, wie *die Forderung nach Friedlichkeit* im Islam hinter den großen Umwälzungen stehen könnte. Eine der bedeutenden Herausforderungen, vor denen wir in dieser Hinsicht stehen, ist die Tatsache, dass wir im Westen von Begierden getrieben werden, die ganz andere sind als der Wunsch nach Frieden. Diese Schwierigkeit wird noch durch unsere naive Annahme verschärft, dass die Wünsche, die uns antreiben, von allen Menschen geteilt werden, obgleich sie doch in Wirklichkeit ihrem Wesen nach alles andere als universell sind. Eines Tages werden wir hoffentlich diese Beschränkung überwinden und uns darüber klarwerden, dass nicht so sehr unsere modernen westlichen Werte (Freiheit, Demokratie, Geschlechtergleichheit und dergleichen) wie vielmehr die ungehemmte Hektik des Westens – unser erbarmungsloses Verlangen nach Aktion, nach Wandel, Innovation, Intervention und einem systematischen Überschreiten von Grenzen – das sind, was in den Augen der Extremisten den innersten Kern des Islam vor den Kopf stößt. Dort, wo das Paradies als ein Garten vollkommener Ruhe vorgestellt wird, nimmt unsere unheilbare westliche Hektik eine diabolische Qualität an.

Eines der Probleme, mit denen ein nicht-muslimischer Leser des Koran (ich erhebe nicht den Anspruch, für die Anhänger des Islam zu sprechen) konfrontiert wird, ist die Frage, wie man seine wunderbar sinnlichen Schilderungen Edens interpretieren soll. An der ersten Stelle, an der in diesem Buch das irdische Paradies evoziert wird, sieht es so aus, als sei Eden in der Tat ein Ort innerer Anmut und spirituellen Friedens: »Denen, die (Gott) fürchten, werden (dereinst) bei ihrem Herrn Gärten zuteil, in deren Niederungen Bäche fließen und in denen sie (ewig) weilen werden, dazu gereinigte Gattinnen und Wohlgefallen Gottes« (3,15). Doch in der übergroßen Mehrzahl der nachfolgenden Passagen über das irdische Paradies ist es schwierig, wenn nicht unmöglich, die Sprache von Früchten, Quellen, Jungfrauen und Seide als lediglich symbolisch oder bildlich zu deuten, und sei es auch nur deshalb, weil die endlose Wiederholung derselben Motive ein starkes Schwergewicht auf das Denotat in buchstäblichem Verständnis als die wahre Substanz des Geschenks Gottes an die Gläubigen legt. Hier einige Beispiele:

> Die Gottesfürchtigen befinden sich an einem sicheren Standort, in Gärten und an Quellen, in Sundus- und Khabraq-Brokat gekleidet (auf Ruhebetten) einander gegenüber(liegend). So (ist das). Und wir geben ihnen großäugige Huris als Gattinnen, und sie verlangen darin in Sicherheit (und Frieden) nach allerlei Früchten. Sie erleiden darin nicht den Tod, abgesehen vom ersten Tod. (44,51–56)
>
> Auf golddurchwirkten Ruhebetten liegen sie einander gegenüber, während ewig junge Knaben unter ihnen die Runde machen, mit Humpen und Kannen und einem Becher (voll)

von Quellwasser, (mit einem Getränk,) von dem sie weder Kopfweh bekommen noch betrunken werden, und (mit allerlei) Früchten, was immer sie wünschen, und Fleisch von Geflügel, wonach sie Lust haben. Und großäugige Huris (haben sie zu ihrer Verfügung), (in ihrer Schönheit) wohlverwahrten Perlen zu vergleichen. Dies zum Lohn für das, was sie (in ihrem Erdenleben) getan haben. Sie hören darin kein Gerede und keine Versündigung, sondern nur das Grußwort »Heil! Heil!«. (56,15–26)

Die haben (dereinst) einen bestimmten Unterhalt (zu erwarten), (köstliche) Früchte, und sie werden ehrenvoll aufgenommen in den Gärten der Wonne (und sind) auf Ruhebetten (gelagert), einander gegenüber, während man mit einem Becher (voll) von Quellwasser unter ihnen die Runde macht, einem weißen, aus dem zu trinken ein Genuss ist, bei dem es keinen Schwindel gibt und vom dem sie nicht betrunken werden. Und sie haben großäugige (Huris) bei sich, die Augen (sittsam) niedergeschlagen, (unberührt) als ob sie wohlverwahrte Eier wären. (37,41–49)

Die Gottesfürchtigen haben (großes) Glück zu erwarten, Gärten und Weinstöcke, gleichaltrige (Huris) mit schwellenden Brüsten und einen Becher (mit Wein, bis an den Rand) gefüllt. (78,31–34)

Da bewahrte Gott sie vor dem Unheil jenes Tages und bot ihnen Glückseligkeit und Freude dar. Und er vergalt ihnen dafür, dass sie geduldig waren, mit einem Garten und (Kleidern aus) Seide. Sie liegen nun darin (behaglich) auf Ruhebetten und erleben darin weder Sonne(nhitze) noch (schneidende) Kälte. Die Schatten des Gartens reichen tief auf sie herab, und seine Früchte sind ganz leicht zu greifen.

(76,11–14)

Selbst in der Übersetzung vermitteln diese Passagen, die verschiedenen Abschnitten des Koran entnommen sind, den beschwörenden Effekt der Paradiesschilderungen des Werkes. Immer wieder evoziert das Buch in Versen voller Wiederholungen, deren ausgesuchte Musikalität dem Leser sozusagen einen Vorgeschmack auf die sinnlichen Zauber Edens gibt, die Belohnungen, welche die Gläubigen erwarten. Die Wirkung ist faszinierend. Wir in den regenreichen modernen westlichen Ländern wissen möglicherweise die Bedeutung von Quellen an einem wasserlosen Ort, die Bedeutung von Grün in einer Wüste, die Bedeutung reicher Kleidung und physischen Komforts unter der intensiven Sonnenstrahlung des Mittleren Ostens nicht genügend zu schätzen. Und gewiss scheint dieses Paradies für Männer und nicht für Frauen gemacht zu sein: es handelt sich dabei anscheinend um eine ganz bestimmte Männerphantasie von befriedigten Gelüsten, in der die Huris in dieselbe ontologische Kategorie gehören wie Früchte und Eier. Der Westler, der wenig über den Islam weiß, neigt sogleich dazu, sich die Frage zu stellen, wohin die muslimischen Frauen nach dem Tode gehen – was für Belohnungen warten auf *sie?* Eine unfruchtbare Spekulation, zweifellos, aber eine, der man sich gleichwohl nicht entziehen kann. Der Koran fordert den Gläubigen auf, der unendlichen Weisheit Gottes zu vertrauen, selbst wenn – oder besonders wenn – sie gewisse Fragen unbeantwortet lässt.

Mit Sicherheit bestätigen Passagen wie die oben angeführten die *irdische* Qualität des islamischen Paradieses. Der Garten ist ein Ort, an dem keine materielle oder sinnliche Freude versagt wird. Früchte, weiche Ruhebetten, dunkeläugige Jungfrauen und sprudelnde Quellen stehen bereit, sie sind auf der Stelle verfügbar zu endlosem Gebrauch. Kurz, der Islam handelt nicht von der Verleugnung, der Unterdrückung oder Sublimation des Begehrens, wie manche Leute glauben; er handelt ganz und gar vom Aufschub des Vergnügens in das Leben nach dem Tode. Das irdische Leben fordert nicht so sehr Selbstüberwindung oder die Kämpfe moralischer Besserung; es fordert vielmehr Geduld. Eden ist der Ort, an dem an die Stelle des zeitweiligen Mangels die Befriedigung treten wird, an dem es nicht mehr warten heißt, sondern haben, an dem der Garten die Wüste ablöst. Wenn der Tod für so viele potentielle islamische Dschihadisten eine willkommene Aussicht ist, so deshalb, weil er das Ende des Aufschubs und den Anfang des Genusses markiert. Das glauben sie jedenfalls.

Die oben zitierten Verse legen nahe, wenn sie es nicht gar bestätigen, dass das islamische Paradies ein Ort ist, an dem sich Genuss und Ruhe gegenseitig verstärken, anstatt einander entgegenzuwirken. Ein passendes Bild für dieses Zusammenwirken von Genuss und Ruhe ist der edenische Baum, dessen Früchte in Büscheln über den Seligen hängen, die in seinem Schatten ruhen. Im Westen hingegen steht ein wahres *gaudium* in fast antithetischem Gegensatz zu jeglichem statischen Zustand der Ruhe, wie wir gleich sehen werden.

Ich habe die Frage aufgeworfen, ob die Sprache, in der der Koran seine Vision des Lebens nach dem Tode artikuliert, buchstäblich zu verstehen ist oder auf eine andere, eher bildliche oder spirituelle Weise. Die Kommentare, die ich bis hierhin abgegeben habe – sie sind die eines laienhaften Lesers –, bevorzugen eine literalistische Interpretation der Redeweisen des Textes (Früchte, Flüsse, Jungfrauen, Ruhebetten etc.). Ich neige zu diesem buchstäblichen Verständnis nicht, weil ich eine bildliche Deutung im Sinne des Sufismus ausschließen möchte, sondern weil ich glaube, dass der Koran seine Leser ausdrücklich davor warnt, an der Wahrhaftigkeit seines Buchstabens zu zweifeln. Anders als der unergründliche und häufig unzuverlässige Gott sowohl der hebräischen als auch der christlichen Schriften ist der Gott des Koran absolut vertrauenswürdig. Er spielt mit seinen Dienern keine Spiele. Er verheißt nicht das eine und liefert etwas anderes. Er bleibt nicht in den entscheidendsten Augenblicken (Jesus am Kreuz beispielsweise) schweigend oder abwesend. Er ist ein klarer und fairer Gott, der keine Launen kennt. Das gilt insbesondere, wenn es um die Verheißungen geht, die er den Gläubigen über die Belohnungen macht, welche sie im Paradies erwarten können. So zumindest interpretiere ich die beharrliche Wiederholung der Phrase »Welche von den Wohltaten eures Herrn wollt ihr denn leugnen?« in der folgenden Passage:

Denen aber, die den Stand ihres Herrn fürchten, werden (dereinst) Gärten zuteil. Welche von den Wohltaten eures Herrn wollt ihr denn leugnen? (Gärten) mit (Schatten spendenden) Zweigen. Welche von den Wohltaten eures Herrn wollt ihr denn leugnen? (Gärten) in denen Quellen fließen. Welche von den Wohltaten eures Herrn wollt ihr denn leugnen? (Gärten) in denen es von jeder Frucht ein Paar gibt. Welche von den Wohltaten eures Herrn wollt ihr denn leugnen? Sie [die Frommen] liegen (darin behaglich) auf Betten, die mit Brokat gefüttert sind, und die Früchte der Gärten hängen tief (so dass man sie leicht pflücken kann). Welche von den Wohltaten eures Herrn wollt ihr denn leugnen? Darin befinden sich (auch), die Augen niedergeschlagen, weibliche Wesen, die vor ihnen weder Mensch noch Dschinn entjungfert hat. Welche von den Wohltaten eures Herrn wollt ihr denn leugnen? Sie sind (so strahlend schön), wie wenn sie (aus) Hyazinth und Korallen wären. Welche von den Wohltaten eures Herrn wollt ihr denn leugnen? Sollte die Vergeltung für gutes Handeln (im Diesseits) etwa anderes sein, als dass (dafür im Jenseits) gut (an einem) gehandelt wird? Welche von den Wohltaten eures Herrn wollt ihr denn leugnen? Unterhalb von ihnen [den genannten Gärten] gibt es (noch andere) Gärten. Welche von den Wohltaten eures Herrn wollt ihr denn leugnen? Saftig grüne (Gärten). Welche von den Wohltaten eures Herrn wollt ihr denn leugnen? Darin sind stark sprudelnde Quellen. Welche von den Wohltaten eures Herrn wollt ihr denn leugnen? Darin sind (auch köstliche) Früchte und Palmen und Granatapfelbäume. Welche von den Wohltaten eures Herrn wollt ihr denn leugnen? Darin befinden sich (auch) gute und schöne weibliche Wesen. Welche von den Wohltaten eures Herrn wollt ihr denn leugnen? Huris, in den Zelten abgesperrt. Welche von den Wohltaten eures Herrn wollt ihr denn leugnen? (Weibliche Wesen) die vor ihnen weder Mensch noch Dschinn entjungfert hat. Welche von den Wohltaten eures Herrn wollt ihr denn leugnen? Sie [die Frommen] liegen (darin behaglich) auf grünen Decken und schönen ʿAbqarī-Teppichen. Welche von den Wohltaten eures Herrn wollt ihr denn leugnen?

(55,46–77)

Wer würde bestreiten, dass dies buchstäbliche Versprechungen sind und nicht nur sinnliche Bilder abstrakter, körperloser Segnungen? Würde Gott es wagen, zu den Gläubigen zu sagen, wenn sie das Leben nach dem Tode antreten: »So habe ich es nicht gemeint, das ist überhaupt nicht das, was ich gemeint habe«? Letztlich erscheinen die ganz realen und doch abstrakten Gärten der islamischen Kunst weitaus keuscher in ihrer symbolischen Spiritualität als die imaginäre fleischliche Fülle des irdischen Paradieses, das der Koran schildert (siehe Anhang 4).

Andererseits lässt sich nicht leugnen, dass es in ebendiesen Passagen einen *basso continuo* von Keuschheit, Nüchternheit und spirituellem Frieden gibt. Diejenigen, welche sagen, dass die Belohnungen, die der Koran verspricht, *nur* ein buchstäbliches Denotat haben, sind wahrscheinlich ebensosehr im Unrecht wie diejenigen, die sie rein bildlich auffassen möchten. Diese Verwerfungslinie zwischen dem Sinnlichen und dem Spirituellen, zwischen dem Buchstäblichen und dem Metaphorischen, zwischen dem Zeichen und seinem Denotat verläuft geradewegs durch die Gärten des Paradieses, die der Koran beschreibt. Oder vielleicht ist das überhaupt keine Verwerfungslinie, sondern vielmehr eine Harmonisierung möglicher Widersprüche. Gärten sind schließlich niemals entweder bloß buchstäblich oder bloß bildlich, sondern immer sowohl das eine als auch das andere.

Mit Sicherheit durchzieht dieselbe Ambiguität (zwischen dem Buchstäblichen und dem Bildlichen) den gesamten Begriff des Dschihad, von dem heutzutage so viel die Rede ist. Bedeutet er einen buchstäblichen heiligen Krieg gegen die Feinde des Islam, oder bedeutet er vielmehr den innerlichen moralischen Kampf der Seele zur Gewinnung von Selbstbeherrschung? Vielleicht bezieht jede große Religion ihre Kraft aus der Spannung, die sie zwischen dem buchstäblichen und dem metaphorischen Pol ihrer Verkündung schafft. Wenn uns der Islam einige der schönsten, regelmäßigsten und heitersten Gärten der Welt geschenkt hat, dann verdankt sich das ohne Zweifel der Art und Weise, in der ihre Schöpfer diese Spannung in eine sublime Harmonie überführten – in die Harmonie zwischen spiritueller Abstraktion einerseits und strahlender Sinnlichkeit andererseits oder zwischen der Schönheit der Form und ihrem kontemplativen Inhalt. Eine solche Verschmelzung ist es vielleicht, die diesen Gärten ihren Vorgeschmack auf Dinge verleiht, die da kommen werden oder auch nicht kommen werden, je nachdem (siehe Anhang 4).

Es ist schwierig, die islamische Vision des Paradieses mit der christlichen Vision zu vergleichen, denn wie ich schon sagte, bieten die christlichen Schriften im Gegensatz zum Koran nur spärliche Anspielungen auf das Reich Gottes und noch weniger

Bilder von ihm. Seligkeit im christlichen Plan der Dinge ist ein völlig rätselhafter, ungreifbarer, nahezu unvorstellbarer Zustand, ebenweil der christliche Himmel kein irdisches, sondern ein himmlisches Paradies ist, das sich von seiner Definition her einer Wiedergabe entzieht. Doch selbst wenn man es als ein »himmlisches Paradies« bezeichnet, dann sagt man damit schon zuviel, denn es ist nicht klar, ob das Reich Gottes überhaupt in den himmlischen Sphären angesiedelt ist, es sei denn in Analogie. Es könnte überall rings um uns sein, oder es könnte ganz und gar jenseits des Universums von Raum und Zeit liegen. Es könnte sich im inneren und unsichtbaren Herzen des Menschen befinden oder in seinem wiederauferstandenen Leib. In der Gegenwart des Herrn im Himmel wohnen – wie schildert man etwas, was derart vage ist, anders als mit allgemeinen Verweisen auf strahlende Helligkeit und musikalische Harmonien?

In der christlichen Tradition gibt es nur einen, der es gewagt hat, eine ausführliche Darstellung des christlichen Paradieses in Angriff zu nehmen, und dieser eine war Dante. Dantes *Paradiso* ist das heroischste Werk der Literatur, das je geschrieben worden ist – heroisch deshalb, weil sich der Dichter von Anfang an über die Unmöglichkeit seiner Aufgabe völlig im klaren ist, aber er widmet sich ihr dennoch, ohne je vor den Herausforderungen zurückzuschrecken, die darin bestehen, das nicht Darstellbare darzustellen, das Unsagbare zu sagen, sich das Unvorstellbare vorzustellen. Darum wollen wir unsere Aufmerksamkeit jetzt auf diesen außerordentlichen, aber zutiefst christlichen Lobgesang der *Göttlichen Komödie* richten, um zu ermessen, wieviel bei dem Unterschied zwischen einer Religion, die das Paradies als einen irdischen Garten auffasst, und einer, die es als einen jenseits der Erde gelegenen Himmel ansieht, auf dem Spiel steht.

Wenn man die »Handlung« der *Göttlichen Komödie* betrachtet, dann sollte die Reise, die der Pilger Dantes unternimmt, nach allen Gesetzen der Erzählkunst im Garten Eden auf der Spitze des Läuterungsberges enden. Die Reise beginnt in einem Zustand der Sünde (der dunkle Wald des 1. Gesangs). Der Pilger steigt hinab durch die neun Kreise der Hölle (dabei sieht er die Folgen der Sünde). Er erklimmt dann die sieben Terrassen des Läuterungsberges (dabei begreift er die Ursachen der Sünde, nämlich fehlgeleitete Liebe). Wenn er den Feuerring durchschritten und Eden betreten hat, ist er bereit, seine menschliche Schuld abzulegen und seine ursprüngliche Unschuld wiederzugewinnen. Wie Vergil ihm erklärt, ist sein einstmals fehlbarer Wille (der Sitz der Sünde) nunmehr *libero, dritto e sano* – frei, gerade und gesund. Alles, was durch den Sündenfall verloren war, ist jetzt wiedergewonnen. Ende der Geschichte. Doch wir wissen, dass die Geschichte hier nicht endet. Eden ist kein Ziel, sondern nur ein vorübergehender Halt auf dem Weg zum Paradies. *Qui sarai tu poco tempo silvano* (»Hier wirst du kurze Zeit ein Waldbewohner sein«; *Purgatorio* 32,100), sagt Beatrice in Eden zu Dante. Nachdem er nur wenige Stunden in Eden verbracht hat, steigt Dante mit Beatrice hinan zu den himmlischen Sphären und lässt den Garten hinter sich. Warum?

Weil es so aussieht, als sei Dantes Wille selbst nach seiner völligen Umgestaltung im immerwährenden Frieden des irdischen Paradieses nicht wirklich zu Hause. Es gibt in diesem seinem christlichen Willen einen Wunsch, der unerfüllt bleibt. Das ist ein Wunsch nach Ekstase und nicht nach Heiterkeit; nach Selbstüberschreitung und nicht nach Selbstbeherrschung; nach dem Himmel und nicht nach Eden. So wie Dante sie schildert, ist die Seligkeit kein homöostatischer Zustand der Versöhnung, sondern ein dynamischer, berauschender Prozess des Hinausgehens über sich selbst. Wo der Wille Ekstase verlangt, kann das selbstgenügsame Glück von Eden ihn nicht befriedigen. In Eden stirbt der »neue Wein« am Weinstock. Ja, das Reich des Paradieses in Dantes *Göttlicher Komödie* liegt so weit jenseits des Menschlichen und des Irdischen, es ist so unbeschreiblich in seiner Wonne, dass sich seine Seligkeit nur als Verzückung verstehen lässt. Im 1. Gesang des *Paradiso* erzählt nämlich Dante seinem Leser, dass die Region, die er jetzt betritt, von ganz ekstatischem Charakter ist – das heißt, sie steht außerhalb der Fähigkeit der Dichtung, sie in Wort, Bild oder Begriff darzustellen. Wenn Dante gleichwohl darangeht, »Paradies zu schreiben«, dann tut er dies in einer höchst aufgeladenen Sprache von Inbrunst, Begeisterung, Trunkenheit und selbstüberschreitendem Begehren. Jeder, der das *Paradiso* gelesen hat, kann bezeugen, dass seine Erzählweise völlig präorgasmisch ist und dass es, während die Reise durch die himmlischen Sphären vorangeht, zu einer Intensivierung der Rhetorik der Ekstase kommt.

Der Koran mag von Jungfrauen sprechen, »schön, wie wenn sie aus Hyazinth und Korallen wären«, und »in ihrer Schönheit wohlverwahrten Perlen zu vergleichen« oder »als ob sie wohlverwahrte Eier wären«, aber die *Stimmung* von Eden im Koran ist absolut ruhevoll und frei von dem heftigen Zwang des Begehrens, während die Stimmung in Dantes *Paradiso* von erhöhter sexueller Erregung gekennzeichnet ist. Betrachten wir beispielsweise die erotische Intensität der Bilder und der Sprache in den folgenden Versen – besonders in den Worten, die Beatrice in der letzten Terzine zu ihrem geliebten Pilger spricht. In *Paradiso* 30 blicken die beiden auf einen Schwarm von Engeln, die wie Bienen auf einem Blumenbeet in den großen Lichtstrom eintauchen und aus ihm wieder emporsteigen:

> E vidi lume in forma di riviera
> Fluvido di fulgore, intra due rive
> Dipinte di mirabil primavera.

Di tal fiumana uscian faville vive,
    E d'ogni parte si mettean nei fiori,
    Quasi rubin che oro circoscrive;
Poi, come inebriate dagli odori,
    Riprofondavan sè nel miro gurge;
    E s'una intrava, un'altra n'uscia fuori.
»L'alto disio che mo t'infiamma ed urge,
    D'aver notizia di ciò che tu vei,
    Tanto mi piace più quanto più turge …«
    (*Paradiso* 30,61–72)

Und ich sah Licht in eines Stromes Formen
    Von Feuern fließend, zwischen zwei Gestaden,
    Bemalt mit wunderbaren Frühlingsfarben.
Aus diesem Strome sah ich Funken sprühen,
    Die überall sich auf die Blumen senkten,
    So wie Rubine, eingefasst vom Golde.
Dann sah ich, gleichsam von den Düften trunken,
    Sie wieder in den Wunderstrudel tauchen,
    Und neue kamen, wenn die ersten tauchten.
»Die hohe Sehnsucht, die dich jetzt entzündet,
    Von dem, was du gesehen, zu erfahren,
    Gefällt mir um so mehr, je mehr sie brennend.
    […]«

Keine Übersetzung in eine andere Sprache ist in der Lage, die erektile Glut des Originals zu vermitteln, in dem die visionäre Ekstase angesichts des Lichtstroms in den Verben *urge* und *turge* einen ausgesprochen schwellenden Charakter annimmt. In Dantes Paradies finden *alle* Heiligen (und nicht nur der Pilger) ihre Freude in einem atemlosen Taumel. Ihr Blick ist ständig auf ein immer höheres Prinzip der Transzendenz gerichtet; sie sehnen sich nach künftigen Dingen (nach der Auferstehung des Fleisches beispielsweise oder nach dem Erscheinen Christi mitten unter ihnen). Während Dante Beatrice in die Augen schaut, blicken ihre Augen stets ins Jenseits. In diesem Paradies werden die Heiligen über sich selbst hinausgeschleudert, in Erwartung von etwas Bevorstehendem, aber immer noch Unerreichbarem. Nicht so im irdischen Paradies des Koran, in dem die Gerechten einander gegenüber auf Ruhebetten liegen und in denen Früchte über ihren Köpfen hängen, die darauf warten, gepflückt zu werden. Wenn das Paradies des Islam ein Ort der Zufriedenheit ist, dann ist dasjenige Dantes ein Ort der verstärkten Erwartung des Begehrens.

Die Verzückung des Danteschen Himmels ist von der stillen Ruhe Edens, wie sie einerseits Dante am Ende von *Purgatorio* 27 schildert oder wie sie der Koran in den oben angeführten Passagen beschreibt, so weit entfernt, wie es nur möglich ist. Die »dramatische Atmosphäre« des *Paradiso* hat anscheinend wirklich Teil an jener »Geringschätzung, mit der das Abendland solche Werte abtat, die sich nicht von der Tat, der Energie, der pathetischen Spannung ableiten«, um noch einmal an die Worte Tourniers zu erinnern, die ich zu Beginn dieses Kapitels zitiert habe. Es ist gar keine Frage, dass die Atmosphäre des *Paradiso* durch und durch dramatisch ist. Die Erfahrung des Pilgers in den himmlischen Sphären besteht aus einer fortgesetzten Reihe von Exzessen, Ausfällen, sinnlichen Überforderungen und orgasmischen Entladungen, und das alles gipfelt in der großen Explosion des letzten Gesangs mit der unmittelbaren Schau Gottes. Die »Tore der Wahrnehmung« des Pilgers werden fortwährend gereinigt, mit jeder neuen Planetensphäre tun sie sich weiter auf, bis sie vom Unendlichen ganz und gar aufgesprengt werden. Währenddessen ringt der Dichter, dessen Aufgabe es ist, diese ekstatische Erfahrung zu schildern, immer weiter mit unüberwindlichen Hindernissen. Von Anfang bis Ende taumelt das *Paradiso* am Rande der Katastrophe. Je höher die Dichtung greift, desto näher rückt die Möglichkeit des Scheiterns – des Scheiterns einer Beschreibung des Unbeschreiblichen. Dieses außerordentlich hohe Risiko des Scheiterns verleiht dem Lobgesang eine nahezu unerträgliche Spannung und Dramatik von der Art, wie wir sie nun einmal von unseren größten Dichtern erwarten. Etwas Geringeres würde uns nicht zufriedenstellen.

Ich will nicht behaupten, dass sich der Antagonismus zwischen dem islamischen Extremismus und der westlichen Moderne darauf zurückführen lässt, dass im christlichen Imaginären Eden irgendwo zwischen dem Tumult der Geschichte und der Verzückung des Himmels liegt, während im Islam das Paradies als Eden aufgefasst *wird*. Man könnte jedoch sagen, dass Dantes Unzufriedenheit mit Eden zumindest etwas Symptomatisches hat, genau wie bei einem Fernsehprediger die Trunkenheit vom Reich Gottes am Sonntagmorgen etwas Symptomatisches hat. Sie lässt die Existenz eines Verlangens in der westlichen Seele zutage treten, das sich nicht durch das Ideal der Heiterkeit oder die in sich ruhende Zufriedenheit Edens stillen lässt.

Im Westen neigen wir dazu, von »islamischem Extremismus« zu sprechen, so als sei der Westen der Maßstab der Mäßigung. Das Paradoxe ist jedoch, dass sich die islamischen Extremisten nach einem Garten sehnen, in dem alles Mäßigung und Zurückhaltung ist, während wir im modernen Abendland von dem Bedürfnis getrieben werden, ständig zu handeln, zu streiten, zu erreichen, zu überwinden, zu verwandeln und zu revolutionieren – mit anderen Worten, wir werden von Zwängen getrieben, die alle möglichen extremen Formen annehmen. Was die Philosophie traditionell über das Glück als das Ziel alles menschlichen Handelns und Strebens behauptet hat, ist bestenfalls bloß eine Halbwahrheit. Wir im Westen mögen uns nach Glück sehnen, solange es sich uns entzieht, aber irgendwo

tief in unserem Innern erfüllt uns die Aussicht auf das Glück –
ebenso wie die auf Eden – mit Furcht. Diese spirituelle Rastlosigkeit ist die Quelle vieler Vorzüge wie auch vieler Nachteile,
und das Mindeste, was man von dem modernen Zeitalter sagen
kann, das die mittelalterliche Weltordnung Dantes weggefegt
hat, ohne auf ihr unruhiges Herz zu verzichten, ist, dass es unsere spirituelle Rastlosigkeit in ihrem Wesen viel heftiger –
und viel zerstörerischer – gemacht hat, wie wir im folgenden
sehen werden.

14

Menschen, nicht Verheerer

In Dantes *Paradiso* und ganz allgemein in seiner mittelalterlichen christlichen Welt hatte die Ekstase immer noch eine Form, einen festen Mittelpunkt, um den sich die verstärkten Regungen der Liebe bewegten. Heutzutage gibt es keinen derartigen »ruhenden Punkt der kreisenden Welt«, nur ein endloses Gewimmel hektischer Antriebe. Ja, in der heutigen Zeit kreist die Welt nicht mehr, sondern sie zappelt, sie taumelt, sie torkelt und wogt. Die Zeiten sind in der Tat schwindelerregend, und der einzige Weg, auf dem wir je einen ruhenden Punkt finden würden, wäre der, dass wir mitten in ihr einen schüfen oder besser noch pflanzten.

Im vorangegangenen Kapitel habe ich behauptet, man könne Dantes atemlose Reise im *Paradiso* als sinnbildlich für die christliche Vorgeschichte der modernen westlichen Rastlosigkeit auffassen. Hier gedenke ich nun einen etwas direkteren, sagen wir diagnostischeren Blick auf diesen modernen Geisteszustand zu werfen und daran mehr das Pathologische als die nach Freiheit strebenden Energien hervorzuheben. Gewiss könnte man sagen, dass unsere angeborene westliche Rastlosigkeit sowohl die Folge als auch die Ursache des Verlusts jener Grundstrukturen ist, die einstmals den Gang des menschlichen Handelns zu lenken und zu regeln pflegten. Der Kapitalismus beispielsweise ist die stärkste Kraft sozialer, politischer, ökonomischer und kultureller Destabilisierung gewesen, welche die

Welt je gesehen hat, besonders in seinem jüngsten Drang, die internationale Wirtschaft zu globalisieren und dabei zu deregulieren. Im *Manifest der Kommunistischen Partei* sprachen Marx und Engels vorahnungsvoll davon, wie der Kapitalismus kraft seiner Eigendynamik zwangsläufig »[d]ie fortwährende Umwälzung der Produktion, die ununterbrochene Erschütterung aller gesellschaftlichen Zustände, die ewige Unsicherheit und Bewegung« beförderte (Marx, Engels, *Werke*, Bd. 4, S. 465). Es gibt kaum irgendwo auf der Welt eine Gesellschaft, die nicht durch den von Marx und Engels beschriebenen Prozess erschüttert worden wäre – durch einen Prozess, der erst richtig in Gang kam, *nachdem* sie das *Manifest* geschrieben hatten –, und es ist gar nicht abzusehen, was für weitere katastrophale Umbrüche er für die Menschheit noch bereithalten mag. Auch wenn jedoch der Kapitalismus eine nachweisliche Ursache von Umwälzung und Unbehaustheit in der Welt ist, lässt er sich auch als die profane Folge oder die sozioökonomische Entsprechung der spirituellen Rastlosigkeit des Westens verstehen. Zumindest könnte man sagen, dass der Kapitalismus eine ganz neue Bühne eröffnete, auf der diese Rastlosigkeit ihre Neurose »ausagieren« konnte, anstatt sie »aufzuarbeiten«.

Als bestimmende geistige Verfassung unserer späten und vielleicht sogar in ihrem Endzustand angelangten Moderne könnte man besagte Rastlosigkeit als einen Wirbelwind charakterisieren, in dem diejenigen von uns, die von seiner Turbulenz mitgerissen werden, getrieben werden und zugleich ziellos sind. Das ist allerdings ein paradoxer Zustand. Sowohl getrieben zu werden als auch ziellos zu sein bedeutet, dass die Antriebe, die uns in Bewegung setzen, kurzfristige Zwecke haben können, aber kein letztliches Ziel, sofern man nicht die Verewigung zielloser Bewegung selbst als ein Ziel auffassen kann. Im folgenden werde ich den Versuch unternehmen, diesem Zustand so klar wie möglich auf den Grund zu gehen und dabei zu einem umfassenderen Verständnis für den geistigen Nihilismus des modernen Zeitalters zu gelangen. Im zweiten Teil dieses Kapitels werde ich auch meine Einschätzung des kulturellen Phänomens vorlegen, das unter dem Namen *Modernismus* segelt, welches ich überwiegend nicht als Gegenmittel gegen den fraglichen Zustand, sondern als sein Symptom ansehe.

Der Leser, der in diesem Buch bis hierher vorgedrungen ist, wird bemerkt haben, dass ich im allgemeinen dazu neige, lieber Offenbarungen als Beweise, lieber verkörperte Gestalten als analytische Begriffe und lieber die Einsicht von Dichtern als die Ausführungen von Philosophen zu verwenden. Deshalb ist dies ein Buch über Gärten und nicht ein Buch über die Ethik der Sorge. Und aus ebendiesem Grund bin ich im Hinblick auf das vorliegende Kapitel auch der Ansicht, dass man zuerst einmal nach einem Sinnbild oder einer Offenbarungsfigur für die ziellose Getriebenheit unseres Zeitalters suchen muss. Es trifft sich nun, dass ich ein solches Sinnbild an einem Ort finde, den manche Leute für unwahrscheinlich halten könnten: in den staubigen Archiven einer mittlerweile veralteten – oder scheinbar veralteten – Literatur. Ein gewisses Epos, das ein halbes Jahrtausend alt ist, »kennt« ungeachtet seines Alters die umherwandernden Leidenschaften des modernen Zeitalters so genau und so gründlich wie nur irgendein Zeugnis, das nach ihm kam. Ich meine Ludovico Ariostos *Rasenden Roland*, ein Werk, das in den ersten Jahrzehnten des 16. Jahrhunderts verfasst wurde und das auch heute noch seine nahezu magischen Fähigkeiten der Einsicht bewahrt, wenn es um die Verhaltensstörung unserer Zeit geht, wie ich sie nennen möchte, sowie um die verdeckten Leidenschaften, die einen großen Teil dieser Störung hervorrufen.

In moderner Zeit gibt es nur sehr wenige Epen, und *Der rasende Roland* ist eines von ihnen. Vorgeblich blickt das Buch zwar zurück auf ein verflossenes Zeitalter von Rittertum und christlichem Heroismus, aber es blickt auch nach vorn auf die großen Umwälzungen, die sich mit der Moderne verbinden (die Erfindung des Schießpulvers, die Geopolitik des modernen Staates, der Triumph der Relativität und der Verlust der Gewissheit, um nur einige zu nennen). Mit Sicherheit sind die Ritter Ariosts, ob Christen oder Sarazenen, bei weitem moderner im Geist als der Pilger Dantes. Während letzterer die Seligkeit des Himmels in einem vertikalen Aufstieg durch die Himmelssphären sucht, streifen erstere horizontal über die Erde auf der Suche nach Aktion und Zerstreuung. In der Welt des *Rasenden Roland* ist das Begehren ein Bewegungsprinzip genau wie in Dantes *Komödie*, aber hier fügt sich das Begehren in keinen Gesamtplan, und es hat kein Endziel. Es begehrt nur noch mehr von seiner eigenen Dynamik, mehr von seinen eigenen zirkulierenden Energien. Das ist der Grund, weshalb Ariosts in die Horizontale zerstreute Ritter auf eine Weise archetypisch modern sind, wie es der himmelwärts wandelnde Pilger Dantes nicht ist.

In der Geschichte des *Rasenden Roland* geht es vorgeblich um den Krieg Karls des Großen gegen die Sarazenen, aber die Abläufe schweifen ständig von der Haupt»handlung« ab, während die Dichtung den Rittern auf unzähligen Irrwegen und Abwegen folgt, die sich größtenteils beliebig überkreuzen und die allenfalls vorübergehend zueinanderfinden. Es lässt sich schwer feststellen, in welchem Teil des Waldes oder Kontinents sich die Kämpfe abspielen oder wie lange sie dauern, da sich der Schauplatz des Handelns ständig verschiebt, manchmal mittendrin. Es ist eine tumultuöse Welt abschweifender Zwänge, in der die Ritter fortwährend in die Irre gehen, während sie das Abenteuer suchen, sich entziehende erotische Objekte verfolgen und danach streben, es ihren Rivalen gleichzutun. Roland, der gewaltigste Ritter des christlichen Heers, ist so verstört durch seine Liebe zu der Sarazenenprinzessin Angelica, dass er zeitweilig wahnsinnig wird und sich für einen unbestimmten Zeitraum aus dem Krieg zurückzieht. Dieser Wahnsinn ist in Wirklichkeit das wahre Zentrum – oder Antizentrum – der Dichtung als ganzer. Er gleicht einem schwarzen Loch, das alles verschlingt, was in seine Nähe kommt.

Was haben wir 500 Jahre später von diesen wandernden Rittern zu lernen? Und was hat das alles mit Gärten zu tun?

Es gibt im *Rasenden Roland* zwei ganz verschieden geartete Gärten, aber der Forderung nach Handeln, die die Ritter vorantreibt, sind beide in gleicher Weise feindlich. Der erste liegt auf der Insel Alcinas und ist ganz typisch für die verzauberten Gärten, welche die Phantasie des Mittelalters und der Renaissance so sehr fesselten. Das sind Phantasiegärten, in denen der Held (gewöhnlich ein Ritter) den betörenden Reizen der dort wohnenden Zauberin erliegt und in ihrer magischen Gartenwelt gefangen wird: »Und auf der Jüngling' und der Mädchen Kreise / Lacht hier des ew'gen Frühlings Überschwang. / Hier tönt am Rand des Baches, sanft und leise, / Ein süßes Lied, ein lieblicher Gesang; / Dort spielt man, tanzt, ist froh auf alle Weise / Im Schatten eines Baums, am Felsenhang. / Und fern der Meng entdeckt der Liebe Schmerzen / Ein Jüngling dort des Freundes treuem Herzen« (Ariost, *Der rasende Roland*, Bd. 1, S. 133).

Wie in anderen verzauberten Gärten sind auch auf der Insel Alcinas die Dinge nicht das, was sie zu sein scheinen. Alles ist Blendwerk und appelliert an das angeborene Verlangen nach Illusionen, das in uns allen lauert. Die Juwelen sind keine richtigen Juwelen, die Pflanzen sind keine richtigen Pflanzen, und die schöne Alcina selbst, die für die Ritter, welche sie in ihren Garten lockt, so unwiderstehlich ist, erkennt Rüdiger (der männliche Hauptheld des Epos) schließlich als das, was sie wirklich ist: ein hässliches und abscheuliches altes Weib.

Der Garten Alcinas ist weder durch menschliche Arbeit geschaffen, noch wird er durch sie gepflegt. Er ist durch Magie entstanden, und deshalb ist er letztlich unfruchtbar. Ja, der Garten besteht aus Alcinas ehemaligen, nunmehr enttäuschten Liebhabern, die sie in die Fauna und die Flora des Ortes verwandelt hat. Er ist auch noch in einem anderen Sinne unfruchtbar, denn während er den männlichen Helden bestrickt und lähmt, entfernt er ihn vom Schauplatz der Handlung, auf dessen Bühne er vermutlich seinen produktiven Lebenszweck findet. Die klassischen Vorbilder für die entkräftenden und sogar entmenschlichenden Fähigkeiten des verzauberten Gartens sind die Insel der Kirke in Homers *Odyssee*, auf der die Männer des Odysseus in Schweine verwandelt werden, und die Stadt Karthago in Vergils *Aeneis*, in der Aeneas, von den Schmeicheleien der Königin und einem Leben des Müßiggangs verführt, von seiner Mission abgebracht wird, die künftige Stadt Rom zu gründen. Die männlichen Helden, die auf diese Weise durch eine weibliche Kraft festgehalten worden sind, bedürfen der Rettung, denn die Geschichte muss ihren Fortgang nehmen, Städte müssen gegründet und Feinde bekämpft werden, kurz, der zweckgerichtete Antrieb des Helden muss die Lähmung durch den Zauber des Gartens überwinden. Wenn die Wirklichkeit auf diejenigen, welche allzu direkt und angespannt auf ihre Schrecken blicken, einen Meduseneffekt ausüben kann, dann kann der verzauberte Garten sozusagen einen Kirke-Effekt auf diejenigen ausüben, die seinem phantastischen Zauber erliegen, und sie allen Kontakt zur Wirklichkeit verlieren lassen.

Zwischen traditionellen Helden wie Odysseus oder Aeneas und den Rittern Ariosts besteht jedoch ein feiner, aber entscheidender Unterschied. Letztere sind in ihrem Charakter, wie ich bemerkte, ausgesprochen modern, und das bedeutet, dass ihre Wanderungen nicht von einem höheren persönlichen oder historischen Ziel geleitet werden. Man kann noch nicht einmal sagen, dass ihre Handlungen fehlgeleitet seien, denn das würde bedeuten, dass für diese Handlungen eine richtige Richtung oder Orientierung existiert, während in der Welt des *Rasenden Roland* die Akteure im Grunde ziel- und fruchtlos agieren, weil ihr Handeln eben kein Endziel hat, sondern von seinem Bedürfnis nach immer neuen Herausforderungen und Taten gespeist wird. In Bewegung zu bleiben (wo immer diese Bewegung hinführen mag) wird selbst zu einem Ziel. Das heißt nicht, dass nicht Schlachten geschlagen werden, dass nicht Heldenmut bewiesen wird, dass keine Siege errungen werden. Es heißt, dass es für die Aneinanderreihung von Episoden in der Dichtung kein feststehendes Zentrum gibt, keinen erkennbaren Fortschritt hin zu einem erlösenden Ziel und daher keinen größeren tieferen Sinn für all die abschweifende Bewegung, die den *Rasenden Roland* zu einem solchen Lesevergnügen macht. Das Verlangen der Ritter nach Aktion ist im Grunde ein Verlangen nach Zerstreuung, nach dem, was Blaise Pascal *divertissement* genannt hat, ohne welches der moderne Mann (Pascal zufolge) rasch der Melancholie anheimfällt. Dieses Verlangen nach Ablenkung erwächst aus der Zwecklosigkeit ihrer Seinsweise – aus der Zwecklosigkeit einer Existenz als Ritter in einer nachritterlichen Welt, als Männer des Handelns in einem Zeitalter, in dem das Handeln seinen normativen oder tieferen Sinn verloren hat.

Dies ist der Grund, weshalb der Garten Alcinas mehr ist als eine bloße Falle, welche die Helden der Dichtung vorübergehend ihrer Bewegungsfreiheit beraubt. Andererseits ist Rolands Wahnsinn nicht einfach eine kurzfristige Blockierung der militärischen Mission des Helden, sondern eine Offenbarung des neurotischen Zustands seiner Zeit. Wenn der wahre Reiz des Krieges für die Protagonisten Ariosts darin liegt, dass er ihnen endlose Gelegenheiten zu Abenteuern und Eskapaden bietet, dann ist der verzauberte Garten Alcinas der Ort, an dem ihre motivierenden Leidenschaften in den echtesten Farben erblühen. Alcina ist die Eskapade aller Eskapaden. Ihr Garten bleibt eine Quelle unwiderstehlicher Faszination. Während er die Ritter in seinen Strudel der Illusion lockt, enthüllt er ihr heimliches Verlangen nach Ablenkung, nach Täuschung und Entäußerung, selbst um den Preis des Verlusts ihrer Menschlichkeit und der Verwandlung in Pflanzen. Die Insel Alcinas ist die ozeanische Phantasie des Zeitalters: ein Ort, an dem sich das Verlangen nach Unwirklichkeit durch Selbsttäuschung in die Wirklichkeit übersetzt. Nicht zufällig sind über die Jahrhunderte hinweg die Leser Ariosts wie die Ritter der Dichtung von Alcinas Reich fasziniert gewesen. Tilgt man ihren verzauberten Garten aus dem *Rasenden Roland*, dann entfernt man die Heterotopie, um die ein so großer Teil des Verlangens des Lesers ebenso kreist wie die ziellose Handlung des Epos.

Der andere Garten in Ariosts Epos ist der Insel Alcinas seltsam benachbart, wenn nicht geographisch, so doch zumindest erzählerisch und symbolisch. Als es dem tapferen, aber leicht abgelenkten Rüdiger schließlich gelingt, über Alcina zu triumphieren und die Ritter zu befreien, die in ihrem Garten eingefangen worden sind, kommen letztere nach ihrer Freilassung in das Reich Logistillas. Wenn die Insel Alcinas ein falsches Eden ist, das auf einer Illusion beruht, dann ist der Garten Logistillas sozusagen »das Wahre«. Hier gibt es keine Beschwörungen, keine unechten Juwelen oder Gewächse und keine Täuschung. Das Grün ist »stetig«, der Reiz wird »den Blumen nie entrafft« (Bd. 1, S. 220). Alles ist Frieden, Wohlwollen und Muße, aber erstaunlicherweise hat dieses irdische Paradies für Rüdiger und die anderen befreiten Ritter kaum einen Reiz – nicht weil sie sich nach einem himmlischen Paradies à la Dante sehnen, sondern weil sie einfach nicht wissen, was sie dort mit sich anfangen sollen. Nach ein oder zwei Tagen in dieser verschlafenen Umgebung verlassen die Ritter den Garten Logistillas aus freien Stücken, um sich wieder in einen Krieg zu stürzen, der Risiken, Gefahren, Intrigen und Belohnungen bietet. Und die Dichtung Ariosts verweilt auch nicht sehr lange dort. Das Werk, das »[d]ie Fraun, die Ritter, Waffen, Liebesbande, die Zartheit [...], den verwegnen Mut« besingt (Bd. 1, S. 5), kommt in Logistillas Garten, um zu sterben, denn die Dinge, die das Element der Dichtung bilden, sind der Wirbelwind der Geschichte, die Verlockungen der Illusion, der Antrieb des Verlangens, das unerbittliche Streben nach bewegten Zielen.

Mittlerweile sollte klar sein, dass die geschilderte Rastlosigkeit eine in hohem Maße geschlechtsspezifische Angelegenheit ist. Im *Rasenden Roland* ist der umfriedete Garten die weibliche Domäne par excellence. Die Tatsache, dass er Männer mit Unfruchtbarkeit bedroht, sagt uns alles, was wir zu wissen brauchen, über das Fehlen traditioneller männlicher Ideale, wenn es darum geht, Geschichte mit anderen Mitteln zu machen als mit der Selbstbestätigung durch Wettkampf, Konflikt und Eroberung. Zu den auffälligen Aspekten der Dichtung Ariosts gehört, dass sie verschiedene Frauen auf beiden Seiten des Krieges zwischen Christen und Sarazenen auftreten lässt. Diese Frauen, oft als männliche Ritter verkleidet, zeigen in ihren Konfrontationen mit männlichen Feinden beträchtlichen Heldenmut. Wenn aber die Handlung nahe darankommt, in der Schlacht die eine Frau der anderen entgegenzustellen, dann schreckt die Dichtung davor zurück, ein derartiges Duell zu inszenieren. Das können wir deuten, wie wir wollen. Ich deute es folgendermaßen: dass Ariost uns durch seine Weigerung, Frau gegen Frau zu stellen, daran erinnert, dass Frauen, wenn man ihnen die Chance dazu gäbe, Geschichte anders machen würden als Männer. Oder besser gesagt, sie machen *tatsächlich* Geschichte anders als Männer, auch wenn es die Männer sind, welche die Regeln des Kampfes definiert haben. Dies wird zum

Teil dadurch bestätigt, dass die heroischen Anstrengungen Bradamantes, der Hauptheldin des *Rasenden Roland*, zu dem Ergebnis führen, dass sie heiratet und mit Rüdiger eine Familie gründet.

In seiner klassischen Studie *The Earthly Paradise and the Renaissance Epic* stellt A. Bartlett Giamatti fest, wie bemerkenswert es ist, dass Ariosts Ritter den idyllischen Garten Logistillas unverzüglich und bereitwillig verlassen. Für Giamatti zeigt dies, dass das irdische Paradies, das lange Zeit als das Bild menschlichen Glücks in seinem vollkommenen Zustand gegolten hatte, in der frühmodernen Imagination seinen traditionellen Reiz schon verloren hatte. Im Zuge der vorliegenden Untersuchung habe ich zu zeigen versucht, dass wir eine Abneigung gegen Eden sogar schon bei Eva entdecken können, die einen Ausbruch aus dem Garten in die Wege leitet, oder in Homers *Odyssee*, wo sich Odysseus mitten in Kalypsos irdischem Paradies nach Ithaka sehnt. Als der Pilger Dantes auf der Spitze des Läuterungsberges Eden betritt, heuchelt er Entzücken, aber in Wahrheit hat auch er es eilig, diese heitere und einschläfernde Umgebung zu verlassen (im Fluss Lethe schläft er tatsächlich ein). Kurz, unsere Unzufriedenheit mit Eden reicht tiefer als die moderne Imagination; sie reicht vielleicht so tief wie die menschliche Natur selbst, die ihr Potential nur dort erfüllt, wo die ihr innewohnende Sorge aktiviert und nicht gedämpft wird.

Das Moderne an den Rittern Ariosts ist nicht so sehr ihre Abneigung gegen Eden, sondern vielmehr ihre existentielle Langeweile. Langeweile deutet auf einen gewissen Mangel oder eine Blockade der Sorge. Bei einem Geschöpf, das von Cura geschaffen ist, kann Langeweile die Voraussetzungen für Verzweiflung hervorrufen und eine fortwährende Suche nach Ablenkung, ein ständiges »Abwenden« vom eigenen Ich herbeiführen. Giamatti hat recht, wenn er behauptet, dass die

Traumwelt Alcinas für Ariosts Ritter letztlich weitaus verlockender ist als das irdische Paradies Logistillas, eben weil Alcina sie von ihrer Langeweile ablenkt, während der Garten Logistillas keine derartigen Palliative bereithält. Im letztgenannten Reich können sie weder ihrer Sinnlosigkeit entfliehen noch ein Ventil für ihre Entfremdung finden. Ganz anders verhält es sich mit dem Garten Alcinas. Selbst nachdem die Ritter von seinen Schlingen befreit worden sind, übt dieser Garten auch weiterhin eine Macht über sie aus – sie überwinden nie wirklich die Versuchung, erneut seinem Zauber zu erliegen –, während das Eden Logistillas für sie keinerlei Verlockung bereithält. Gleiches ließe sich von unserer im Endstadium befindlichen Moderne sagen. Wir sind heutzutage so abgrundtief gelangweilt, dass die Heiterkeit Edens unsere Phantasie kaum irgendwie beschäftigt, während Alcinas Illusionsgarten immer surrealer wird und wir alle seine potentiell tödlichen Zauber aufsuchen, ohne auch nur unser Heim zu verlassen.

Ich möchte die Abneigung gegen Eden, die wir in Ariosts Epos so subtil geschildert finden, durchaus nicht beklagen oder verurteilen. Im Gegenteil, die Ritter tun gut daran, sich vom Reich Logistillas zu verabschieden. Obgleich der eine als das falsche Ebenbild des anderen erscheint, sind in Wahrheit sowohl Alcinas Illusionsgarten als auch Logistillas edenischer Garten durch eine Art sterile Stasis gekennzeichnet (im Gegensatz zu der fruchtbaren Stasis von Gärten, die von Menschen kultiviert werden). Beide Gärten sind so etwas wie Fallen, denn in Gärten, in denen die Kultivierung keine Rolle spielt, in denen Sorge unangebracht oder überflüssig ist und wo es nicht erforderlich ist, dass »die Arbeit schön wird«, wie Yeats es formuliert hat, fehlt den Menschen das Thema. Die Frage ist hier nicht, ob die Ritter in Logistillas Reich bleiben sollten – das sollten sie nicht –, sondern was sie mit sich anfangen, wenn sie es verlassen haben.

Der neurotische oder zwanghafte Charakter dieser Ritter zeigt sich darin, dass sie, wenn sie Logistillas Eden verlassen haben, nicht in die Fußstapfen Adams und Evas treten, die sich daranmachen, die Erde zu bestellen und sie in eine sterbliche Heimstatt für sich zu verwandeln; sie kehren einfach zu ihrer früheren Lebensweise zurück, sie suchen den Kriegslärm und die Zerstreuungen des Verlangens auf, und dabei stehen sie unter dem Drang von Leidenschaften, die sie nicht unter Kontrolle haben oder bringen können. Ihr zielloser Zustand führt sie in den meisten Fällen zu destruktivem Verhalten. (Ein Geschöpf der Sorge wird das, wofür es nicht sorgt, eher zerstören, als es in Ruhe zu lassen.) Am dramatischsten wird dieses destruktive Verhalten von dem gewaltigen Roland ausagiert, der in den zentralen Gesängen des Epos den Verstand verliert, nachdem sich seine Liebe zu Angelica in explosive eifersüchtige Wut verwandelt hat. Sein Verlust der Selbstkontrolle führt die angeborene Selbstentäußerung der meisten anderen Ritter nur zum Extrem.

Aus unserer Sicht ist es bedeutsam, dass sich Rolands Verstandesverlust in sinnlosen Zerstörungsakten manifestiert, die sich gegen Dinge richten, welche andere sorgfältig kultiviert haben. Roland läuft nämlich Amok wie eine defekte Kriegsmaschine und verwüstet die Felder der Bauern, die wohlgepflegte ländliche Gegend, die stillen Wälder und Flüsse einer sonst heiteren Landschaft. Ganz besonders gilt seine Wut Gärtnern und Hirten, mit bloßen Händen greift er Schafherden an und benutzt diese Haustiere dazu, die hilflosen Hirten zu misshandeln. Das ist nicht die Art von Held, die man braucht, wenn man ein Mensch ist, der den Acker bestellt, aber Orlando ist genau die Art von Held, die das Zeitalter aussendet, dessen Vorbote er ist.

Rolands Wut, die im Zentrum von Ariosts Dichtung einen nihilistischen Strudel schafft, ist ein Sinnbild für die Zerstörungskräfte, die wir gegen die Erde entfesseln, wenn die Rastlosigkeit einen pathologischen Grad von Bewegung erreicht und wenn es in unseren Begierden eine derartige Störung gibt, dass die Sorge dem Gemetzel weicht. Wiederum ist nicht die ruhelose Disposition per se das Problem. Das unruhige Herz ist es schließlich, das uns aus Eden hinausbefördert und auf den Weg der Selbstverwirklichung geführt hat. Das Problem ist, dass sich Ariosts Ritter, nachdem sie Logistillas Garten verlassen haben, wieder auf den Weg machen und die Erde verwüsten, anstatt sie zu besäen oder zu bestellen. Hierin liegt die essentielle und sogar zeitgenössische Modernität, denn genau dies ist der geistige Zustand des heutigen Zeitalters: getrieben und ziellos stehen wir unter dem Zwang eines unbeherrschten Willens, alles zu zerstören, was auf unserem Weg liegt, obgleich wir keine Ahnung haben, wohin der Weg führt oder was wohl sein Endpunkt ist. Alle Bezirke, *durch* die der Weg führt – unsere Landschaften, unser Erbe, unser Vermächtnis, unsere Institutionen, alles, was die Menschheit über die Zeiten hinweg sorgfältig kultiviert hat, und das heißt in allererster Linie die Erde selbst –, laufen Gefahr, zerstört zu werden, während wir kopfüber in eine Zukunft stürzen, deren Baumeister wir nicht sind, für die wir aber die volle Verantwortung tragen. Was diese Zukunft am dringendsten brauchen wird, wenn die menschliche Kultur nicht nur überleben, sondern auch gedeihen soll, sind die Dinge, zu deren Auslöschung wir am finstersten entschlossen sind, während wir in ihren Abgrund stürzen.

Wenn wir sagen, die Raserei des modernen Zeitalters sei grundsätzlich ziellos, dann heißt das nicht, dass wir uns keine Ziele setzen. Im Gegenteil, es gibt jede Menge Ziele, wenn es um unsere endlose Aktivität geht, genau wie es jede Menge wünschenswerte Gegenstände gibt, wenn es um unsere Habgier geht. Das Setzen von Zielen ist eines der Verfahren, mit denen wir unsere Ziellosigkeit kaschieren. Es geht wieder um

Täuschung wie auch um Selbsttäuschung. Ob in seiner kolonialistischen, seiner kapitalistischen oder kommunistischen Rhetorik, der Westen hat in der modernen Epoche durchgängig ein soziales oder moralisches Gut proklamiert, welches seine Handlungen leitete und seine Bestrebungen definierte. Aus der Kunst, der Literatur und der Geistesgeschichte des 19. und 20. Jahrhunderts wissen wir jedoch, dass das vermeintliche moralische Gute – sei es das des Kolonialismus, des Kapitalismus oder des Kommunismus – meist eine Maske, eine Lüge oder bestenfalls eine Illusion war, hinter denen eine andere Absicht lauerte. Wenn es um das moralische Gute beider Seiten (Christen oder Sarazenen, Kapitalisten oder Kommunisten) geht, dann befinden wir uns erneut in Alcinas Garten der *falsa sembianza*. Moralische Ideale im modernen Zeitalter sind immer noch größtenteils Fiktionen, an die wir zu glauben vorgeben, ob wir uns über unsere Scheingründe im klaren sind oder nicht, und dies gilt für den Angriff auf die Natur, der gegenwärtig im Namen der Beseitigung von Armut und Leid die Erde enterdet und die Welt entweltet. Wir lassen Roland im Gewand Christi los, und mit einer Miene tiefer Sorge um das menschliche Leid verwüstet er das Land.

Die Entlarvung der eigensüchtigen Fiktionen der Gesellschaft ist ebenso wie die Destruktion ihrer falschen Götzen die Hauptaufgabe der Künstler, der Dichter und Philosophen des modernen Zeitalters gewesen. Viele von ihnen, die sich an den Rändern der Gesellschaft angesiedelt haben, sahen es als ihre Berufung an, die böse Absicht des Zeitalters in Frage zu stellen. Wie Rüdiger im *Rasenden Roland* übernahmen sie die Aufgabe, den tödlichen Zauber der Trugbilder Alcinas zu durchbrechen. Insofern diese Künstler und Denker erfolgreich waren, könnten wir sie als Befreier bezeichnen. Können wir sie aber auch Gärtner, Kultivierer des Guten nennen? Mit anderen Worten, haben sie mehr getan, als heimtückische Lügen zu entlarven? Haben sie mehr getan, als bürgerlicher Selbstgefälligkeit Schläge zu versetzen? Haben sie mehr getan, als ihre abweichende Meinung zu Protokoll zu geben oder jedenfalls ihre Zustimmung zu verweigern? Das sind Fragen, auf die man nur unter Berücksichtigung der Umstände des Einzelfalls eingehen kann. Generell möchte ich jedoch sagen, dass ich mich zwar als Erben der Kulturgeschichte der Moderne betrachte, dass ich aber glaube, dass der Modernismus, in Ermangelung eines besseren Ausdrucks, überwiegend eine Geschichte der Bekämpfung und der Brandmarkung der Geschichte gewesen ist und dass es in ihm nicht darum gegangen ist, an geschützten Orten Gegenkräfte zu den zerstörerischen Kräften der Geschichte zu kultivieren.

Der amerikanische Literaturwissenschaftlicher Wallace Fowlie hat einmal gesagt, die moderne Suche nach geistiger Freiheit führe unweigerlich zu »einer[r] gewisse[n] Propagierung zerstörerischer Gewalt«. Er formuliert das so: »Um sein jeweiliges Zentrum zu entdecken, muss der Heilige die Welt des Bösen und der Dichter die Welt des trügerischen Gutes vernichten« (zitiert in Trilling, *Kunst, Wille und Notwendigkeit*, S. 120). Gewiss hat das Zeitalter, das auf Nietzsche folgte, den größten Teil seiner geistigen Energien mit dem Versuch verbracht, das zu zerstören, was es als das trügerische Gut ansah. Seine Protagonisten (seien sie Künstler, Denker oder Revolutionäre) haben das trügerische Gut gewöhnlich mit der bürgerlichen Gesellschaft in ihren politischen, sozialen, ökonomischen und ideologischen Verkleidungen gleichgesetzt. Doch die Identifizierung des Feindes war nicht das ausschlaggebende Element in dieser Geschichte. Entscheidend für den Modernismus war der Angriff, die Attacke und die Gelegenheit, im Namen geistiger Befreiung kulturelle Gewalt zu propagieren. Flaubert hat es in einem seiner Briefe so formuliert: »Effaroucher, épouvanter le bourgeois; épater le bourgeois.

Terrifie le bourgeois par tes extravagances« (»Den Bürger ein-
schüchtern, erschrecken; den Bürger verblüffen. Flöße dem
Bürger Furcht ein durch deine Überspanntheiten«). Oder in einer etwas anderen Tonart Filippo T. Marinetti im *Manifest des
Futurismus:* »Mut, Kühnheit und Auflehnung werden die We-
senselemente unserer Dichtung sein. [...] Wir wollen preisen
die angriffslustige Bewegung, die fiebrige Schlaflosigkeit, den
Laufschritt, den Salto mortale, die Ohrfeige und den Faust-
schlag« (Baumgarth, *Geschichte des Futurismus*, S. 26).

Wir sind berechtigt, an diesem Punkt die Frage zu stellen,
wieviel geistige Freiheit durch den kulturellen Krieg des Modernismus gegen die mutmaßlichen Unterdrücker der Freiheit
wirklich gewonnen wurde. Nicht viel, so scheint es, ungeachtet
der schöpferischen Leistungen seiner erbarmungslosen An-
griffe. Meist waren die Faszination und die Berauschung geistiger Militanz selbst das, worum es bei diesem Krieg wirklich
ging. Berauschung – oder das grenzenlose Verlangen nach
»größerer Lebendigkeit«, wie es Lionel Trilling einmal genannt hat – war allzuoft sowohl das Mittel als auch das Ziel
dieser angeblichen Suche nach geistiger Freiheit, die in der
Mehrzahl der Fälle lediglich eine Lüge war, die dazu diente, die
Propagierung zerstörerischer Gewalt zu rechtfertigen. Ungeachtet all ihrer noblen Bemühungen (und sie waren weitgehend nobel) verlangten die Vertreter des Modernismus eine
immer stärkere Intensivierung des Lebens und nicht, es schöpferisch umzugestalten oder ihm einen heiteren Charakter zu
verleihen, wenn ich mit diesem Wort an die Berufung der Gartenschule Epikurs erinnern darf.

Viele der Kriegerpoeten des Zeitalters würdigten nicht hinreichend, dass die Erlösung der Geschichte nicht die einzige Alternative zur Hölle der Geschichte ist und dass die Zerstörung
falscher Idole nur einen ersten Schritt auf dem Weg zur Rehumanisierung darstellt. Einer der tragischen Aspekte ihres Krie-

ges war, dass sie sich allzu unterschiedslos mit dem Nihilismus einließen, gegen den sie Stellung bezogen. Die Gefahr einer verschärften kulturellen Militanz liegt darin, dass sie an denselben Kräften der Entstellung teilhat oder sie einsetzt, denen sie entgegenzuwirken vorgibt. Bis zu einem gewissen Grade war das unvermeidlich. Unsere zerstörerischen und unsere schöpferischen Kräfte erwachsen schließlich aus derselben Grundquelle. Der Hammer des Vandalen ist derselbe wie der des Bildhauers; und jeder Gärtner weiß, dass zum Kultivieren viel rücksichtsloses Zerstören, Zurechtstutzen und Zurückschneiden gehört. Zerstörung kann befreiend, berauschend, schöpferisch und sogar schön sein; und gewiss ist das Roden des Bodens eine Voraussetzung für das produktive Werk der Landwirtschaft. Doch ein großer Teil dessen, war wir als Modernismus bezeichnen, unternahm in seinem militanten Aktivismus nicht den nächsten Schritt: er verschrieb sich nicht dem Werk des Kultivierens. Kurz, er ignorierte den Aktivismus des Gärtners, wie ich ihn nennen würde – die gewissenhafte, kompensatorische Arbeit, die rettende Kraft der menschlichen Kultur zu hegen und zu pflegen. Infolgedessen fand der Modernismus seine gegenständliche Entsprechung eher in der Wüste als im Garten. (»Die Wüste wächst«, warnte Nietzsche, »weh dem, der Wüsten birgt.«)

In dieser Hinsicht bieten die Fragmente, die Ezra Pounds wilde und stellenweise hysterische *Cantos* zum Abschluss bringen, eines der ehrlichsten Eingeständnisse des Scheiterns des Modernismus:

> M'amour, m'amour
>   was liebe ich und wo
>   bist du geblieben?
> Ich habe meine Mitte verloren
>   da ich antrat gegen die Welt.

Träume prallen aufeinander
und zerschellen
und dass ich mich machte an ein Paradiso terrestre.
(Pound, *Letzte Texte*, S. 45)

Pounds Unvermögen, ein irdisches Paradies zu schaffen (die Geschichte als ganze zu erlösen), war kein persönliches, sondern ein historisches Scheitern. Es erzählt uns mehr über das Zeitalter als über den Künstler. Darum wäre es sinnlos und verfehlt, wollte man sich anmaßen, hier ein Urteil über die kulturelle Militanz des 20. Jahrhunderts zu fällen. Dass der Modernismus im Kampf gegen die Welt seine Mitte verlor, war zweifellos ein »Schicksal«, das sich zumindest bis zu einem gewissen Grade unabhängig von menschlichem Zutun entfaltete.

Doch gerade dort, wo die Geschichte den Charakter von Schicksal annimmt, wird die Rolle des menschlichen Zutuns sowohl gedemütigt als auch befreit. Wir fordern von Künstlern, von Denkern und Visionären nicht, dass sie die Wüste in ein irdisches Paradies verwandeln oder dass sie gegen das Unvermeidliche anrennen. In solchen Zeiten reichte es, wenn man sich der Aufgabe widmet, inmitten der Wüste Gärten zu schaffen oder zu bewahren, was immer sie für eine Form annehmen mögen (und wie wir in diesem Buch gesehen haben, nehmen sie viele Formen an). In Italo Calvinos Roman *Die unsichtbaren Städte* verleiht Marco Polo einem derartigen Gebot in den allerletzten Worten Ausdruck, die er an den Kaiser Kubla Khan richtet: »Es gibt zwei Arten, nicht unter [der Hölle] zu leiden, […] in der wir jeden Tag leben, die wir durch unser Zusammensein bilden«, sagt Polo. »Die erste fällt vielen leicht: die Hölle zu akzeptieren und so sehr Teil von ihr zu werden, dass man sie nicht mehr sieht. Die zweite ist riskant und verlangt ständige Aufmerksamkeit und Lernbereitschaft: zu suchen und erkennen zu lernen, wer und was inmitten der Hölle nicht

Hölle ist, und ihm Dauer und Raum zu geben« (S. 174). Dies ist die Aufmerksamkeit und Lernbereitschaft eines Gärtners, welcher weiß, was erforderlich ist, um Dinge wachsen zu lassen, welcher weiß, wie die Aussichten sind, wenn es darum geht, einen Garten mitten in der Wüste zu pflanzen, dem Menschlichen mitten im Inferno Raum zu geben. Deshalb müssen wir heute mehr denn je »unseren Garten bestellen«, denn die Alternativen, die Pound im allerletzten, fragmentarischen Vers seiner *Cantos* benennt, sind so krass und real wie eh und je: »Menschen zu sein, nicht Verheerer.«

15

Das Paradox des Zeitalters

Ezra Pound schrieb: »Ich habe meine Mitte verloren, da ich antrat gegen die Welt […] und mich machte an ein Paradiso terrestre.« Welcher Zusammenhang besteht zwischen diesen beiden Fällen von Scheitern? Und was würden wir mit dem irdischen Paradies anfangen, falls es Pound doch geglückt wäre, eines zu »schaffen«? Der Literaturwissenschaftler Lionel Trilling schrieb 1964, es gebe nichts, wovor wir Modernen so sehr zurückschrecken wie vor der Vorstellung von Eden:

Wie fern steht unserem Vorstellungsvermögen diese Idee des »Friedens« als Krone des spirituellen Kampfes! Die Idee der »Glückseligkeit« ist womöglich noch weiter ferngerückt. Die beiden Ausdrücke führen uns einen Status von faktischer Passivität vor Augen, der die Negation von »größerer Lebendigkeit« ist, nach der wir uns sehnen. […] Wir fürchten Eden, und von allen christlichen Vorstellungen ist da keine, die wir so gut verstehen wie das *felix culpa* und der »glückselige Sündenfall«; zwar nicht, weil wir die Rettung antizipieren, auf die diese christlichen Paradoxa verweisen, sondern weil es uns mittels Sünde und Sündenfall gelang, den verführerischen Reizen von Frieden und Glückseligkeit zu entrinnen.

(Trilling, *Kunst, Wille und Notwendigkeit*, S. 122f.)

Das »wir« bezieht sich hier vermutlich auf diejenigen von uns, die das Verlangen der Spätmoderne nach »größerer Lebendigkeit« teilen, ein Verlangen, welches dazu führt, dass wir für die Stasis und die Zufriedenheit von Eden keine Geduld aufbringen. Bei näherer Betrachtung werden wir sehen, dass die Dinge nicht so eindeutig sind, aber es besteht kaum ein Zweifel daran, dass im modernen Zeitalter Stille, Ruhe, Schönheit und Einklang mit der kosmischen Ordnung nicht mehr, und sei es auch nur hypothetisch, den letzten Endpunkt menschlichen Verlangens definieren. Das Verlangen verlangt jetzt mehr von sich selbst, mehr von seiner eigenen Rastlosigkeit.

»Frieden als Krone des spirituellen Kampfes« – das könnte als Motto über dem Epikureismus stehen. Trilling hat recht, wenn er sagt, dass wir von einem solchen Ethos heute weit entfernt sind. Vom Standpunkt das Epikureismus aus gesehen leben wir in einem Modus äußerster Undankbarkeit. Dem Undankbaren ist nie etwas genug. »Die Undankbarkeit der Seele macht das Lebewesen grenzenlos lüstern nach Speisefinessen«, schrieb Epikur. Wir sind heutzutage grenzenlos lüstern nach vielen Dingen: Reichtum, Macht, Leben, Sex – kurz, wir wollen mehr von allen Dingen, die versprechen, den Kreislauf des niemals endenden Konsums zu perpetuieren. Wir würden unser Leben unendlich verlängern, wenn wir könnten. Bald wird der Bürger nicht auf das Recht zu sterben pochen, sondern auf das Recht, nicht zu sterben – also auf das Recht, alle verfügbaren technischen und medizinischen Mittel einzusetzen, um eine Existenz von ihrer Sterblichkeit zu befreien, die, da es ihr an Dankbarkeit fehlt, keine Erfüllung zu finden vermag.

Eines der Paradoxa des gegenwärtigen Zeitalters besteht darin, dass es gerade unser Verlangen nach mehr Lebendigkeit ist, das uns dazu treibt, die Erde wieder in einen Zustand wie den von Eden zu versetzen, sie zu einem Konsumentenparadies zu machen, in dem alles spontan gegeben wird, ohne Arbeit, Leiden oder Bewirtschaftung. Das ist das Paradox, das Trilling vor vierzig Jahren vielleicht nicht richtig erkannte – dass ein »Zustand von faktischer Passivität« *nicht* zwangsläufig die Negation des Mehr an Lebendigkeit ist, nach dem wir verlangen. Vielmehr schafft unser Verlangen unweigerlich die Erwartung eines edenischen Zustands, in dem der einzige höhere Zweck, wenn nicht die Verpflichtung des Bürgers darin besteht, die Früchte der Erde in einem immer stärker infantilisierten Zustand reiner Rezeptivität zu genießen. Gelegentlich scheint es, als hätten sich alle Kräfte der modernen Technik, der globalen Wirtschaft, der medizinischen Forschung ebenso wie Telekommunikationssysteme und Informationsmedien verschworen, um einen derartigen Zustand herbeizuführen. Ebenso wie Pound versuchen wir ein *paradiso terrestre* zu »schaffen«, und wir vergessen dabei, dass unsere rastlose Menschennatur in Eden im Grunde nicht zu Hause ist. Das Verlangen nach mehr Lebendigkeit bringt aus seiner eigenen Dynamik den Mythos hervor, es gebe einen Ort, an dem alle Wünsche erfüllt und alle Schmerzen beseitigt sind, an dem der Fluch Adams überwunden ist und die Menschen keine andere Verantwortung haben als die, entfesselte Konsumenten von Gütern, Unterhaltung, Informationen und Vergnügungen zu sein. Das ist allerdings ein verarmender Mythos, und wenn es uns je gelingt, ihn Wirklichkeit werden zu lassen (wozu wir auf dem besten Wege sind), dann werden wir dem Phänomen Mensch ein Ende bereiten. Das Paradox des Zeitalters besteht darin, dass wir uns, wenn es um Eden geht, in einem tiefen Zwiespalt befinden. Einerseits fürchten wir es, andererseits jagen wir ihm nach.

Eine der perversen Folgen dieses Paradoxes ist, dass der Weg zurück nach Eden mit Ruinen, Leichen und Zerstörung gepflastert ist. Unsere Versuche, Eden neu zu schaffen, kommen einem Angriff auf die Schöpfung gleich. Das ist die Gefahr dieses Zeitalters. Gerade weil unsere Hektik bei ihrer Getriebenheit im Grunde ziellos ist, setzen wir uns Ziele, deren Hauptzweck darin besteht, die Hektik in Gang zu halten, bis sie sich in Faulheit vollendet. Wenn wir gegenwärtig bestrebt sind, die Gesamtheit der Ressourcen der Erde endlos verfügbar, endlos nutzbar, endlos entsorgbar zu machen, so deshalb, weil der endlose Konsum das unmittelbare Ziel einer Produktion ohne Ende ist. Oder besser gesagt, der Konsum ist es, der die Hektik der Produktion rechtfertigt, die wiederum den Konsum rechtfertigt, wobei der gesamte Kreislauf mehr dazu dient, uns beschäftigt zu halten, als dazu, unsere wahren Bedürfnisse zu befriedigen. Martin Heidegger beschreibt dieses Syndrom in seiner sonst selbstherrlichen und abstrakten Prosa mit großer Klarheit:

> Die Vernutzung aller Stoffe, eingerechnet den Rohstoff »Mensch«, zur technischen Herstellung der unbedingten Möglichkeit eines Herstellens von allem, wird im Verborgenen bestimmt durch die völlige Leere, in der das Seiende, die Stoffe des Wirklichen, hängt. Diese Leere muss ausgefüllt werden. Da aber die Leere des Seins, zumal wenn sie als solche nicht erfahren werden kann, niemals durch die Fülle des Seienden aufzufüllen ist, bleibt nur, um ihr zu entgehen, die unausgesetzte Einrichtung des Seienden auf die ständige Möglichkeit des Ordnens als der Form der Sicherung des ziellosen Tuns.
>
> (Heidegger, *Vorträge und Aufsätze*, S. 94)

Gegen den Konsum an sich, der unmittelbar mit den biologischen Rhythmen der menschlichen Arbeit zusammenhängt, ist nichts einzuwenden. Eine ausgesprochene Pathologie signalisiert der Konsum, wenn er eine hyperaktive Produktion ermöglicht oder erforderlich macht. Wenn Heidegger recht hat, dann ist das Ziel, ein irdisches Paradies auf Erden zu schaffen, nicht so sehr das teleologische *Ende*, das unsere Aktivität lenkt, sondern vielmehr die Fiktion, die bei unserer *blinden Forderung nach endloser Aktivität* Pate steht – bei einer Forderung, die aus unserem uneingestandenen Leiden an der Leere des Seins und aus ihrer Verleugnung hervorgeht. Wenn man versteht, dass Langeweile in einem fundamentalen Zusammenhang mit dieser Leere steht, dann könnte man den Versuch, der Leere des Seins zu entfliehen, als ein weiteres Symptom unserer Langeweile ansehen. Oder vielleicht ist die Langeweile eine Folge unserer Unfähigkeit, diese Leere in wahrhaftiger Weise zu erfahren. Wie dem auch sei, die endlose Produktivität, die der endlose Konsum gebietet, und der endlose Konsum, der die endlose Produktivität gebietet, werden im gegenwärtigen Zeitalter zum einzigen Weg, dieser Leere zu »entgehen« – nicht aber dazu, sie zu füllen.

Je mehr es uns gelingt, die Erde in eine unerschöpfliche Vorratskammer für menschlichen Konsum zu verwandeln, desto mehr geben wir die auf die Vertreibung aus Eden folgende Berufung der Sorge auf, die Menschen zu Kultivierern der sterblichen Erde wie auch zu Kultivierern unserer sterblichen Seinsweisen auf der Erde gemacht hat. Ich habe in dieser Studie immer wieder betont, dass menschliches Glück ein kultiviertes Gut und kein Konsumgut ist, dass es dabei mehr um Erfüllung als um Befriedigung geht. Weder Konsum noch Produktivität erfüllen. Nur Sorgen vermag das. Und da wir unseren Weg zurück nach Eden nicht zerstören können, führt unser Verlangen nach größerer Lebendigkeit schließlich dazu, dem Leben selbst den Kampf anzusagen.

Wenn ich sage, dass der Wille des gegenwärtigen Zeitalters, alle Früchte der Erde wie auch alle Früchte der Weltkultur dem menschlichen Konsum zur Verfügung zu stellen, ein blinder

Trieb ist, dann meine ich, dass sein beherrschender Antrieb darin besteht, seine eigene Dynamik zu perpetuieren, und nicht darin, einen Zweck zu erfüllen. Anders als der Gärtner, der »elfhundert Jahre […] brauchen [würde], um alles, was ihm zukommt, auszuprobieren, zu bewältigen und praktisch zu verwerten« (Čapek), sind wir heutzutage nicht weit genug in die Zukunft versetzt, um über lange Zeit hinweg einen Zweck zu verfolgen oder ein Ziel zu erreichen. Unser Handeln trägt keine Frucht, es verschlingt sie vielmehr. So befinden wir uns in der paradoxen Situation, dass wir danach streben, Eden neu zu schaffen, indem wir den Garten selbst verwüsten – den Garten der Biosphäre einerseits und den Garten der menschlichen Kultur andererseits.

Gewiss ist es kein Zufall, dass eine Reihe düsterer Science-Fiction-Visionen der Zukunft um dieses Paradox kreist. Die verschiedenen Folgen der Fernsehserie *Raumschiff Enterprise* sind voll von Szenarien einer edenischen Gartenwelt inmitten einer zerstörten Wüste. Ebenso haben in dem Film *Aeon Flux* die Menschen ihre Welt zerstört; diejenigen, welche die Katastrophe überlebt haben, leben in einer unheimlich idyllischen Gartenlandschaft, wobei allerdings alle Frauen unfruchtbar sind. Derartige Gartenwelten sind nicht bloß die unheimlichen Fiktionen von Filmen. Durch die zunehmende Verkünstlichung unserer Lebenswelten nehmen sie vor unseren Augen Gestalt an. Gibt es irgend etwas, das so wenig Tiefe hätte wie die Blumenbeete, die in unseren Städten die Eingänge von Firmenhochhäusern zieren? In diesen erhöhten, von Granitplatten eingefassten Ovalen und Rechtecken stehen die Blumen immer in voller Blüte. Weder Kampf noch Verfall ist zu sehen und auch nicht das Zeichen der Cura, wenn ein komplettes Beet mit Stiefmütterchen über Nacht gegen eines mit voll erblühten Petunien ausgetauscht wird. Hier ist die erhabene Kunstfertigkeit von Versailles zur armseligen Ornamentalisierung einer dekorativen »Landschaftsgärtnerei« verkommen. In der Tat scheint hier der »ewige Frühling« von Eden zu herrschen, aber er ist so dürr und weltlos wie die künstliche Belüftung und das künstlich regulierte Klima in den Büros und Hoteltürmen. Wenn wir die Umwelt »aufmotzen«, werden die Gärten perfekter, aber der Gärtner tritt noch weiter in den Hintergrund, bis er schließlich ganz verschwindet. Diese formelhaften Gärten, die über Nacht mitten unter uns auftauchen, werden nicht durch persönliche Hingabe aufrechterhalten, sondern mechanisch durch anonyme Akteure gewartet. Kurz, die trügerische Gartenwelt von *Aeon Flux* ist bereits unter uns. Bald wird es aus ihr kein Entkommen mehr geben.

Die überzeugendste Fassung dieser Science-Fiction-Vision der Zukunft – für unsere Zwecke – liefert uns einer der Helden dieses Buches: der tschechische Schriftsteller Karel Čapek, dessen Gartenethik ich in Kapitel 3 erörtert habe. Außerhalb der Tschechischen Republik ist Čapek am bekanntesten durch sein Theaterstück *W.U.R. (Werstands Universal Robots)*. Dieses Stück, das mit seinem Thema heute noch ebenso aktuell ist wie im Jahre 1920, als es uraufgeführt wurde, nimmt ein künftiges Zeitalter an, in dem die Technik die Mittel entwickelt, die Menschheit vom Fluch Adams zu befreien. In Čapeks Szenario betreiben wohlmeinende Wissenschaftler, Politiker und Sozialingenieure die massenhafte Produktion eines Geschlechts von »Robotern« (das Wort ist eine Schöpfung Čapeks). Diese biologischen, aber technisch hergestellten Humanoiden kennen anscheinend keine menschlichen Bedürfnisse und Leidenschaften. Sie werden dazu geschaffen, den Bedürfnissen der »richtigen« Menschen zu dienen: ihre Arbeit zu verrichten, in ihrem Militär zu dienen und ihnen ihre weltlichen Lasten abzunehmen. An einer frühen Stelle des Stückes erklärt Domin, der idealistische Leiter des Roboterunternehmens, seiner künftigen Gattin Helena: »[D]ann hört der Mensch auf, dem Menschen dienstbar und der Materie versklavt zu sein. [...] Nicht mehr wirst du deine Seele verschwenden an Arbeit, die du verfluchtest. [...] Alles werden lebende Maschinen verrichten. [...] Der Mensch wird nur das tun, was er liebt. [...] Er wird nur leben, um sich zu vervollkommnen« (S. 34f.). Die hochfliegende Vision Domins erinnert an das Marxsche Ideal eines voll entwickelten kommunistischen Staates, in dem Fabriken vermutlich selbsttätig arbeiten würden, in denen Felder sich selbst anpflanzen und abernten würden dank einer magischen Technik, die auf das Erfordernis menschlicher Arbeit verzichtet und den Menschen die Freiheit gibt, ihr inneres schöpferisches Potential zu erfüllen.

Das Problem bei derartigen Idealen – und es gibt sie in zahlreichen Versionen – ist, dass sie nicht das Ausmaß würdigen, in dem das menschliche Potential mit dem Zustand verknüpft ist, von dem die Verfechter dieser Ideale die Menschen befreien möchten. Die Menschen von der Sorge befreien heißt, ihnen die Selbstverwirklichung versagen. Der Rest von Čapeks Stück macht das nur zu deutlich. Alquist, der einzige Mensch, der dann später die Vernichtung der Menschheit durch die aufrührerischen Roboter überlebt, antwortet Domin: »Domin, Domin! Was Sie da sagen, sieht allzusehr nach Paradies aus. Domin, es war etwas Gutes am Dienen und etwas Gutes in der Unterwerfung. Ach, Harry, es war ich weiß nicht was für eine Tugend in der Arbeit und Ermattung« (S. 35). Domin ist für Alquists Appell nicht taub, aber seine Überzeugung und seine Begeisterung sind unbezähmbar, wenn er antwortet:

Vielleicht war es so. Aber wir können nicht mit dem, was verlorengeht, rechnen, wenn wir die Welt von Adam an umformen. Adam, Adam! Du wirst nicht mehr dein Brot im Schweiße deines Angesichts essen, [...] du kehrst in das Paradies zurück, wo des Herrn Hand dich nährte. Du wirst frei und erhaben sein; du wirst keine andere Aufgabe, keine andere Arbeit, keine andere Sorge haben als dich selbst zu vervollkommnen. […] Du wirst der Herr der Schöpfung sein. (Ebd.)

Dank einer phantastisch verbesserten Technologie wird Domins Projekt zur Befreiung des Menschen auf Erden verwirklicht, aber das geschieht nicht ganz so, wie er sich das vorgestellt hat. Als die Roboter den Menschen ihre Verantwortung abnehmen, ergibt sich jede Menge »Genuss«, aber recht wenig Selbstvervollkommnung, ganz zu schweigen von der Tatsache, dass Selbstvervollkommnung (anders als Selbstkultivierung) ein ganz und gar narzisstisches und steriles Ziel ist. Somit ist der Genuss des soeben befreiten Menschengeschlechts in *W.U.R.* nicht von der erlösten paradiesischen Sorte – eine *delectatio*, die einen niemals im Stich lässt, wie es bei den Kirchenvätern heißt –, sondern eher eine von der dekadenten, entkräftenden und fruchtlosen Sorte.

Wenn der neue Adam aufhört, sich anzustrengen, hört er auch auf, sich fortzupflanzen:

HELENE: *leise* Warum haben die Frauen aufgehört, Kinder zu bekommen?

ALQUIST: Weil es nicht mehr nötig ist. Weil wir im Paradies sind, verstehen Sie?

HELENE: Ich verstehe nicht.

ALQUIST: Weil die menschliche Arbeit überflüssig geworden ist, weil der Schmerz überflüssig ist, weil der Mensch nichts, nichts, nichts mehr tun braucht als genießen – oh, dieses vermaledeite Paradies! *Springt auf* Helene, nichts ist schrecklicher, als den Menschen ein Paradies auf Erden zu schaffen! Weshalb die Frauen nicht mehr gebären? […] Sie strecken keine Hand mehr nach dem Essen aus, man stopft es ihnen direkt in den Mund, damit sie nicht aufstehen brauchen. [...] Und Sie möchten Kinder von ihnen haben? Helene, Männern, die überflüssig sind, werden Frauen nicht gebären!

(S. 57f.)

Vielleicht ist es dies, was Menschen geschieht, die »keine andere Aufgabe, keine andere Arbeit, keine andere Sorge haben als [s]ich selbst zu vervollkommnen« (S. 35). Anstatt zu »Herr[en] der Schöpfung« zu werden, werden sie überflüssig. Und auf Menschen, die überflüssig werden, reagieren dann selbst Roboter mit Verachtung. Letztere finden jetzt heraus, dass sie ihren Herren in jeder Hinsicht überlegen sind, und sie unternehmen einen Vernichtungsfeldzug, bei dem sie – aus unerklärlichem Grund – nur Alquist ungeschoren lassen.

Alquist lebt in der Zeit nach der allgemeinen Vernichtung noch so lange, dass er die ersten Regungen menschlicher Gefühle bei dem Roboterpaar Helena und Primus mitbekommt. Er ist erstaunt, als er feststellt, dass sich Primus und Helena (die nach Domins Gattin benannt ist) tatsächlich lieben und bereit sind, jeder für den anderen sein Leben hinzugeben. Diese Bereitschaft zur Aufopferung bestätigt ihre keimende Menschennatur. Das Stück endet damit, dass Alquist das Paar in die Wüste schickt, so wie Gott Adam und Eva aus dem Garten hinaussandte: »Geh, Adam. Geh, Eva; du wirst ihm Weib sein. Sei du ihr Mann, Primus« (S. 135). Nur dadurch, dass das Paar in die Wüste zurückgeschickt wird, wo die beiden ihren Weg zum Überleben werden kultivieren müssen, wird am Ende des Stückes die Aussicht auf eine erneuerte Menschheit offengehalten.

Es wäre ein Fehler zu sagen, dass Čapek in *W.U.R.* nur den Wert der Arbeit und des Leidens gelten lässt und dass er Muße und Genuss ablehnt. Ein Gärtner hält nicht das Arbeitsethos hoch. Er verschreibt sich nicht der Sache der Mühe. Er verschreibt sich der Sache der Dinge, die er kultiviert. Darum schreibt Čapek in *Das Jahr des Gärtners* am 1. Mai: »[I]ch werde den Tag absichtlich nicht als Feiertag der Arbeit besingen. […] Sobald ein Mensch eine Arbeit ausübt, sollte er sie aus Freude an der Arbeit tun, oder weil er sie richtig versteht, oder weil sie ihn schließlich ernährt; aber Stiefel aus einem Grundsatz oder einer Tugend heraus anzufertigen heißt, eine Arbeit zu vollbringen, die nicht viel taugt« (S. 59, 61). Der Gärtner ist kein Arbeiter, ganz gleich, wieviel reale Arbeit die Kultivierung erfordert. Am 1. Mai wird er nicht den Tag der Arbeit selbst feiern, sondern er sinniert: »[S]ollte es nicht regnen, werde ich ihn hockend feiern und Worte im Munde führen wie: ›Warte, ich dünge mit ein wenig Torf; und diesen wilden Trieb schneide ich ab, und du, Steinkraut, möchtest gern tiefer in die Erde, was?‹ Der Setzling bejaht es, worauf ich ihn gründlich einpflanze. Denn es ist mein wortwörtlich mit Schweiß und Blut getränktes Erdreich. Sowie man einen Zweig oder Trieb abschneidet, verletzt man sich meist den Finger, der doch auch nur ein Zweig oder Trieb ist« (S. 59). Kurz, dem Gärtner geht es nicht um die Arbeit und erst recht nicht um »Produktivität«. Ihm geht es um das Wohlergehen dessen, was er in seinem Garten nährt, damit es lebe.

Diese Selbsterweiterung des Gärtners in die Sorge ist ein ganz anderes Ethos als dasjenige, welches das gegenwärtige Zeitalter dazu treibt, größere Lebendigkeit zu verlangen und durch eine überdrehte Produktivität der Leere des Seins zu entfliehen, wie Heidegger sie nennt. Der Gärtner begibt sich nicht randalierend auf den Weg zu einem falschen Eden, sondern er wacht mit Geduld über seiner Parzelle, denn »was man auch unternähme, keine Revolution könnte die Zeit des Keimens in der Natur beschleunigen oder den Flieder rascher erblühen lassen; hier kommt der Mensch zur Vernunft und ordnet sich den Naturgesetzen unter« (S. 60). Nichts ist den Gedanken des Gärtners ferner, nichts motiviert ihn weniger als Selbstvervollkommnung, als der Wert der Arbeit oder die Qualität seiner Taten. Seine Hingabe gilt ganz und gar seinem Garten. Darum sagt er:

> Dir, Alpenglockenblume, grabe ich nun eine tiefere Mulde. Also was ist es mit diesem meinem Feiertag der Arbeit? Auch dieses Herumtrödeln kann man als Arbeit bezeichnen, strengt man sich doch Rücken und Knie an; hier geht es weniger um die Arbeit als lediglich um die Glockenblume; man arbeitet nicht, weil das schön ist oder weil es adelt oder gesund macht, man arbeitet, damit die Glockenblume gedeihe und der Steinbrech sich zu einem weichen Kissen entfalte. Und wenn du den Tag festlich begehen wolltest, so dürftest du nicht deine Arbeit feiern, sondern die Glockenblume oder den Steinbrech, für die du sie tust.
>
> (S. 60)

Nachwort

In Malcolm Lowrys großartigem Roman *Unter dem Vulkan* gibt es eine Gartenszene, die viele Elemente des vorliegenden Buches vereint und den Weg zu einem Schlusswort über mein Thema bahnt. Im Mittelpunkt des Romans steht Geoffrey Firmin, der sogenannte britische Konsul in der mexikanischen Stadt Cuernavaca, der in einem gedankenlosen, nahezu dämonischen Alkoholismus verdämmert. Die Geschichte spielt sich an einem einzigen Tag ab und handelt davon, dass der Konsul nicht in der Lage ist, angemessen auf die plötzliche, unerwartete Rückkehr seiner Ehefrau nach einem Jahr der Entfremdung zu reagieren. Eines Morgens erscheint sie wieder, fast wie durch ein Wunder, nachdem sie die Scheidung eingereicht hat, um dem Konsul eine letzte Chance zu geben, ihre Ehe zu retten und an einem anderen Ort eine *vita nuova* zu beginnen. Für den Konsul bedeutet das soviel wie ein Angebot persönlicher Erlösung, denn ohne sie ist er verdammt, aber seine »andere Frau« – die Flasche – wird am Ende des Tages über Yvonne siegen. Ja, sie wird über sie beide siegen, denn spät in der Nacht desselben Tages wird Yvonne, verlassen, bei einem gewaltsamen Unfall im Wald ums Leben kommen, und der Konsul, der die infernalische Zuflucht einer zwielichtigen Spelunke aufgesucht hat, wird von einer Bande mexikanischer Faschisten erschossen werden. Seine Leiche wirft man in die *barranca*, die Schlucht, welche Cuernavaca durchzieht.

Das Haus des Konsuls liegt nahe dem Rand dieser *barranca*, die durch mehrere Assoziationen mit den Klüften von Dantes *Inferno* verbunden ist. Es hat einen üppigen Garten, und der Konsul hat sich angewöhnt, hier Flaschen mit alkoholischen Getränken zu verstecken. An dem Morgen, an dem seine Ehefrau zurückgekehrt ist, macht er dort, in leiser Panik, eine Flasche Tequila ausfindig. In Widerspiegelung seiner seelischen Verfassung wie auch der seiner Ehe ist der Garten verwildert. Vernachlässigt steht er in deutlichem Kontrast zum wohlgepflegten Nachbargarten, der Mr. Quincey gehört. Quincey, ein Amerikaner im Ruhestand, beobachtet den Konsul dabei, wie er heimlich aus der Flasche Tequila trinkt, die er sich geholt hat. Über den Zaun hinweg entspinnt sich ein gespanntes Gespräch: »Übrigens habe ich eben eine kleine Korallenschlange gesehen«, platzte der Konsul heraus. Mr. Quincey hustete oder schnaubte, sagte jedoch nichts.

»Und dabei fiel mir ein … Wissen Sie, Quincey, ich habe mich so oft gefragt, ob an der alten Legende vom Garten Eden und so weiter nicht mehr dran ist, als man auf den ersten Blick meint. Wenn nun Adam in Wirklichkeit gar nicht daraus vertrieben worden ist? Das heißt, in dem Sinne, wie wir es bisher verstanden haben … […] Wenn nun seine Strafe in Wirklichkeit darin bestanden hätte«, fuhr der Konsul mit Wärme fort, »dass er *weiter dort leben musste*, allein natürlich – leidend, ungesehen, von Gott abgeschnitten? […] Und wer weiß, der eigentliche *Grund* für diese Strafe – ich meine, dass er gezwungen wurde, in dem Garten zu leben – kann natürlich durchaus darin gelegen haben, dass der arme Kerl den Garten heimlich verabscheute! Dass er ihn einfach hasste und ihn die ganze Zeit gehasst hatte. *Und dass der Alte das herausgekriegt hat …*«
(S. 166 f.)

Lowry war zweifellos bewusst, dass die Kirchenväter das Sakrament der Ehe traditionell als »Vorgeschmack« auf den wiederhergestellten Garten Eden schilderten. Außerhalb von Eden, auf unserer sterblichen Erde, ist die Ehe natürlich ein Garten ganz anderer Art – einer, der, wenn er gedeihen soll, ein Quantum täglicher Sorge und langfristigen Einsatzes verlangt. In dieser Hinsicht ist der Konsul ein gescheiterter Gärtner – ein gescheiterter Ehemann (nicht umsonst hängt das englische Wort *husband* etymologisch mit Bauen, Wohnen und Kultivieren zusammen). Darum sieht es so aus, als brächte der Konsul in seiner Bemerkung gegenüber Quincey, wonach Adam den Garten Eden insgeheim verabscheute, auf indirekte Weise die zutiefst widersprüchlichen Schuldgefühle zum Ausdruck, welche er im Hinblick auf seine Ehe empfindet, die sein Alkoholismus nahezu hoffnungslos zerrüttet hat.

Die Gedanken, die der Konsul gegenüber Quincey im Garten äußert, sind mit ihrer Revision der Eden-Geschichte, die er vorbringt, entscheidend für ein Verständnis des Romans als ganzen, denn *Unter dem Vulkan* führt auf eine fast allegorische Weise vor, dass der Fall aus Eden ein ständiges, fortlaufendes Ereignis ist. Das Werk zeigt, dass wir noch lange nach der Erbsünde fortfahren, mit aktivem Willen unsere Vertreibung zu wiederholen, und in unser selbstgewähltes Inferno taumeln. Die Geschichte ist ein mehr oder weniger endloser Sturz in die *barranca*.

Der Roman erschien zwar 1947, aber seine Handlung spielt sich an einem einzigen Tag des Jahres 1938 ab, als die Geschichte am Rande eines zweiten Weltkriegs stand. Dieser Zeitrahmen verleiht dem Alkoholismus des Konsuls einen bedrohlichen Bezugshorizont. Er macht seinen vernachlässigten, halb wilden Garten zu einem Sinnbild der damaligen Zeit. Andererseits legt er nahe, dass der Garten des Nachbarn, der der Korallenschlange ebensowenig versperrt ist wie derjenige des

Konsuls, etwas Trügerisches an sich hat. In seinem gepflegten und peniblen Erscheinungsbild bietet Quinceys Garten ein falsches Bild des Zeitalters – eines Zeitalters, das sich ebenso wie der Konsul im Griff zerstörerischer und selbstvergiftender Leidenschaften befindet. Ungeachtet all seiner scheinheiligen Missbilligung des Alkoholismus des Konsuls gehört auch Mr. Quincey einem Zeitalter an, das seine Nüchternheit verloren hat. Sein Name, der an den des englischen Opiumessers Thomas De Quincey erinnert, legt das nur zu deutlich nahe.

Auf der anderen Seite des Gartens des Konsuls – dem Grundstück von Mr. Quincey entgegengesetzt – liegt ein weiterer Garten: ein Park, der noch im Bau ist. Der Konsul wirft aus der Ferne einen Blick auf das Gelände und sieht ein Warnschild mit spanischem Text:

¿LE GUSTA ESTE JARDÍN?
¿QUE ES SUYO?
¡EVITE QUE SUS HIJOS LO DESTRUYAN! (S. 160f.)

Diese spanischen Worte – die der Konsul in Gedanken falsch übersetzt als »Gefällt Ihnen dieser Garten? Warum gehört er Ihnen? Wir vertreiben alle Zerstörer!« – kehren in Lowrys Roman ständig wieder; tatsächlich sind sie auch seine Schlussworte. *Unter dem Vulkan* ist eine Tragödie – eine der wenigen echten Tragödien des modernen Kanons – über die »Vertreibung« sowohl eines Individuums als auch einer Zivilisation aus einem Garten, den zu zerstören beide nicht umhinkönnen, obgleich er ihnen gehört. Wenn der Konsul recht hat, ist dieser Garten nichts anderes als die irdische Welt der Natur selbst. Er ist der auf die Vertreibung aus Eden folgende Garten der sterblichen Erde, in dem wir uns schlecht oder recht unser menschliches Heim einrichten.

Und was ist, wenn der Konsul recht hat? Was ist, wenn Eden

in Wirklichkeit noch um uns her ist? Was, wenn wir es überhaupt nie verlassen haben und der einzige Unterschied darin besteht, dass sich Gott aus dem Bild zurückgezogen und uns mit unserem Unbehagen allein gelassen hat? In diesem Fall können wir, in Gottes Abwesenheit, den Garten entweder behalten oder zerstören. Wenn der Konsul recht hat, dann enthält das Schild, das er in dem Park in der Nähe seines Hauses sieht, in der Tat eine schreckliche Warnung. *Le gusta este jardín que es suyo?* Lieben Sie diesen Garten, der Ihnen gehört? Wenn ja, dann sorgen Sie dafür, dass Ihre Kinder ihn nicht zerstören: *evite que sus hijos lo destruyan!* Das ist eine durchdringende Frage und ein kompromissloses Gebot, denn die Menschen haben nur zu deutlich gemacht, wie gedankenlos sie sich gegen die Erde wenden können, ebenweil sie die Heimat unserer Sterblichkeit ist. Und doch gehört der *jardín* uns. Sein sterbliches Eden liegt am Rande einer gähnenden Schlucht, die auf diejenigen Individuen und Gesellschaften wartet, welche zulassen, dass ihre selbstzerstörerischen Antriebe die Oberhand über ihre sorgenden Bemühungen gewinnen. Ebenso wie der Konsul haben wir immer wieder den Sprung gewagt.

Der Konsul äußert gegenüber Mr. Quincey die Ansicht, Adam habe vielleicht insgeheim den Garten verabscheut und Gott habe ihn dadurch bestraft, dass er ihn dort »allein«, »ungesehen« und »von Gott abgeschnitten« zurückließ. Ich habe behauptet – und die Genesis legt diese Spekulation nahe –, es sei weitaus wahrscheinlicher, dass Eva diejenige war, die den Ort insgeheim verabscheute, und dass es nicht der erste Ehemann, sondern die Ehefrau war, die einen Weg fand, uns vertreiben zu lassen, und die Menschheit auf den Weg zur Reife führte. Letztlich ist Eva die Mutter der ganzen Geschichte. Ob sie tatsächlich uns aus Eden hinausbeförderte oder ob sie lediglich Gott aus Eden hinausbeförderte, das Resultat ist faktisch dasselbe. So oder so wurden wir unserer Selbstverantwortung

anheimgegeben; so oder so wurden wir in einem Garten zu-
rückgelassen, zu dessen Pflege wir aufgefordert wurden; und
da sind wir noch immer, in *este jardín*.

Aus Giovanni Boccaccio, *Das Dekameron*

Aus der Einleitung zum dritten Tag

Dann ließen sie sich einen rings von Mauern umgebenen Garten öffnen, betraten ihn, und da er ihnen gleich bei den ersten Schritten von wunderbarer Schönheit zu sein schien, fingen sie an, seine Einzelheiten näher zu betrachten. Ringsumher und auch mitten hindurch führten viele geräumige und schnurgerade Wege, die, mit Laubengängen von Wein überwölbt, für dieses Jahr Trauben in Menge zu bieten versprachen. Denn unzählige Rebenblüten verbreiteten einen so starken Wohlgeruch durch den Garten hin, dass er im Verein mit vielen anderen anmutigen Düften unsere Gesellschaft glauben machte, sie befände sich inmitten aller Spezereien des Morgenlandes. Die Seiten jener Gänge waren mit Hecken von weißen und roten Rosenbüschen und von Jasmin fast ganz umschlossen, so dass man nicht nur am Morgen, sondern auch wenn die Sonne am höchsten stand, dort unter wohlriechendem und gefälligem Schatten lustwandeln konnte, ohne von ihren Strahlen getroffen zu werden. Allzu langer Erzählung bedürfte es, um zu berichten, was für Gewächse, in welcher Menge und Verteilung, sich in diesem Garten vorfanden; doch fanden sich alle, die unser Klima vertragen und einiges Lob verdienen, dort im Überflusse.

Nicht geringeren, sondern noch viel höheren Beifall als alles übrige verdiente es, dass sich in der Mitte dieses Gartens eine Wiese von ganz kurzem und so dunkelgrünem Grase befand, dass es beinahe schwarz zu sein schien. Tausenderlei bunte Blumen sprossen aus ihm hervor, und ringsumher standen grünende kräftige Orangen- und Zitronenbäume, die mit ihren reifen und grünen Früchten und mit ihren Blüten nicht nur dem Auge wohltätige Schatten boten, sondern auch durch ihren würzigen Duft den Geruchssinn erfreuten. In der Mitte dieses Rasenplatzes war ein Wasserbecken von weißestem, wunderbar mit Bildhauerarbeiten geziertem Marmor. Aus ihm erhob sich auf einer Säule eine Figur, welche – ich weiß nicht, ob durch Naturkraft oder durch eine künstliche Anlage – einen Wasserstrahl von solcher Mächtigkeit, dass ein geringerer eine Mühle zu treiben vermocht hätte, hoch gen Himmel emporsandte, worauf er dann nicht ohne ein ergötzliches Plätschern in die klare Schale zurückfiel. Soweit das Becken den Überfluss des Wassers nicht zu fassen vermochte, lief dieses in verborgenen Rinnen unter dem Rasen hin, zog sich, außen wieder hervorrieselnd, in schönen und künstlich angelegten Gräben rings um die Wiese hin, worauf es dann fast nach jeder Richtung in ähnlichen Bächen den Garten durchfloss und endlich, an einer Stelle wieder vereint, diese schönen Plätze verließ, um sich kristallklar ins Tal zu ergießen, nachdem es zuvor noch, zu nicht geringem Vorteil des Besitzers, zwei Mühlen in Bewegung gesetzt hatte.

Der Anblick dieses Gartens, seine schönen Anlagen, die Pflanzen, der Springbrunnen mit den Bächen, die aus ihm flossen, behagten sämtlichen Damen und den drei Jünglingen so sehr, dass alle versicherten, sie könnten sich ein Paradies auf Erden, wenn ein solches möglich wäre, nicht anders vorstellen wie diesen Garten, und erklärten, dass sie keine Schönheit wüssten, die man den hier geschauten hinzufügen könnte.

Wie sie nun voller Freude hier lustwandelten, dem Gesange der Vögel lauschten, die wohl in zwanzigerlei Weisen einen Wettstreit auszutragen schienen, und sich aus verschiedenem Laubwerk die zierlichsten Kränze wanden, wurden sie noch einen ergötzlichen Vorzug dieses Gartens gewahr, den sie bisher, von den übrigen gefesselt, unbemerkt gelassen hatten. Sie entdeckten nämlich, dass der Garten wohl hundert verschiedene Tierarten enthielt. Als erst einer den andern aufmerksam gemacht hatte, sahen sie hier Kaninchen hervorkommen, dort Hasen laufen, hier Rehe liegen und dort junge Hirsche äsen. Außerdem nahmen sie noch viele arglose Tiere wahr, die, nahezu zahm, sich frohgemut tummelten. Und sie fanden hieran ein neues und noch größeres Vergnügen.

Als sie aber, bald das eine, bald das andere beschauend, zur Genüge umherspaziert waren, ließen sie dem schönen Wasserbecken nahe die Tafel decken und gingen, nachdem sie sechs Lieder gesungen und ein wenig getanzt hatten, wie es der Königin gefiel, zu Tische. Hier wurden sie in glänzender, schöner und gemächlicher Weise bedient, wobei die guten und auserlesenen Gerichte sie nur noch mehr erheiterten, so dass sie sich nach aufgehobener Tafel von neuem mit Spiel, Gesang und Tanz so lange ergötzten, bis die Königin der wachsenden Hitze wegen erklärte, es sei Zeit zu ruhen, und wem es gefalle, der möge so tun. Die einen gingen, die andern, hingerissen von der Schönheit des Ortes, zogen es vor zu verweilen, um sich, während die andern schliefen, die Zeit mit Lesen, Brett- und Schachspiel zu vertreiben. Als aber in der vierten Nachmittagsstunde aufgestanden wurde und die Schläfer sich das Gesicht mit kaltem Wasser erfrischt hatten, versammelten sich nach dem Befehl der Königin alle bei dem Springbrunnen, und, nachdem sie sich hier in der gewohnten Weise niedergelassen hatten, erwarteten sie, wie es einen jeden treffen würde, über den von der Königin gewählten Gegenstand Geschichten zu erzählen. Der erste, dem ein solcher Auftrag erteilt wurde, war Filostrato, und er begann folgendermaßen:

Erste Geschichte
Masetto von Lamporecchio stellt sich stumm und wird Gärtner in einem Nonnenkloster, dessen Bewohnerinnen um die Wette bei ihm schlafen

Gar viele Leute gibt es, schöne Damen, Männer wie Frauen, die so töricht sind, dass sie felsenfest glauben, ein Mädchen, dem man den weißen Schleier übergehangen und die schwarze Kutte angezogen habe, höre auf, ein Weib zu sein, als ob es im Augenblick seiner Einkleidung in einen Stein verwandelt worden wäre. Vernehmen sie alsdann gegen diesen Wahn irgendeine Widerrede, so erzürnen sie sich, als habe man eine ungeheure und gottvergessene Sünde gegen die Natur begangen. Dabei wollen sie weder sich selbst betrachten, wie sie, auch in voller Freiheit, ihren Lüsten nachzuleben, dennoch ihre Begierde nicht zu sättigen imstande sind, noch die große Gewalt der Muße und der Einsamkeit erwägen. Ebenso gibt es auch viele, die mit nicht minderer Gewissheit der Ansicht sind, dass Hacke und Spaten, grobe Speisen und Mühseligkeiten die Bauersleute ganz von fleischlichen Lüsten befreiten und ihnen einen plumpen Verstand und geringe Einsicht verliehen. Wie sehr diese alle sich betrügen, denke ich, da die Königin mir also befohlen hat, in einem kleinen Geschichtchen zu beweisen, ohne mich dabei von unserer Aufgabe zu entfernen.

Hier in unserer Gegend stand einmal und steht noch heute ein Nonnenkloster, das ich euch nicht nennen will, um seinem Ansehen in keinerlei Weise Abbruch zu tun, im Rufe großer Heiligkeit. Vor kurzem, als außer der Äbtissin nur acht Nonnen, sämtliche noch jung, darin verweilten, wollte der Biedermann, der den schönen Klostergarten pflegte, sich mit seinem

Lohne nicht mehr begnügen. Er kehrte deshalb, nachdem er mit dem Klostermeier abgerechnet hatte, in seine Heimat Lamporecchio zurück. Unter denen, die ihn bewillkommneten, fragte ihn auch ein junger, starker und kräftiger Bauernbursche, Masetto genannt und für einen Dörfler von hübschem Aussehen, wo er so lange gewesen sei. Der Biedermann, der Nuto hieß, gab ihm die gewünschte Auskunft. Masetto erkundigte sich, was er für das Kloster zu tun gehabt habe. Nuto antwortete: »Ich musste den schönen großen Garten in Ordnung halten, ging zuzeiten in den Wald, um Holz zu holen, trug Wasser und hatte noch mehr solcher kleiner Verrichtungen. Aber die Nonnen gaben mir so schlechten Lohn, dass kaum herauskam, was ich an Schuhen zerriss. Dazu sind sie alle miteinander jung und stellen sich an, als hätten sie den Teufel im Leibe; denn nichts in der Welt kann man ihnen recht machen. Manchmal, wenn ich im Garten arbeitete, kam diese und sagte: ›Mach das so‹, und dann kam jene und sagte: ›Mach das anders.‹ Dann nahm mir wieder eine die Hacke aus der Hand und sagte: ›So taugt es nicht.‹ Auf die Art plagten sie mich, bis ich, der Arbeit überdrüssig, zum Garten hinausging, und am Ende war die eine wie die andere schuld, dass ich's nicht mehr aushielt und nun wieder hier bin. Als ich fortging, bat mich der Meier auch noch, wenn mir einer über den Weg gelaufen käme, der sich dafür schickte, sollte ich ihn hinweisen. Hab's ihm auch versprochen; passt er aber auf einen, den ich ihm schicke oder schaffe, so kann er lange warten.«

Als Masetto Nutos Erzählung hörte, überkam ihn eine solche Lust, bei den Nonnen zu sein, dass er's gar nicht abwarten konnte; denn aus Nutos Worten erriet er, dass es ihm dort nach Wunsch gehen könnte. Weil er aber meinte, alles könnte ihm verdorben werden, wenn er sich Nuto gegenüber verriete, so antwortete er: »Da hast einmal recht daran getan. Wie soll ein Mann mit den Weibsbildern auskommen! Da möchte ich ja lieber bei ebenso vielen Teufeln dienen. Wissen sie ja doch unter sieben Malen sechsmal nicht, was sie wollen.«

Kaum waren sie auseinandergegangen, so fing Masetto an nachzudenken, was er tun solle, um bei ihnen anzukommen. Was das Arbeiten betraf, so war ihm freilich nicht bange, denn auf die Dienste, die Nuto ihm genannt hatte, verstand er sich so gut wie nur einer. Aber er fürchtete, man möchte ihn seiner Jugend und seines hübschen Aussehens wegen nicht nehmen wollen. Und so dachte er denn, nachdem ihm mancherlei durch den Kopf gegangen war: »Das Kloster ist weit von hier, und dort kennt mich kein Mensch; wenn ich mich stumm zu stellen weiß, so nehmen sie mich gewiss.« Diesen Entschluss hielt er fest und ging, die Axt auf der Schulter, ohne jemand ein Wort zu sagen, in ärmlicher Kleidung zum Kloster.

Gleich beim Eintreffen fand er den Meier auf dem Hofe und gab ihm nach Art der Taubstummen durch Zeichen und Gebärden zu verstehen, er möge ihm aus Barmherzigkeit zu essen geben, und er wolle ihm dafür Holz hacken. Der Meier gab ihm gern zu essen und dann einige Klötze zu spalten, die Nuto nicht hatte bezwingen können, die aber der kräftige Masetto bald klein gemacht hatte. Auch in den Wald, wo der Meier nun zu tun hatte, nahm er den Masetto mit, ließ ihn Holz schlagen, stellte den Esel vor ihn hin und deutete ihm durch Zeichen an, er solle das Holz ins Kloster schaffen. Als er sich auch dazu sehr gut anstellte, behielt der Meier ihn zu mancherlei vorkommenden Arbeiten mehrere Tage bei sich.

So kam es, dass die Äbtissin ihn eines Tages sah und den Meier fragte, wer er sei. »Madonna«, antwortete der Meier, »es ist ein armer Taubstummer, der vor ein paar Tagen um ein Almosen kam. Das habe ich ihm gegeben und habe ihn dann mancherlei tun lassen, was gerade geschehen musste. Wenn er sich auf die Gärtnerei verstände und wollte sonst bleiben, so glaub ich, würden wir gut bedient werden; denn es tut uns einer not, der stark ist. Auch könnte man ihn brauchen, wozu man wollte, und hätte nicht zu fürchten, dass er sich mit Euren Mädchen aufs Spaßen einließe.« »Wahrhaftig«, sagte die Äbtissin, »du hast recht. Sieh zu, ob er gärtnern kann, und dann mache, dass er dableibt. Schenk ihm etwa ein Paar Schuhe und einen alten Mantel, geh ihm um den Bart und gib ihm gut zu essen.« Der Meier versprach, so zu tun. Masetto war nicht weit. Während er sich aber stellte, als fege er unbekümmert den Hof, hörte er jede Silbe und sagte im stillen: »Wenn ihr mich nur gewähren lasst, so will ich euch euren Garten bearbeiten, wo er bisher brachgelegen hat.«

Als nun der Meier sich überzeugt hatte, dass er sich auf die Arbeit gut verstand, fragte er ihn durch Zeichen, ob er dableiben wolle. Masetto antwortete auf dieselbe Art, er sei bereit, zu tun, was man verlange. So führte ihn jener in den Garten und zeigte ihm, wo er graben solle. Dann besorgte er andere Klosterangelegenheiten und ließ ihn allein. Wie er nun Tag für Tag arbeitete, begannen die Nonnen, ihn zu plagen und mancherlei Unfug mit ihm zu treiben. Auch sagten sie ihm, wie's die Leute manchmal mit Taubstummen machen, die schamlosesten Worte ins Gesicht, weil sie meinten, er könne kein Wort hören. Die Äbtissin schien zu glauben, ihm seien andere Glieder so gut wie die Zunge gelähmt, und bekümmerte sich um diese Neckereien wenig oder gar nicht. Einmal aber traf sichs, dass zwei junge Nonnen, während sie im Garten lustwandelten, bei Masetto vorüberkamen, der sich nach vieler Arbeit ein wenig zum Ausruhen niedergelegt hatte. Sie betrachteten ihn eine Weile, er aber stellte sich, als schliefe er. »Höre«, sagte die eine, die etwas verwegen war, »wüsste ich, dass man dir trauen könnte, so möchte ich dir etwas sagen, was mir schon hundertmal eingefallen ist und was dir vielleicht auch zugute kommen könnte.« »Sage es nur getrost«, antwortete jene, »ich werde es gewiss niemandem verraten.«

Darauf begann die Dreiste: »Ich weiß nicht, ob du wohl schon darüber nachgedacht hast, wie wir so streng gehalten werden und wie sich kein Mann hierhertrauen darf, außer unserem alten Meier und diesem Stummen da. Und doch habe ich wohl öfter von Weibern, die zu uns gekommen sind, gehört, dass alles Vergnügen auf der Welt eine Lumperei ist gegen die Wollust, die eine Frau empfindet, wenn sie vom Manne beschlafen wird. Und so hab ich mir schon oft gedacht, da ich doch keinen andern dazu kriegen kann, mit dem Stummen da zu probieren, ob das wahr ist. Er schickt sich am besten auf der Welt dazu; denn wenn er auch wollte, könnte er's doch niemand weitererzählen. Du siehst, er ist ein dummer Tölpel, der länger ist als sein Verstand. Und nun sag, was meinst du?«

»Schäme dich«, antwortete die zweite, »was führst du da für Reden! Weißt du denn nicht, dass wir unsere Jungfräulichkeit dem lieben Herrgott versprochen haben?« »Ei was«, versetzte jene, »man verspricht alle Tage wohl mancherlei, und kein Mensch denkt daran, es zu halten. Haben wir sie ihm versprochen, so wird sich wohl die eine oder andere finden, von der er sie statt der unseren kriegt.« »Beim Himmel«, sagte die Gefährtin, »wenn wir nun aber schwanger würden, was sollte dann werden?« Die erste erwiderte: »Nun denkst du gar ans Unglück, noch ehe es da ist. Geschieht es wirklich, dann ist immer noch Zeit, sich auf guten Rat zu besinnen. Es werden sich auch noch Mittel genug finden, dass kein Mensch etwas davon erfährt, wenn wir's ihm nicht selbst sagen.«

Während dieser Rede war die Hörerin schon mehr als die andere lüstern geworden, zu probieren, was für ein Tier der Mann sei. »Gut«, sagte sie, »wie wollen wir's aber anfangen?« »Du siehst«, antwortete die erste, »es ist schon drei Uhr. Die Schwestern, denke ich, werden alle bis auf uns schlafen. Wir wollen uns noch umsehen, ob jemand im Garten ist, und finden wir niemand, nun, dann brauchen wir ihn ja nur bei der

Hand zu nehmen und in die Hütte zu führen, die da als Schutz gegen den Regen steht. Dann bleibt die eine mit ihm drinnen, und die andere steht Schildwache. Er ist ja so dumm, dass er mit uns vornimmt, was wir nur wollen.«

Masetto hörte diese ganze Unterhaltung. Er war willig zu gehorchen und wartete nur, bis eine ihn bei der Hand nehmen wollte. Die Nonnen sahen sich inzwischen überall um, und als sie sich überzeugt hatten, dass sie von keiner Seite bemerkt werden konnten, näherte sich ihm die eine, welche zuerst gesprochen hatte, und weckte ihn. Masetto stand sogleich auf. Die Schwester nahm ihn bei der Hand und führte ihn unter vielen Liebkosungen von ihrer und unter albernem Gelächter von seiner Seite in die Hütte, wo er sich nicht lange bitten ließ zu tun, was von ihm begehrt wurde.

Die Nonne war ehrlich genug, als sie ans Ziel ihrer Wünsche gekommen war, ihrer Freundin Platz zu machen, und Masetto, der immer noch den Tölpel spielte, fand sich zu allem bereit. So wollten denn beide, ehe sie heimkehrten, mehr als einmal untersuchen, wie der Stumme sich auf die Reitkunst verstehe, und auch nachher sagten sie oft zueinander, die Sache gewähre gewiss so viel Vergnügen und noch mehr, als ihnen davon erzählt worden war. Daher wussten sie denn auch fernerhin ihre Zeit wahrzunehmen und erfreuten sich gar oft mit ihrem Stummen.

Eines Tages aber begab es sich, dass eine Klosterschwester aus ihrem Zellenfenster den ganzen Hergang der Sache beobachtete und noch zwei andere herbeirief. Zuerst war davon die Rede, die Schuldigen bei der Äbtissin zu verklagen. Dann aber änderten sie ihren Entschluss, wurden mit jenen einig und zugleich mit ihnen der Reichtümer des Masetto teilhaftig. Durch mancherlei Zufälle kamen allmählich auch die übrigen drei dahin, ihnen Gesellschaft zu leisten.

Zuletzt fand die Äbtissin, die von diesen Geschichten noch

immer nichts bemerkt hatte, eines Tages, als sie bei großer Hitze allein im Garten umherging, den Masetto, den weniger die leichte Gartenarbeit bei Tage als die vielfachen Reiterstückchen bei Nacht ganz erschöpft hatten, im Schatten eines Mandelbaumes hingestreckt schlafen. Der Wind hatte ihm die Kleider vorn ganz zurückgeweht, so dass er bloß dalag und die Frau Äbtissin Dinge sehen ließ, die in ihr die gleiche Lust wie in ihren Klosterjungfrauen erregten. Da sie sich allein sah, weckte sie den Masetto, führte ihn in ihr Gemach und behielt ihn dort mehrere Tage lang, während die Nonnen sich bitter beschwerten, dass der Gärtner ihren Garten so lange unbestellt lasse. Die Frau Äbtissin aber kostete inzwischen zu vielen Malen jene Freuden, die sie bisher an andern immer verdammt hatte. Endlich schickte sie ihn in seine Wohnung zurück. Als sie ihn aber oft wiederbegehrte und mehr als ihren Anteil von ihm forderte, der so viele zugleich nicht zu befriedigen vermochte, deuchte es dem Masetto, sein erdichtetes Stummsein könne ihm zu großem Unglück gereichen, wenn er noch länger dabei bleibe. Deshalb löste er während einer Nacht, die er bei der Äbtissin zubrachte, das Band seiner Zunge und sprach: »Madonna, wohl habe ich gehört, dass ein Hahn auf zehn Hennen genug ist; man hat mir aber auch gesagt, dass zehn Männer kaum oder gar nicht imstande sind, ein Weib zu sättigen, wo ich doch ihrer neune bedienen muss. Das halte ich für kein Geld in der Welt mehr aus, und ich bin durch meine bisherigen Dienste schon so weit heruntergekommen, dass ich weder viel noch wenig mehr leisten kann. Drum lasst mich entweder in Frieden weiterziehen oder helft der Sache auf eine andere Weise ab.«

Als die gute Frau den vermeintlich Stummen reden hörte, erschrak sie nicht wenig und sagte: »Was, zum Geier, ich dachte, du wärest stumm?« »Madonna«, antwortete Masetto, »ich war es, aber nicht von Geburt. Eine Krankheit benahm mir die

Sprache, und erst diese Nacht fühle ich sie mir wiedergegeben und lobe Gott dafür von ganzem Herzen.« Sie glaubte ihm und fragte, was er mit den Neunen sagen wolle, die er zu bedienen habe. Masetto erzählte ihr die ganze Geschichte, und die Äbtissin erfuhr daraus, dass sie keine Nonne hatte, die nicht viel schlauer war als sie selbst. So entschloss sie sich, verständig wie sie war, mit ihren Mädchen übereinzukommen, ohne den Masetto fortzulassen und dadurch den Ruf des Klosters zu gefährden. Da nun der Meier in jenen Tagen gestorben war, sprachen sie untereinander über alles, was bisher vorgegangen war, und verabredeten dann gemeinschaftlich, die umwohnenden Leute glauben zu machen, Masetto habe durch ihr Gebet und die Gnade des Heiligen, dem das Kloster geweiht war, nach langem Stummsein den Gebrauch seiner Zunge wiedererlangt. Dann machten sie ihn zu ihrem Meier und verteilten seine Lasten so, dass er sie auszuhalten vermochte. Auch betrieben die Nonnen diese Angelegenheit so vorsichtig, dass niemand deswegen Verdacht schöpfte, obgleich sie von ihm erzeugte Mönchlein in Menge zur Welt brachten.

Erst nach dem Tode der Äbtissin bekam Masetto, der nachgerade alt geworden war, Lust, mit dem erworbenen Reichtum nach Hause zu ziehen, was ihm denn auch willig gewährt wurde. So kehrte er denn bejahrt, reich und ohne die Beschwerde und die Kosten, den Kindern Brot schaffen zu müssen, zum vielfachen Vater geworden, in seine Heimat zurück, nachdem er schlauerweise seine Jugend gut zu nutzen verstanden hatte. Und er, der mit der Axt auf der Schulter ausgegangen war, pflegte zu sagen, so verfahre Gott mit denen, die ihm Hörner aufsetzten.

Aus Italo Calvino,
Herr Palomar

Das Sandbeet

Ein kleiner Hof, bedeckt mit weißem grobkörnigem Sand, fast Kies, geharkt in parallelen Geraden und konzentrischen Kreisen rings um fünf unregelmäßige Gruppen von Steinen oder flachen Felsbrocken. So präsentiert sich eins der berühmtesten Monumente der japanischen Kultur, der Stein- und Sandgarten des Ryoanji-Tempels in Kyoto, Sinnbild einer kontemplativen Versenkung ins Absolute, die mit einfachsten Mitteln zu erreichen ist, ganz ohne Rekurs auf verbale Begriffe, wenn man den Lehren der Zen-Mönche folgt, der spirituellsten Sekte des Buddhismus.

Das farblose Sandgeviert wird auf drei Seiten von ziegelgedeckten Mauern begrenzt, hinter denen Bäume grünen. An der vierten Seite ist eine hölzerne Tribüne mit Stufen, auf denen das Publikum Platz nehmen kann. »Wenn unser inneres Auge sich in den Anblick dieses Gartens versenkt«, erläutert der Handzettel, den die Besucher erhalten, auf Japanisch und Englisch, unterzeichnet vom Abt des Tempels, »fühlen wir uns befreit von der Relativität unseres individuellen Ichs, während uns die Ahnung des absoluten Ichs mit ruhigem Staunen erfüllt und unsere vernebelten Sinne reinigt.«

Herr Palomar ist bereit, diese Ratschläge treu zu befolgen.

Er setzt sich auf die Stufen und betrachtet die Felsen, Stein für Stein, er folgt den Linien im weißen Sand und lässt die undefinierbare Harmonie, die den Teilen des Bildes Zusammenhalt gibt, langsam in sich eindringen.

Oder vielmehr: Er versucht sich das alles so vorzustellen, wie es jemand empfinden würde, der sich darauf konzentrieren könnte, den Zen-Garten in Stille und Einsamkeit zu betrachten. Denn – das haben wir vergessen zu sagen – Herr Palomar ist auf der Tribüne eingezwängt zwischen Hunderten von Besuchern, die ihn von allen Seiten bedrängen, Fotoapparate und Filmkameras schieben ihre Objektive zwischen die Ellenbogen, die Knie, die Ohren der Menge, um den Sand und die Steine, beleuchtet vom Tageslicht und von den Blitzlichtern, aus allen möglichen Winkeln aufzunehmen. Füße in Wollsocken übersteigen ihn rudelweise (die Schuhe lässt man, wie überall in Japan, am Eingang), große Kinderscharen werden von pädagogisch beflissenen Eltern in die vorderste Reihe geschoben, Trupps von uniformierten Schülern drängen sich durch, einzig darauf bedacht, den Pflichtbesuch des berühmten Monuments rasch hinter sich zu bringen, während gewissenhafte Touristen mit rhythmischem Auf und Ab des Kopfes prüfen, ob alles, was im Führer geschrieben steht, auch wirklich der Realität entspricht und ob alles, was in der Realität zu sehen ist, auch wirklich im Führer geschrieben steht.

»Wir können den Sandgarten als einen Archipel von Felseninseln in der unendlichen Weite des Ozeans sehen, oder als Gipfel hoher Berge, die aus einem Wolkenmeer aufragen. Wir können ihn als ein Gemälde sehen, umrahmt von den Mauern des Tempels, oder auch den Rahmen vergessen und uns vorstellen, das Sandmeer erstrecke sich grenzenlos und bedecke die ganze Welt.«

Diese »Gebrauchsanweisungen« sind dem Handzettel zu entnehmen, und sie erscheinen Herrn Palomar auch ganz plausibel und jederzeit mühelos anwendbar, vorausgesetzt, man ist wirklich sicher, eine Individualität zu haben, von der man sich befreien kann, und die Welt aus dem Innern eines Ichs zu betrachten, das sich aufzulösen und reiner Blick zu werden vermag. Doch genau diese Voraussetzung erfordert ein Mehr an Vorstellungskraft, das nur schwer aufzubringen ist, wenn man sein Ich in einer kompakten Masse eingekeilt findet, die durch ihre tausend Augen blickt und auf ihren tausend Füßen die obligate Besichtigungstour absolviert.

Bleibt also nur zu folgern, dass die mentalen Zen-Techniken zur Erlangung der äußersten Demut, der totalen Loslösung von allem Besitzdenken und aller Hoffahrt, als unabdingbaren Hintergrund das aristokratische Privileg verlangen, den Individualismus mit viel Raum und Zeit um sich her, den Horizont einer sorglosen Einsamkeit?

Nein, diese Folgerung, die bloß zur üblichen Klage über ein verlorenes Paradies führt, das vom Ansturm der Massenzivilisation überrollt worden ist, klingt Herrn Palomar zu einfach. Er geht lieber einen schwereren Weg und versucht zu erfassen, was ihm der Zen-Garten hier und heute zu sehen gibt, in der einzigen Situation, in der man ihn heute betrachten kann, den Hals gereckt zwischen zahllosen anderen Hälsen.

Was sieht er? Er sieht die menschliche Gattung in der Ära der großen Zahlen, ausgedehnt zu einer nivellierten Masse, die gleichwohl noch immer aus einzelnen Individualitäten besteht, wie dieses Meer von Sandkörnern, das die Oberfläche der Welt überschwemmt … Er sieht die Welt dessenungeachtet weiter die steinernen Buckel ihrer gegen das Schicksal der Menschheit indifferenten Natur vorzeigen, ihre harte Substanz, nicht reduzierbar auf menschliches Maß … Er sieht die Formen, zu denen der menschliche Sand gerinnt, tendenziell den Bewegungslinien folgen, als Zeichnungen, die Gleichmaß und Flüssigkeit miteinander verbinden wie die geradlinigen oder kreisrunden Harkspuren eines Rechens ... Und zwischen der Menschheit-als-Sand und der Welt-als-Stein ist eine mögliche Harmonie zu erahnen, wie zwischen zwei inhomogenen Harmonien: jener des Nichtmenschlichen in einem Kräftegleichgewicht, das keinem Plan zu entsprechen scheint, und jener der menschlichen Strukturen, die nach der Rationalität einer geometrischen oder musikalischen Komposition strebt, ohne sie je zu erreichen ...

Andrew Marvell
Der Garten

Wie eitel ist des Menschen stete Jagd,
Der nur nach Palmzweig, Eichblatt, Lorbeer fragt;
Um dann nach solchem angestrengten Tun
Von einem einz'gen Kraut gekrönt zu ruhn,
Das nichts als schütt'ren Schatten bieten kann,
Der klüglich tadelnd seine Mühn sieht an;
Da Blumen, Bäume doch in dichten Reihn
Der Muße Kränze winden im Verein.

Hab ich dich hier gefunden, schöne Ruh,
Und deine Schwester Unschuld auch dazu!
Lang irrte ich, da ich euch finden wollt,
Wo Menschen der Geschäftigkeit sind hold.
Soll irgend euer heilig Grün erstehn,
So kann dies nur im Pflanzenreich geschehn.
Sieht man, wie diese Einsamkeit macht froh,
Erscheint uns die Gesellschaft beinah roh.

Nie sah man Weiß noch Rot, das so verliebt
Wohl war wie dieses Grün, das uns umgibt.
Liebende, töricht, schneiden voller Pein
Der Liebsten Namen in die Bäume ein.
Doch ach, sie wissen kaum, noch achten sie,
Um wieviel schöner diese sind als sie!
Ritzt' ich, ihr Bäume, etwas in euch ein,
So sollt's nur euer eigner Name sein.

Wenn unsre Leidenschaft ein Ende hat,
Findet die Liebe hier die beste Statt.
Die Jagd der Himmlischen nach ird'schen Fraun
Fand stets ihr Ende doch in einem Baum:
Apoll verfolgte Daphne solcherart,
Dass schließlich sie zu einem Lorbeer ward;
Und Pan auf seinem Lauf zu Syrinx hin
Hatt' nicht die Nymphe, nur das Rohr im Sinn.

Wie wunderbar ist doch mein Leben hier!
Reif fall'n vom Baum die Äpfel neben mir;
Des Weinstocks Trauben ohne Unterlass
Pressen mir in den Mund ihr köstlich Nass;
Die Nektarine und der Pfirsich fein
Geben sich selbst in meine Hand hinein;
Am Weg Melonen lassen stolpern mich,
Verstrickt in Blumen fall zu Boden ich.

Derweilen ziehet sich der Geist zurück
Aus niedren Freuden in sein eignes Glück:
Der Geist, der Ozean, drin jeder Art
Von Dingen ein genaues Abbild harrt;
Jenseits von alledem schafft er jedoch
Ganz andre Welten, andre Meere noch;
Zu grünem Denken lässt vergehen er
Ein jedes Ding in grünem Schattenmeer.

Hier, da der Quell entspringt der Erde Schoß,
An eines Obstbaums Wurzel voller Moos,
Wirft meine Seel' des Leibes Hülle fort
Und schwingt hinauf sich in die Zweige dort:
Dort sitzt und singet sie nach Vogelart,
Putzt sich und kämmt die Silberflügel zart,
Und ehe sie zu höh'rem Flug aufbricht,
Schwenkt ihr Gefieder sie im bunten Licht.

Solch Glück herrschte im Garten immerdar,
Solang der Mann dort ohn' Gefährtin war:
An einem Ort so angenehm und rein,
Welch Hilfe mochte da noch nötig sein!
Doch konnt's dem Menschen nicht beschieden sein,
Umherzuziehn an jenem Ort allein:
Ein doppelt Paradies war's sicherlich,
Im Paradies zu leben ganz für sich.

Wie klug schuf der geschickte Gärtner nur
Aus Blumen, Kräutern diese neue Uhr;
Wo mild'res Sonnenlicht vom Himmel träuft
Und drauf durch einen duft'gen Tierkreis läuft;
Die fleiß'ge Biene, welche tätig hier,
Misst ihre Zeit genauso gut wie wir.
Nie ward für solche angenehmen Stunden
Ein bessres Maß als Kraut und Blum' gefunden!

Eine Bemerkung zu den islamischen Teppichgärten

Die im Koran ständig wiederholten Schilderungen der Quellen des Gartens Eden, seiner Ströme, seines köstlichen Schattens, der Fülle von Früchten, die er birgt, und der Atmosphäre vollkommener Ruhe, die in ihm herrscht, bilden die Grundlage für die außerordentliche Gartenkunst der islamischen Welt. Die traditionelle *chahar-bagh*-Struktur des islamischen Gartens (von persisch *chahar* »vier« und *bagh* »Garten«) besteht aus einer symbolischen Quelle im Zentrum, der im rechten Winkel zueinander vier Ströme entspringen. Die vierteilige Struktur verwendeten die persischen Gartenschöpfer, schon lange bevor die Perser zum Islam bekehrt wurden, aber als islamische Architekten das *chahar-bagh*-Konzept übernahmen und es ihren Gartenentwürfen zugrunde legten, verliehen sie seiner Symbolik eine neue Basis, die sie dem Koran entnahmen, wobei sie vor allem die vier Ströme des alten Konzepts mit den vier Flüssen des Gartens Eden verknüpften, von denen der Prophet spricht. Islamische Gärten bieten sich dem Auge als Vorahnungen oder symbolische Präfigurationen der Gärten des Paradieses dar, welche die Gläubigen nach dem Tode erwarten.

Zwar ist die vierteilige Anlage des islamischen Gartens bemerkenswert konstant und kehrt ständig wieder, sie kann aber unterschiedliche materielle Formen annehmen. »Hier in diesem Teppich lebt eine immerdar liebliche Quelle«, heißt es zu

Beginn eines Sufi-Gedichts aus dem 16. Jahrhundert. Einige der schönsten islamischen Gärten sind in der Tat in Teppiche gewoben. Der berühmte »Aberconway«-Teppich beispielsweise mit seinem sich wiederholenden geometrischen *chaharbagh*-Muster ist ein persisches Wunderwerk aus dem 18. Jahrhundert, das sich mit den hängenden Gärten von Babylon auf eine Stufe stellen lässt. Keine photographische Abbildung kann die sinnliche Textur dieses Stückes oder die Art und Weise wiedergeben, in der seine Farben das Licht brechen und auf der Oberfläche des Teppichs vielfältige Reflexionen hervorrufen. Hier enthält jede quadratische oder rechteckige Fläche einen bestimmten Baum oder Obstbaum, der von vier Strömen gewässert wird, die aus einer im Mittelpunkt gelegenen Quelle in die vier Quadranten des Universums fließen. In den gestickten Rändern, welche die Einfassung des Gartens definieren, ist alles Ordnung, Harmonie und kosmische Einheit. Gartenteppiche, wie man diese Kunstgattung nennt, zeigen, dass Gärten nicht aus Stein, Wasser und Pflanzen gemacht zu sein brauchen. Sie können in Wolle wachsen, die mit Pflanzenfarben gefärbt ist, und auf einem Fußboden liegen. Und da es in traditionellen muslimischen Haushalten üblich war, auf dem Fußboden zu sitzen, saß man nicht rings um den Garten des Teppichs, sondern *in* ihm, symbolisch gesprochen. Durch das Gewebe des Teppichs wurde ein Stück des irdischen Paradieses ins Innere des Hauses gebracht und erfüllte den häuslichen Raum mit der Freude und Heiterkeit, die Gott den Gerechten verheißen hatte.

Dass die Beziehung zwischen Teppichen und Gärten variabel ist, beweist der sogenannte Teppichgarten, den Prinz Charles in Highgrove in Gloucestershire angelegt hat. Dies ist ein Freiluftgarten, dessen Muster und Farben ungefähr auf denjenigen zweier tribaler Teppiche aus Anatolien basieren, die der Prinz besitzt. Der Teppichgarten von Highgrove (den Prinz Charles selbst konzipiert hat und der ursprünglich von Michael Miller für die im Jahre 2001 veranstaltete Blumenschau in Chelsea entworfen wurde) übersetzt auf schöpferische Weise die Gartenmotive der anatolischen Teppiche in einen »richtigen« Garten und nicht umgekehrt. Nach den Abbildungen in Emma Clarks prachtvollem Buch *The Art of the Islamic Garden* zu urteilen, ist das Ergebnis einer der auserlesensten kleinen Gärten in England.

Es hat den Anschein, als verdanke die islamische Kunst der Gartenteppiche ihre ursprüngliche Inspiration zumindest zum Teil dem spektakulären »Winterteppich« des Sassanidenkönigs Chosrau II. (Regierungszeit 590–628), dessen Winterhauptstadt Ktesiphon südlich von Bagdad am Tigris lag. Obgleich auf ihm Frühlingsszenen dargestellt waren, bezeichnete man ihn als Winterteppich, weil er für Festlichkeiten verwendet wurde, die in der winterlichen Jahreszeit, wenn es für Veranstaltungen im Freien zu kalt war, im Innern des Palastes abgehalten wurden. In einer zeitgenössischen Quelle heißt es, er bestehe aus »Seide, Gold und Silber sowie Edelsteinen. Dargestellt war auf ihm ein schöner Lustgarten mit Bächen und verschlungenen Wegen, mit Bäumen und Frühlingsblumen« (Clark, *The Art of the Islamic Garden*, S. 173). Als muslimische arabische Invasoren im Jahr 637 Ktesiphon einnahmen, schnitten sie den Teppich in Stücke und verteilten sie, nicht so sehr wegen der kostbaren Materialien, aus denen er bestand, sondern weil sie der Ansicht waren, dass seine Pracht nicht, wie es der Islam fordert, ihre Quelle in Gott anerkenne. Kurz gesagt, er symbolisierte die transzendente Macht hinter der sichtbaren Welt nicht in angemessener Weise. Als die persischen Meister im 10. Jahrhundert damit begannen, stilisierte Darstellungen der Gärten des Paradieses in ihre Teppiche zu weben, war dieses oberste Gebot der islamischen Religion – dass alle schönen Dinge ihre Schuld gegenüber Gott bekennen – in die islamische Kunst der Gartenteppiche aufgenommen worden, und diese Kunst sollte dann jahrhundertelang in Blüte stehen.

Symbolik ist in islamischer Gartenkunst alles. Eines der Hauptdogmen des Islam besagt, die sichtbare Welt sei ein »Zeichen« ihres Schöpfers. Alles auf der Welt, ob groß oder klein, ist ein Zeichen, darunter auch die Worte des Koran (mit dem arabischen Wort für »Zeichen«, *aya*, wird auch ein Vers des Koran bezeichnet). Ebenso sind all die schönen Formen, welche die islamische Kunst und Architektur hervorbringt, als Zeichen aufzufassen; ja, sie sind ganz besonders bedeutungsschwere Zeichen, da ihr Zweck darin besteht, die unendliche Weisheit des Schöpfers zu bezeichnen. In dieser Hinsicht stehen Gartenteppiche auf derselben symbolischen Ebene wie »richtige« Gärten, insofern beide sichtbare Manifestationen einer sonst verborgenen Essenz sind. Die Quelle und die Ströme können buchstäblich oder auch bloß sinnbildlich sein, das heißt, in ihnen kann »richtiges« Wasser fließen (wie im Falle der Gärten des Generalife in der Alhambra in Granada), oder das Wasser kann auch lediglich durch stilisierte Linien dargestellt sein (wie etwa im Falle der Gartenteppiche). Diese Unterscheidung ist jedoch sekundär, denn auf der primären Ebene weisen beide Arten von Gärten über sich hinaus auf eine transzendente Seinsordnung. Die Quelle beispielsweise symbolisiert verschiedene spirituelle oder metaphysische Prinzipien (Einheit, lebenspendende Kraft, Gnade, göttliche Quelle und dergleichen), genau wie die vierfache Gliederung für verschiedene kosmologische oder formale Prinzipien steht (die vier Ströme des Gartens Eden, die vier Elemente, die vier Jahreszeiten, die vier Haupthimmelsrichtungen, die vier Quadranten des Universums). Titus Burckhardt, einer der großen westlichen Kenner islamischer Kunst, hat das folgendermaßen ausgedrückt: »Der Gegenstand der Kunst ist die Schönheit der Form, während der Gegenstand der Kontemplation die Schön-

heit jenseits der Form ist« (Burckhardt, *Art of Islam*, S. 197).
Im Islam besteht der religiöse Zweck der ersteren darin, letztere zu inspirieren.

Die islamische Kultur umfasst einige der schönsten Formen, die sich in der Kunstgeschichte entwickelt haben, angefangen mit ihrer Kalligraphie, aber nirgends lenkt die äußere Schönheit der Form intensiver die Aufmerksamkeit auf ihren inneren spirituellen Bezugsgegenstand als in den ruhigen geometrischen Harmonien des islamischen Gartens. Das ist darauf zurückzuführen, dass der islamische Garten in einer direkten Bezeichnungsbeziehung zu der wahren, einstweilen noch unsichtbaren Heimat der Gläubigen steht: zu den Gärten des Paradieses, in denen die Gläubigen nach ihrem Tode in uneingeschränkter Gegenwart Gottes wohnen werden. Das arabische Wort *al-jannah* bedeutet sowohl »Garten« als auch »Verbergung«, und das legt nahe, dass es tatsächlich, wie die mystische Sufi-Tradition behauptet, einen geheimen »Garten des Herzens« gibt, in dem die wahren Belohnungen des Paradieses, die für uns hier auf Erden unsichtbar sind, ihre höchste Verwirklichung finden. Der islamische Garten (ob auf einem Teppich dargestellt oder in Stein, Wasser und Pflanzen verkörpert) lädt den Gläubigen ein, über die Ruhe und Harmonie seiner äußeren Form hinweg auf die jenseitige Ruhe des Geistes zu blicken oder, besser gesagt, *in* den von menschlicher Kunst geschaffenen Gärten Vorahnungen der vollkommenen spirituellen Ruhe des Lebens nach dem Tode zu sehen. Somit schulden wir dem Leben nach dem Tode Dank, ob es nun existiert oder nicht.

Dank

Dieses Buch ist zwar den Frauen im allgemeinen gewidmet, aber ich möchte insbesondere denjenigen *donne ch'avete intelletto d'amore* danken, die mir mit ihrer Inspiration, ihrer aufmerksamen Lektüre erster Entwürfe, ihren schöpferischen Anregungen und ihrer Ermutigung dabei geholfen haben, es zu verwirklichen. Zu ihnen gehören Susan Stewart, Heather Webb, Andrea Nightingale, Weixing Su, Marjorie Perloff und Shirley Hazzard. Danken möchte ich auch Christa dafür, dass sie mich vor vielen Jahren in den Garten der Sonne geführt hat, und Molly für den Garten an der Gerona Road, in dem alle meine Bücher gekeimt und aufgeblüht sind.

Was die »Männer meines eigenen Geschlechts« angeht, wie Woody Allen sie einmal genannt hat, so danke ich Joshua Landy und Dan Edelstein für ihre Lektüre der laufenden Arbeit und ihre Kommentare zu ihr, und David Lummus danke ich für seine unschätzbare Hilfe als mein Forschungsassistent. Mein Dank gilt auch Sepp Gumbrecht für seine unerschütterliche Freundschaft.

John Freccero hat mir einmal gesagt, ich sollte die Institution niemals personalisieren, aber ich kann nicht umhin, der Stanford University für all das zu danken, was sie im Laufe der Jahre für mich getan hat.

Anmerkungen

Da dieses Buch mit seinen Themen und seinen Quellen weit ausgreift, stellen die hier angeführten Werke der Sekundärliteratur nur einen kleinen Teil der einschlägigen Bibliographie dar. Überwiegend zitiere ich solche Artikel und Bücher, die mir unmittelbar von Nutzen waren oder deren Heranziehung meines Erachtens für den Leser hilfreich sein könnte. In einigen Fällen benutze ich die Anmerkungen als Gelegenheit, um ausgewählte Themen oder Fragestellungen zu vertiefen oder zusätzliche Informationen zu ihnen zu bieten.

Sämtliche Übersetzungen, für die nicht auf eine deutsche, sondern auf eine fremdsprachige Quelle verwiesen wird, sind Direktübertragungen des Übersetzers.

* * *

Der Keim dieses Buches reicht in das Jahr 2002 zurück, als Thomas Padon von der American Federation of Arts mich um einen Essay über Gärten in der Vorstellungswelt des Abendlandes bat. Mein Aufsatz erschien dann im Katalog einer Wanderausstellung von Gartenphotographien mit Aufnahmen einer internationalen Gruppe zeitgenössischer Künstler. Der von Padon herausgegebene Band wurde 2004 unter dem Titel *Contemporary Photography and the Garden: Deceits and Phantasies* veröffentlicht. Mein Aufsatz (S. 146–57) geht auf eine Reihe der Themen ein, die ich hier eingehender behandle. Neben meinem Beitrag und einigen der außergewöhnlichsten Gartenphotographien, die ich je gesehen habe, enthält *Contemporary Photography and the Garden* eine schöne Einführung in das Thema Gärten und Kultur von Thomas Padon (S. 10–25) sowie zwei kurze, aber außerordentlich anregende Essays: Shirin Neshat, »Gardens as Metaphors« (S. 136–38) und Ronald Jones, »The Promise of a Garden« (S. 138–45).

1 Der Beruf der Sorge

Über die Frage nach dem Ursprung und dem Wesen des Begriffs Elysium herrscht beträchtliche Unklarheit. Hornblower und Spawforth (*Oxford Classical Dictionary*, S. 23) geben die folgende knappe Definition: »Elysium oder die Inseln der Seligen, an den Enden der Erde gelegen, erwähnt bei Homer (*Odyssee* 4,561–69) und Hesiod (*Werke und Tage* 167–73) als der Ort, an den die Götter bestimmte bevorzugte Helden, die vom Tod befreit sind, versetzen. Elysium ist anscheinend ein Überbleibsel der minoischen Religion; als sich ein späteres Zeitalter mit dem Schicksal der seligen Toten beschäftigte, wurde Elysium entsprechend den griechischen Vorstellungen und dem homerischen Bild in die Unterwelt versetzt.« Allgemeine Ausführungen zu Unsterblichkeit und griechischer Religion bieten Erwin Rohde, *Psyche;* Walter Burkert, *Griechische Religion;* und Jasper Griffin, *Homer on Death and Life.* Zu einer Geschichte des Lebens nach dem Tode in der abendländischen Tradition einschließlich Ausführungen zu Dante und dem römischen Elysium siehe Jeffrey Burton Russell, *A History of Heaven: The Singing Silence.* Über die Sterblichkeit Achills siehe Graham Zanker, *The Heart of Achilles: Characterization and Personal Ethics in the* »*Iliad*«.

Der Limbo Dantes, der in *Inferno* 4 geschildert wird, erinnert stark an die elysischen Felder in der Unterwelt Vergils (siehe *Äneis*, Buch 6). Zu Dantes Limbo siehe Amilcare A. Iannucci, »Limbo: The Emptiness of Time«. Zu den Unterschieden zwischen dem Paradies Dantes und dem griechisch-römischen Elysium siehe Jeffrey T. Schnapp, »›Sì pïa l'ombra d'Anchise si porse‹: *Paradiso* 15.25«.

Zu Kalypso siehe Bruce Loudon, *The Odyssey: Structure, Narration, and Meaning,* Kapitel 5, sowie die ersten beiden Kapitel von Simon Goldhill, *The Poet's Voice: Essays on Poetics and Greek Literature,* S. 1–166.

Die Fabel von Cura stammt in der hier angeführten Form aus Heideggers *Sein und Zeit* (S. 262f.), wo sie im Zusammenhang seiner Ausführungen über die sogenannte innere Einheit des Seins des Daseins steht, die er eben als Sorge definiert. Heidegger zitiert die Fabel, die uns der spätrömische Mythograph Hyginus überliefert hat, nach der Übersetzung in Konrad Burdach, »Faust und die Sorge«, S. 41f. Zum lateinischen Original des Gesamtwerks siehe die Teubner-Ausgabe der *Hygini Fabulae;* eine vollständige deutsche Übersetzung bietet der Band *Griechische Sagen: Apollodoros, Parthenios, Antoninus Liberalis, Hyginus.*

Der sogenannten Ethik der Sorge stehe ich zwar grundsätzlich mit Sympathie gegenüber, aber meine Reflexionen über Gärten in diesem Buch sind dieser Bewegung, die ihren Ursprung in Psychologie und feministischer Theorie hat, nicht im einzelnen verpflichtet. Die Grundlagen der ethischen Theorie dieser Bewegung lassen sich zum Teil auf die metaphysische Ethik von Emmanuel Lévinas zurückführen (siehe hierzu *Totalität und Unendlichkeit*). Bedeutende Beiträge zu dieser Thematik sind unter anderem Carol Gilligan, *Die andere Stimme: Lebenskonflikte und Moral der Frau;* Selma Sevenhuijsen, *Citizenship and the Ethics of Care: Feminist Considerations on Justice, Morality, and Politics;* Virginia Held, *The Ethics of Care: Personal, Political, Global;* Ruth E. Groenhout, *Connected Lives: Human Nature and the Ethics of Care* und dies., *Theological Echoes in an Ethics of Care.* Neuerdings ist die Ethik der Sorge auf die ökologische Theorie angewendet worden; siehe Sherilyn MacGregor, *Beyond Mothering Earth: Ecological Citizenship and the Politics of Care* und Robert C. Fuller, *Ecology of Care: An Interdisciplinary Analysis of the Self and Moral Obligation.*

In Italien vertreten Adriana Cavarero und die feministische philosophische Gemeinschaft, die sich Diotima nennt, ihre eigene, spezifische und (für mich) sehr überzeugende Version einer Ethik der Sorge. Diotima wurde 1983 an der Universität Verona gegründet. Ihren philosophischen Unterbau verdankt sie weitgehend der politischen Philosophie Hannah Arendts sowie in geringerem Umfang dem Feminismus von Luce Irigaray und der theoretischen und politischen Debatte der Frauenbewegung. Die Diotima-Gruppe veranstaltet immer noch jährlich Seminare, aus denen Buchveröffentlichungen hervorgehen. Der erste dieser Sammelbände erschien 1987 unter dem Titel *Il pensiero della differenza sessuale,* zu dem Adriana Cavarero den bedeutenden Aufsatz »Per una teoria della differenza sessuale« beisteuerte. Meines Erachtens ist Cavarero (die sich später von der Gruppe distanzierte) eine der interessantesten Philosophinnen, die gegenwärtig schreiben. Siehe ihre Werke *Nonostante Platone (Platon zum Trotz: Weibliche Gestalten der antiken Philosophie); Corpi in figure* (englisch: *Stately Bodies: Literature, Philosophy and the Question of Gender*); und als neuestes *A più voci: Filosofia dell'espressione vocale* (englisch: *For More Than One Voice: Towards a Philosophy of Vocal Expression*). Weitere Denkerinnen, die mit Diotima in Zusammenhang stehen, sind unter anderem Wanda Tommasi, Chiara Zamboni, Anna Maria Piussi und Giannina Longobardi. Eine ausgezeichnete Anthologie kritischer Aufsätze in englischer Übersetzung ist Graziella Parati und Rebecca J. West (Hg.), *Italian Feminist Theory and Practice: Equality and Sexual Difference,* und darin besonders Lucia Re, »Diotima's Dilemmas: Authorship, Authority, Authoritarianism«, S. 50–74.

Die wissenschaftliche Literatur über den Garten Eden in der Bibel und in späterer Literatur ist gewaltig und umfangreich. Von unmittelbarstem

Nutzen war für mich A. Bartlett Giamattis 1966 erschienenes Werk *The Earthly Paradise and the Renaissance Epic*. Einige neuere Untersuchungen, die Erwähnung verdienen, sind unter anderem James E. Miller, *The Western Paradise: Greek and Hebrew Traditions;* Paul Morris und Deborah Sawyer (Hg.), *A Walk in the Garden: Biblical, Iconographical, and Literary Images of Eden;* und Martin Herbst, *God's Womb: The Garden of Eden, Innocence and Beyond.*

Den Ausdruck *felix culpa* verwende ich in einem etwas anderen Sinn als die katholische Tradition. Geprägt wurde er von Augustinus (oder vielleicht von Ambrosius) in einer Osterhymne – dem Exsultet – über Adams und Evas Fall aus dem Stand der Unschuld: »O certe necessarium Adae peccatum, quod Christi morte deletum est! O felix culpa quae talem et tantum meruit habere redemptorem!« (»O wahrhaft notwendige Sünde Adams, die durch den Tod Christi getilgt worden ist! O glückliche Schuld, die es verdiente, einen solchen und so großen Erlöser zu erhalten!«). Der Fall war insofern glücklich, als er es der Menschheit gestattete, durch Christus erlöst zu werden. Diese Hymne ist immer noch ein Teil der katholischen Liturgie am Karsamstag. Dichterisch gestaltet diese Vorstellung Milton, *Das verlorene Paradies*, Buch 12, 469–76:

> O unermessne, grenzenlose Güte,
> Die all dies Heil aus Bösem schafft und Böses
> Zum Guten wendet, wunderbarer noch,
> Als da zuerst sie durch die Schöpfung Licht
> Aus Finsternis berief! Ich zweifle fast,
> Ob mich der Sünde noch gereuen soll,
> Die ich beging und zeugte, nun ich seh,
> Daß mehr des Guten draus entspringen wird.
> (S. 327)

Zu Hannah Arendts Theorie der *vita activa* in ihren drei Aspekten Arbeit, Herstellen und Handeln siehe ihr Werk *Vita activa oder Vom tätigen Leben*. Die Sekundärliteratur über Arendt ist natürlich äußerst umfangreich. Das Folgende stellt nur eine winzige Auswahl nützlicher Untersuchungen und Sammelbände dar: Dana Villa (Hg.), *The Cambridge Companion Guide to Hannah Arendt;* Malcolm Bull, »The Social and the Political«; James W. Bernauer (Hg.), *Amor Mundi: Explorations in the Faith and Thought of Hannah Arendt;* und Maurizio Passerin d'Entrèves, *The Political Philosophy of Hannah Arendt* (besonders S. 64–100 zu ihrer Philosophie des Handelns). Siehe auch Linda M. G. Zerilli, *Feminism and the Abyss of Freedom*, Kapitel 4.

Wenn Dante von Italien als dem »Garten des Reiches« spricht, dann meint er das Zentrum und den legitimen Sitz der Monarchie, wie er von der Vorsehung gewollt ist. Das Zitat stammt aus seiner Schelte gegen Italien in *Purgatorio* 6,103–05: »Ch'avete tu e il tuo padre sofferto / Per cupidigia di costà distretti, / Che il giardin dell'imperio sia diserto?« (»Was hast du und dein Vater zugelassen, / Von Habsucht nur im eignen Land getrieben, / Daß unbebaut verfiel des Reiches Garten?«)

Die Übersetzungen von Dantes *Paradiso* folgen der zweisprachigen Ausgabe von Hermann Gmelin. Die *Odyssee* ist zitiert nach Homer, *Odyssee*, griech. u. dt., übers. v. Anton Weiher. Zitate aus der Bibel in diesem wie in späteren Kapiteln sind der 1912 erschienenen Fassung nach der Übersetzung Martin Luthers entnommen.

2 Eva

Die Vertreibungsszene von Giusto de' Menabuoi (um 1320–1391) befindet sich in der Kapelle S. Giovanni Battista in Padua. Die Darstellung Masaccios ist in der Brancacci-Kapelle in Florenz (1424–28). Das Gemälde Michelangelos findet sich in der Sixtinischen Kapelle (1508–12). Albrecht Dürers Holzschnittfolge *Die Kleine Passion* (1510) wird heute im Britischen Museum aufbewahrt. Außer diesen Werken sollte man noch den außerordentlichen Majolikafußboden von Leonardo Chiaiese in der Chiesa Monumentale di San Michele in Anacapri erwähnen. Diese schöne Darstellung des Gartens Eden (um 1761) zeigt einen Engel, der Adam und Eva mit ausgestrecktem Arm aus dem Garten hinauswirft. Tatsächlich ist es schwierig, mit Sicherheit zu sagen, welche der beiden menschlichen Gestalten Adam ist und welche Eva, da beide entweder wie verweiblichte Männer oder wie maskuline Frauen aussehen; beide tragen genau dieselbe Kleidung, und keine von beiden hat anscheinend ausgeprägte weibliche Brüste. Die Gestalt zur Linken ist muskulöser, hat aber auch längeres Haar. Die Gestalt zur Rechten, welche die Arme emporhebt, ist bereits auf dem Weg zum Ausgang, während die linke Gestalt verzweifelter aussieht und eine bittende Geste macht. Aus der Sicht, die in diesem Kapitel vertreten wird, ist der Geist Evas von der Gestalt zur Rechten eingefangen, die, wie es scheint, voller Eifer und Erwartung auf dem Weg in eine neue Zukunft ist, wenngleich der neutrale Betrachter spontan eher geneigt sein wird, diese Gestalt wegen des kürzeren Haars als Adam zu identifizieren.

Die beiden Gedichte von Eleanor Wilner, die ich in diesem Kapitel zitiere, entstammen ihrem Sammelband *The Girl with Bees in Her Hair*.

Stendhals Definition der Schönheit als »Verheißung von Glück« taucht in seinen Schriften zweimal auf: »La beauté n'est jamais, ce me semble, qu'une *promesse de bonheur*« (*Rome, Naples et Florence*, Bd. 1, S. 45 f.; *Rom, Neapel und Florenz*, S. 35) und »La beauté n'est jamais que la promesse de bonheur« (*De l'amour*, Kap. 17, S. 74, Anm. 1; *Über die Liebe*, S. 76, Anm. 1).

Das Gedicht »Sunday Morning« von Wallace Stevens erschien ursprünglich 1913 in der Zeitschrift *Poetry* und wurde für die Aufnahme in seinen 1923 publizierten Sammelband *Harmonium* überarbeitet. Ausgezeichnete Einführungen in die Gedichte von Wallace Stevens bieten Joseph Hillis Miller in seinem Kapitel über Stevens in *Poets of Reality: Six Twentieth-Century Writers* und Harold Bloom in *Wallace Stevens: The Poems of Our Climate;* beide behandeln auch dieses Gedicht.

Die Übersetzung des Gedichts »Oda a la jardinera« von Pablo Neruda entstammt Pablo Neruda, *Elementare Oden, Das lyrische Werk 2*, hg. von Karsten Garscha. Eine gute Einführung in Pablo Neruda und seine Dichtung geben Manuel Durán und Margery Safir, *Earth Tones: The Poetry of Pablo Neruda*.

3 Der menschliche Gärtner

Die Zitate aus *Das Jahr des Gärtners* stammen aus der 1978 in 5. Auflage erschienenen Übersetzung von Grete Ebner-Eschenhayn. Die Illustrationen, die den Text in dieser Ausgabe begleiten, hat Karel Čapeks Bruder Josef gezeichnet. Außerhalb von Tschechien ist Čapek vor allem durch seine frühen Science-Fiction-Werke bekannt sowie dadurch, dass er zusammen mit seinem Bruder das Wort »Roboter« geprägt hat. Der größte Teil der Schriften zu Karel Čapeks literarischen Werken und zu seinem politischen Leben ist auf tschechisch geschrieben. Eine wichtige Studie ist Ivan Klíma, *Velký věk chce mít též velké mordy: Život a dílo Karla Čapka* (englisch: *Karel Čapek: Life and Work*). Von englischen Werken sind weiterhin zu nennen William Harkins' 1962 erschienene Biographie *Karel Čapek* und das Kapitel 4 von Peter Swirski, *From Lowbrow to Nobrow*. Zu einem Vergleich zwischen Čapek und Anton Čechov (mit dem er vieles gemeinsam hatte) siehe Peter Z. Schubert, *The Narratives of Čapek and Čexov: A Typological Comparison of the Authors' Worldviews*. Speziell zu seiner Politik siehe Bohuslava R. Bradbrook, *Karel Čapek: In Pursuit of Truth, Tolerance, and Trust*.

Montmorillonit ist ein Tonmineral, das 1847 in Montmorillon in Frankreich entdeckt und nach seinem Fundort benannt wurde. Im Jahr

2003 veröffentlichten die Forscher Jack W. Szostak, Martin M. Hanczyc und Shelly M. Fujikawa vom Howard Hughes Medical Institute and Massachusetts General Hospital in *Science* Befunde, denen zufolge Montmorillonit möglicherweise als Katalysator bei der Bildung der ersten lebenden Zellen fungiert hat (»Experimental Models of Primitive Cellular Compartments: Encapsulation, Growth, and Division«, 23. Oktober 2003).

Die primitiven Bakterien, die zur Herausbildung der Erdatmosphäre beitrugen, wie wir sie heute kennen, heißen *Cyanobakterien* oder »Blaualgen«. Während des Archaikums und des Proterozoikums (3,8 Milliarden bis 543 Millionen Jahre vor heute) erhöhten diese Bakterien den Sauerstoffanteil in der Atmosphäre von einem auf 20 Prozent, so dass das Gas lebensfreundlich wurde. Zu diesem Aspekt der Cyanobakterien siehe James F. Kasting und Janet L. Siefert, »Life and the Evolution of Earth's Atmosphere«, in: *Science*, 10. Mai 2002. Cyanobakterien sind für das Pflanzenleben generell von Bedeutung, weil sie zu den ganz wenigen Organismen gehören, die den Stickstoff der Atmosphäre in organischen Stickstoff verwandeln können (den die Pflanzen aus dem Boden beziehen). Cyanobakterien sind auch die Chloroplasten, die durch Photosynthese Nahrung für Pflanzen produzieren.

4 *Obdachlosengärten*

Der Brief Rilkes an Salomé vom 8. August 1903 ist zitiert nach Rainer Maria Rilke und Lou Andreas-Salomé, *Briefwechsel*, S. 94.

Die Behauptung William S. Merwins, dass der Gartenbau vor der Landwirtschaft entstanden sei, entstammt einem persönlichen Gespräch im Jahr 2004.

Zu einigen historischen Beispielen von Gemeinschaftsgärten siehe Ebenezer Howard, *To-morrow: A Peaceful Path to Real Reform;* John Esten, *Hampton Gardens: A 350-Year Legacy* und Peter Clark (Hg.), *The European City and Green Space: London, Stockholm, Helsinki, and St. Petersburg, 1850–2000.* Zu zeitgenössischen Gemeinschaftsgärten und städtischen Gartenanlagen im allgemeinen siehe außerdem Peter L. Wilson und Bill Weinberg (Hg.), *Avant-Gardening: Ecological Struggle in the City and the World;* Laura J. Lawson, *City Bountiful: A Century of Community Gardening in America;* Mary Jane Pool, *Gardens in the City: New York in Bloom;* Anne-Mie Devolder (Hg.), *The Public Garden: The Enclosure and Disclosure of the Public Gardens;* Malve von Hassell, *The Struggle for Eden: Community Gardens in New York City.*

Den Begriff Biophilie, den Erich Fromm in seinem Buch *Die Seele des*

Menschen geprägt hat, behandelt ausführlich Edward O. Wilson, *Biophilia*, sowie neuerdings Stephen R. Kellert und Edward O. Wilson (Hg.), *The Biophilia Hypothesis*.

Von dem »ruhenden Punkt der kreisenden Welt« spricht T. S. Eliot im Abschnitt »Burnt Norton« seiner *Vier Quartette*, in dem er die Erinnerung an einen Rosengarten heraufbeschwört (*Gesammelte Gedichte*, S. 283).

5 »Mon jardin à moi«

Erst nachdem ich dieses Kapitel geschrieben hatte, unternahmen mein Forschungsassistent David Lummus und ich systematische Anstrengungen, um Informationen über die Entstehung des Kingscote-Parks und über den für die Anlage verantwortlichen Architekten ausfindig zu machen. Unsere anfänglichen Nachforschungen führten zu keinem Ergebnis, wodurch also das bestätigt wird, was ich im zweiten Absatz des Kapitels schreibe: »Nur wenige Leute wissen nämlich, wenn man sie danach fragt, von seiner Existenz, und in den verschiedenen Bänden über die Geschichte und die Architektur von Stanford, die es in der Universitätsbuchhandlung gibt, findet er keine Erwähnung. Fast ist es, als existiere der Garten nicht.« Die Geschichte des Kingscote-Parks ist weitgehend unbekannt, ja, sie verliert sich im Dunkel. Im Verlauf der vergangenen 90 Jahre erschien in der Studentenzeitung immer mal wieder ein Artikel mit der Schlagzeile »What Is Kingscote Gardens?« oder etwas Ähnlichem.

Was wir mit Sicherheit herausfinden konnten, ist, dass Kingscote noch bis vor ganz kurzer Zeit eines der wenigen Areale auf dem zentralen Campus von Stanford war, die nicht unter direkter Kontrolle der Universität standen. Im Jahr 1915 wandte sich Sarah Howard, die Witwe des Politologen Burt Estes Howard, der in Stanford gelehrt hatte, an den damaligen Präsidenten Ray Lyman Wilbur mit dem Plan, eine Wohnanlage für Gastprofessoren zu errichten. Das Unternehmen würde, so sagte sie, dringend benötigte Unterkunftsmöglichkeiten für die wachsende Universität zur Verfügung stellen und ihrer Tochter, die gerade ihr Collegestudium abgeschlossen hatte, eine finanzielle Sicherheit bieten. Präsident Wilbur unterstützte das Vorhaben und verpachtete dann anderthalb Hektar eines Eichenhains im Herzen des Campus von Stanford an Mrs. Howard. Im Herbst 1917 waren das Wohngebäude und der Park errichtet, und die ersten Mieter zogen ein. Nach dem Tod von Sarah Howard und ihrer Tochter gingen die Verwaltung der Immobilie und ihre Erträge auf die Howard Holding Company über, die einen Verwalter und Gärtner einsetzte. Die ursprüngliche, über 80 Jahre laufende Verpachtung an die Familie Howard lief Mitte der 1990er Jahre aus, und die Kontrolle über den Park wie über die Wohnungen ist an Stanford zurückgefallen. Informationen über den Architekten und Landschaftsgestalter sind – zur Zeit – nicht verfügbar. Die Nachlassverwalter der Familie Howard, die möglicherweise über Informationen zu diesem Thema verfügen, haben es vorgezogen, in dieser Angelegenheit nicht mit dem Archiv der Stanford University zu kooperieren.

Zu historischen Ausführungen über Gärten als Kunst siehe Margherita Azzi Visentini (Hg.), *L'arte dei giardini: Scritti teorici e pratici dal XIV al XIX secolo;* Penelope Hill, *Jardins d'aujourd'hui en Europe* (englisch: *Contemporary History of Garden Design: European Gardens between Art and Architecture*); Mark Laird, *The Formal Garden: Traditions of Art and Nature;* Filippo Pizzoni, *Kunst und Geschichte des Gartens: Vom Mittelalter bis zur Gegenwart;* Tom Turner, *Garden History: Philosophy and Design, 2000 BC – 2000 AD.* Frühe Arbeiten zu Gärten als Kunst sind Marie Luise Gothein, *Geschichte der Gartenkunst* (1914) und Christian Cay Lorenz Hirschfeld, *Theorie der Gartenkunst* (1779–85). Zu stärker theoretisch ausgerichteten Arbeiten über Gärten als Kunst siehe Michel Conan, *Essais de poétique des jardins;* John Ernest Grant White, *Garden Art and Architecture;* Mara Miller, *The Garden as an Art;* Simon Pugh, *Garden, Nature, Language;* Massimo Venturi Ferriolo, *Giardino e filosofia;* John Dixon Hunt (Hg.), *The Italian Garden: Art, Design, and Culture;* ders., *Greater Perfections: The Practice of Garden Theory;* Germain Bazin, *DuMont's Geschichte der Gartenbaukunst;* William Howard Adams, *Roberto Burle Marx: The Unnatural Art of the Garden;* Stephanie Ross, *What Gardens Mean;* der von Giuliana Baldan Zenoni-Politeo und Antonella Pietrogrande herausgegebene ausgezeichnete Sammelband *Il giardino e la memoria del mondo;* und das schrullige, aber faszinierende kleine Buch von Arie Graafland, *Versailles and the Mechanics of Power: The Subjugation of Circe.*

Das Gedicht »Die Beschwerde der Edelsteinstufen« stammt von dem chinesischen Dichter Li T'ai Po (701–62), den Ezra Pound mit seiner japanischen Namensform Rihaku nennt. In Abhängigkeit von seinen jeweiligen Quellen verfolgte Pound diesen Umweg bei der Wiedergabe zahlreicher Eigennamen in seinem Übersetzungsband *Cathay.* Pound macht zu dem Gedicht folgende Anmerkung: »Edelsteinstufen, also ein Palast. Beschwerde, also etwas, worüber man sich beklagt. Seidenstrümpfe, also eine Dame des Hofes, keine Dienerin, die sich beklagt. Klare Herbstnacht – er kann sich nicht mit dem Wetter entschuldigen. Zudem ist sie früh gekommen, denn der Tau hat nicht nur die Stufen weiß gefärbt, sondern auch ihre Strümpfe durchtränkt. Das Gedicht wird besonders hoch gewertet, weil sie keinen direkten Vorwurf erhebt« (*Personae/Masken*, S. 225).

Campanas Gedicht »Herbstgarten« (das ich hier nicht vollständig zitiere) findet sich mit einer englischen Prosaübersetzung in dem von George Kay herausgegebenen *Penguin Book of Italian Verse*, S. 356.

Eine philosophische Meditation über menschliche Gärten mit besonderem Schwergewicht auf Gärten als Orten einer Epiphanie bietet David E. Coopers nachdenkliches Buch *A Philosophy of Gardens*.

6 Akademos

Eine umfassende Darstellung der Geschichte der höheren Bildung im Abendland bietet Edward J. Power in seinen beiden Werken *Main Currents in the History of Education* und *Legacy of Learning: A History of Western Education;* siehe zu diesem Thema auch Roy Lowe, *History of Education: Major Themes* (4 Bde.).

In der Forschung hat man über die Frage gestritten, ob die Akademie Platons zu dessen Lebzeiten tatsächlich eine in vollem Umfang institutionalisierte Schule war und was sich dort wirklich abspielte, aber aus der im folgenden angeführten Sekundärliteratur geht hervor, dass die Akademie ihren Status als Institution in der Generation nach Platons Tod festigte. Die meisten Forscher räumen ein, dass die Akademie zu seinen Lebzeiten (um es ganz schlicht zu sagen) ein offenes Gelände war, auf dem Menschen Platon zuhören und sich mit ihm austauschen konnten. Da wir über die politische Programmatik der Akademie nicht viel wissen, haben zahlreiche Fachleute behauptet, Platon habe keinerlei Absicht gehabt, durch seine »Schule« in der Akademie die Politik von Athen zu beeinflussen. Ungeachtet dieser schon seit langem geführten wissenschaftlichen Auseinandersetzungen über die praktischen oder politischen Ziele seiner pädagogischen Bemühungen sind sich aber die meisten Fachleute darüber einig, dass Platon die Absicht verfolgt haben muss, eine *gewisse* Art von unmittelbarem Einfluss auf die Politik der hellenischen Welt auszuüben. P. A. Brunt stellt in seinem unten angeführten Aufsatz über die Akademie und Platons Politik diesen Konsens in Frage, räumt allerdings ein, dass diejenigen, welche kamen, um Platon zu hören und sich an den Aktivitäten der Akademie zu beteiligen, aller Wahrscheinlichkeit nach der grundbesitzenden aristokratischen und gebildeten Kaste angehörten – mit anderen Worten, dass es sich bei ihnen um potentielle künftige Staatsmänner handelte. Josiah Ober vertritt in Kapitel 4 seines Buches über Dissens im demokratischen Athen (siehe ebenfalls unten) die Auffassung, die

Philosophie Platons sei eine »alternative Politik« mit einem »politischen Programm« gewesen (S. 165). Mit Sicherheit wissen wir, dass sich Isokrates – ein Zeitgenosse Platons – unmittelbar dafür engagierte, »Philosophie« für politische Ziele einzusetzen. Er hatte seine eigene Schule, die mit derjenigen Platons konkurrierte, und er hatte sogar einen Vierjahresplan, nach dem man lernen sollte, wie man Politiker wird. Am Schluss des *Euthydemos* beschreibt Sokrates den Isokrates und seinesgleichen mit folgenden Worten:

> Das sind die Leute, von denen Prodikos sagt, sie ständen auf der Grenze zwischen Philosophen und Staatsmännern. Sie glauben aber, die Weisesten unter allen zu sein, und außer dem, dass sie es sind, auch bei den meisten dafür zu gelten, so dass, wenn sie nicht bei allen diesen Ruhm davonträgen, ihnen hierbei niemand im Wege stehe, als die sich mit der Philosophie beschäftigen. [...] Für weise aber halten sie sich mit großem Scheine des Rechtes, weil sie sich nämlich mäßig mit der Philosophie einließen und mäßig mit den Staatsgeschäften, und das aus einem recht scheinbaren Grunde; denn sie ließen sich mit beiden soviel ein als nötig und könnten ohne alle Gefahr und Streit die Früchte der Weisheit ernten.
>
> (Platon, *Des Sokrates Apologie ...*, S. 213, 215)

(James Collins vom Classics Department in Stanford danke ich dafür, dass er mich auf diese Stellen hingewiesen hat.)

Die Bibliographie der Schriften, die sich mit Platon im allgemeinen und mit Platons pädagogischen und politischen Zielen im besonderen befassen, hat einen enormen Umfang. Ich führe hier nur einen kleinen Bruchteil dessen an, was über dieses Thema geschrieben worden ist. Zu einer umfassenden Rekonstruktion Platons als Mensch, als Philosoph und Lehrer siehe die Bände 4 und 5 von W. K. C. Guthrie, *A History of Greek Philosophy*. Zu Platons politischer Philosophie siehe Malcolm Schofield, *Plato: Political Philosophy*; Peter A. Brunt, »Plato's Academy and Politics«; und neuerdings Josiah Ober, *Political Dissent in Democratic Athens: Intellectual Critics of Popular Rule*, Kapitel 4. Zur Akademie als Ort und als Schule siehe den ersten Abschnitt von Kapitel 1 (»The Physical Structure of the Academy«) in John Dillon, *The Heirs of Plato: A Study of the Old Academy (347–274 BC)*, S. 2–15; Harold F. Cherniss, *Die ältere Akademie: Ein historisches Rätsel und seine Lösung* und Russel M. Dancy, *Two Studies in the Early Academy*. Zu den pädagogischen Theorien Platons siehe Samuel Scolnicov, *Plato's Metaphysics of Education*. Zur »Rhetorik der Nützlichkeit« bei Platon und Aristoteles siehe Andrea

Nightingale, *Spectacles of Truth in Classical Greek Philosophy: Theoria in Its Cultural Context*, S. 191–97.

Eine der ausführlichsten Behandlungen der Analogie zwischen Erziehung und dem Säen von Samen, die Platon im *Phaidros* vorbringt, findet sich in Kenneth M. Sayre, *Plato's Literary Garden*. Sayre interpretiert den platonischen Stil des Philosophierens in seinen Dialogen mit offenem Ausgang anders als bisher als Exemplifizierung seines Begriffs der sogenannten Literaturgärten. Eine weitere umfassende Studie über den *Phaidros* ist Giovanni R. F. Ferrari, *Listening to the Cicadas: A Study of Plato's »Phaedrus«*. Zu Jacques Derridas inzwischen klassischer Dekonstruktion der platonischen Unterscheidung zwischen Sprechen und Schreiben im *Phaidros* siehe »Platons Pharmazie« in *Dissemination*, S. 69–190.

Die Bemerkung, die Platon im *Staat* darüber macht, dass der Philosoph hinter einer Mauer Schutz suchen müsse, wird von vielen Forschern als Anspielung auf die Akademie aufgefasst, die tatsächlich von einer Mauer umgeben war. Die Bemerkung findet sich auf S. 507.

Näheres zu dem persischen (avestischen) Wort *pairidaeza* und persischen Gärten im allgemeinen bietet Mehdi Khansari, M. Reza Moghtader und Minouch Yavari (Hg.), *The Persian Garden: Echoes of Paradise*.

Zu ausgezeichneten Ausführungen über Platons Vergleich mit den Adonisgärtchen siehe Andrea Nightingale, *Genres in Dialogue: Plato and the Construct of Philosophy*, S. 166–68; siehe auch das Kapitel »Das Gelächter der Unterdrückten: Demeter und die Gärten des Adonis«, in Jack Winkler, *Der gefesselte Eros*, S. 275–306.

7 Die Gartenschule Epikurs

Mit Ausnahme von Lucretius, dessen Schrift *De rerum natura* eine systematische Apologie der epikuräischen Lehre darstellt, stammt der größte Teil dessen, was wir über Epikur und die epikureische Philosophie wissen, von feindlichen Gewährsleuten wie den Stoikern, den Skeptikern, Platonikern und Christen. Eine unserer Hauptquellen ist Cicero (siehe *De finibus bonorum et malorum. Das höchste Gut und das schlimmste Übel* sowie *Vom Wesen der Götter*). Siehe auch Sextus Empiricus (*Gegen die Wissenschaftler*), Diogenes Laertius (*Leben und Lehre der Philosophen*) und Plutarch (*Gegen Kolotes*). Zu den sehr wenigen Originalschriften Epikurs, die erhalten sind, gehören drei Briefe (an Herodot, an Pythokles und an Menoikeus), eine Gruppe von Zitaten, die man als *Entscheidende Lehrsätze* bezeichnet, und eine andere, die *Epikurs Weisungen* oder *Vatikanische Spruchsammlung* genannt wird. Es existieren zwei epikureische

Hauptquellen: Lucretius und Philodemos, deren Werke im frühen 19. Jahr-hundert auf verkohlten Papyri in Herculaneum entdeckt wurden; die Herausgabe dieser Schriften durch die Forscher des internationalen Philo-demos-Projekts in Neapel unter der Leitung von David Blank, Richard Janko und Dirk Obbink dauert an.

Eine ausgezeichnete, überwiegend wohlwollende Studie über Epikur, in der sein Denken aus den Fragmenten als zusammenhängendes Ganzes re-konstruiert wird, ist Norman W. De Witt, *Epicurus and His Philosophy*. Dies ist das Buch, auf das ich mich bei meiner Rekonstruktion der Lehre Epikurs überwiegend gestützt habe.

Zum epikureischen Denken in der längeren Geschichte der hellenisti-schen Philosophie siehe Anthony A. Long und David N. Sedley, *The Hel-lenistic Philosophers*, Bd. 1. Zu den Originaltexten in englischer Überset-zung siehe den zweiten Band dieses Werkes. Siehe auch die von Diskin Clay herausgegebene Sammlung kritischer Aufsätze *Paradosis and Sur-vival: Three Chapters in the Epicurean Philosophy*. Zu *ataraxia* siehe James Warren, *Epicurus and Democritean Ethics: An Archaeology of Ata-raxia*. Zum Begriff *parrhesia* siehe Tim O'Keefe, *Epicurus on Freedom*. Zum Einfluss des epikureischen Denkens auf die augusteische Literatur siehe David Armstrong et al. (Hg.), *Vergil, Philodemus, and the Augus-tans*. Zum Nachleben der epikureischen Philosophie siehe Howard Jones, *The Epicuraean Tradition*, sowie das letzte Kapitel in De Witt, *Epicurus and His Philosophy*. Zu Thomas Jeffersons selbstbekundetem Epikureis-mus siehe seinen Brief an William Short aus dem Jahr 1819 in *The Wri-tings of Thomas Jefferson*, Bd. 15, S. 219–23.

Zu Foucaults Ansichten über antike Ethik und ihre *culture de soi* siehe *Sexualität und Wahrheit*, Bd. 2 und 3: *Der Gebrauch der Lüste* und vor allem *Die Sorge um sich*.

Zu einer Philosophie der Dankbarkeit, die nicht unbedingt epikureisch ist, aber gleichwohl verwandte Züge aufweist, siehe Paul Ricoeur, *Wege der Anerkennung* (das französische Original trägt den Titel *Parcours de la reconnaissance*).

8 Die Gartengeschichten Boccaccios

Giuseppe Mazzottas Buch *The World at Play in Boccaccio's »Decameron«* ist meines Erachtens immer noch der beste Kommentar zu Boccaccios Meisterwerk. Siehe auch Marilyn Migiel, *A Rhetoric of the »Decame-ron«*. Zum sogenannten Naturalismus Boccaccios siehe Aldo D. Scaglione, *Nature and Love in the Middle Ages* sowie die neuere Studie von Gregory Stone, *The Ethics of Nature in the Middle Ages: On Boccaccio's Poetaphysics*. Eine sehr interessante Interpretation der philosophischen Implikationen von Boccaccios Kunst des Geschichtenerzählens bietet Richard F. Kuhns, *The »Decameron« and the Philosophy of Storytelling: Author as Midwife and Pimp*. Zum Vorkommen von Gärten in Boccaccios literarischem Korpus siehe Maria Elisa Raja, *Le muse in giardino: Il paesaggio ameno nelle opere di Giovanni Boccaccio*. Als kurze Notiz samt Bibliographie über Gärten in der italienischen Literatur allgemein ist zu nennen der ausgezeichnete Beitrag Bruno Basiles, »Giardino«, in: Anselmi und Ruozzi (Hg.), *Luoghi della letteratura italiana*, S. 213–21; des weiteren sein Buch *L'elisio effimero: Scrittori in giardino*. Siehe auch Franco Ferruccis bemerkenswerte Studie *Il giardino simbolico: Modelli letterari e autobiografia dell'opera*.

Die Gartenlandschaft, in der die *brigata* ihre Geschichten erzählt, nimmt gegenüber Florenz eine ganz ähnliche Randstellung ein wie die Literatur gegenüber der sozialen Wirklichkeit. Eine ausführliche Darstellung von Boccaccios Sicht der Marginalität von Literatur im *Dekameron* bietet Mazzotta, *World at Play*, S. 46–74.

Edith Whartons 1904 erschienenes Buch *Italian Villas and Their Gardens* ist meines Erachtens immer noch ein faszinierendes Werk voller tiefer Einsichten. Siehe auch John C. Shepherd, *Italian Gardens of the Renaissance* (1925) sowie Claudia Lazzaros schönes Buch *The Italian Renaissance Garden*, das vor allem die Villa Lante bei Rom behandelt. Aus neuerer Zeit siehe Günter Mader und Laila Neubert-Mader, *Italienische Gärten*.

Speziell zur Masetto-Geschichte siehe Mazzotta, *World at Play*, S. 110–15, und Migiel, *Rhetoric of the »Decameron«*, S. 71–76.

Zum Verhältnis zwischen dem *Novellino* und dem *Dekameron* siehe Mazzotta, *World at Play*, S. 264, und Migiel, *Rhetoric of the »Decameron«*, S. 33–35.

Durch die Verwendung des Terminus »ziviler Humanismus« (*civil humanism*) im Gegensatz zu »Bürgerhumanismus« (*civic humanism*) versuche ich die Bedeutung deutlich zu machen, die Boccaccio individuellen menschlichen Beziehungen im Gegensatz zu politischen Beziehungen beimisst. Sein ziviler Humanismus, wie er im *Dekameron* zutage tritt, war mehr eine Ethik der Geselligkeit als der politisch bestimmte Bürgerhumanismus seiner florentinischen Erben Coluccio Salutati und Leonardo Bruni.

Die Erzählbewegung des *Dekameron* wird von den meisten Forschern als aufwärts gerichtet interpretiert. Ich bin jedoch davon überzeugt, dass eine aufmerksame Lektüre der Geschichten des zehnten Tages zeigen würde, dass in fast allen Fällen die Tugenden, welche diese Geschichten vorgeblich preisen, über einem Abgrund von Ironie schweben. Bei näherem Hinsehen stellt man fest, dass es in den Geschichten des zehnten Tages kaum eine Hauptfigur gibt, deren Tugend nicht durch ihre allzu menschlichen Schwächen oder, was noch schlimmer ist, durch Selbsttäuschung in Frage gestellt würde. Im Universum Boccaccios ist die Literatur das beste Gegenmittel gegen eine derartige Selbsttäuschung, auch wenn ihr die Sache ganz offensichtlich nicht leicht gemacht wird, wie gerade durch den Mangel an Ironie deutlich wird, mit dem die meisten Literaturwissenschaftler den zehnten Tag lesen.

9 Klösterliche, republikanische und fürstliche Gärten

Zu Klostergärten siehe Mick Hales, *Monastic Gardens;* Véronique Rouchon Mouilleron, *Klöster: Universum der Stille und der Kontemplation* und Anne Jennings, *Medieval Gardens.* Zum Klostergarten siehe auch Terry Comito, »Sacred Space and the Image of Paradise«, das zweite Kapitel seines ausgezeichneten Buches *The Idea of the Garden in the Renaissance,* S. 25–50.

Die Zeile von Wordsworth entstammt seinem Gedicht »Lines Written in Early Spring«, *Poems,* S. 43f.

Brunis *Dialogi ad Petrum Paulum Histrum* finden sich im lateinischen Original mit paralleler italienischer Übersetzung in seinen *Opere letterarie e politiche,* S. 73–144.

Zu einer Geschichte des italienischen Humanismus siehe Ronald G. Witt, *In the Footsteps of the Ancients: The Origins of Humanism from Lovato to Bruni* (zu Bruni siehe hier S. 392–442).

Den Terminus Bürgerhumanismus prägte 1928 Hans Baron in seinem Kommentar zu den von ihm herausgegebenen *Humanistisch-philosophischen Schriften* Brunis. Seine Vorstellung von einem Bürgerhumanismus wird von ihm noch weiter ausgeführt und erläutert in seinem bahnbrechenden Buch *The Crisis of the Early Italian Renaissance: Civic Humanism and Republican Liberty in an Age of Classicism and Tyranny.* Der Aufsatzband *In Search of Florentine Civic Humanism: Essays on the Transition from Medieval to Modern Thought* versammelt seine Gedanken zu dieser Thematik. Siehe jetzt auch die von James Hankins herausgegebene Sammlung überwiegend ausgezeichneter Aufsätze *Renaissance Civic Humanism.*

Zu den zeitgenössischen Erben des Bürgerhumanismus siehe Adrian Oldfield, *Citizenship and Community: Civic Republicanism and the Mo-*

dern World; John G. A. Pocock, »Civic Humanism and Its Role in Anglo-American Thought«, in: ders., *Politics, Language, and Time: Essays on Political Thought and History,* S. 80–103; und Quentin Skinner, »The Republican Idea of Political Liberty«, in: Gisela Bock, Quentin Skinner u. Maurizio Viroli (Hg.), *Machiavelli and Republicanism.*

Zu Castiglione und dem Hof von Urbino im 16. Jahrhundert siehe die von Robert W. Hanning und David Rosand herausgegebene Aufsatzsammlung *Castiglione: The Ideal and the Real in Renaissance Culture;* relevant ist insbesondere Thomas M. Greenes Artikel »*Il Cortegiano* and the Choice of a Game«, S. 1–16.

Die Ficino-Passage stammt aus der 1576 erschienenen Baseler Ausgabe seiner *Opera omnia,* nachgedruckt 1962 von der Bottega d'Erasmo, Bd. 2, S. 1129 f. Zu Ficino siehe Konrad Eisenbichler und Olga Zorzi Pugliese (Hg.), *Ficino and Renaissance Neoplatonism;* Michael J. B. Allen und Valery Rees (Hg.), *Marsilio Ficino: His Theology, His Philosophy, His Legacy.* Siehe auch die ausgezeichneten Ausführungen in Terry Comito, *The Idea of the Garden in the Renaissance,* S. 76–87. Zur platonischen Akademie von Careggi siehe Arnaldo della Torre, *Studi dell'Accademia platonica di Firenze.* Zu Lorenzo de' Medici und Florenz im 15. Jahrhundert siehe Patrizia Salvadori, *Dominio e patronato: Lorenzo dei Medici e la Toscana nel Quattrocento* und Frank W. Kent, *Lorenzo de' Medici and the Art of Magnificence.* Zum Platonismus der Renaissance siehe Christine Raffini, *Marsilio Ficino, Pietro Bembo, Baldasarre Castiglione: Philosophical, Aesthetic, and Political Approaches in Renaissance Platonism.*

Lorenzo de' Medicis »Canzone di Bacco« stammt aus seinen *Canti carnascialeschi.* Das Gedicht findet sich im Original mit englischer Prosaübersetzung in George Kay (Hg.), *The Penguin Book of Italian Verse,* S. 142f.

10 Ein Wort zu Versailles

Die Literatur zu Versailles ist ebenso weiträumig und überwältigend wie die Parkanlage selbst. Hilfreich fand ich Allen Weiss, *Mirrors of Infinity: The French Formal Garden and Seventeenth-Century Metaphysics* (insbesondere »Versailles: Versions of the Sun, the Fearful Difference«, S. 52–77) sowie die Kapitel 2 und 3 seines Buches *Unnatural Horizons: Paradox and Contradiction in Landscape Architecture,* S. 44–83. Arie Graafland hat faszinierende Ausführungen zur »Maschinerie der Macht« von Versailles in seinem Buch *Versailles* (S. 72–147). Einen allgemeinen Überblick über die Architektur des Parks und des Schlosses gibt Jean-Marie Pérouse de Montclos, *Versailles*. Zum kulturellen Kontext der Errichtung von Versailles siehe Ian H. Thompson, *The Sun King's Garden: Louis XIV, André Le Nôtre, and the Creation of the Gardens of Versailles*. Zu Nicolas Fouquet und seinem Park in Vaux-le-Vicomte siehe Michael Brix, *Der barocke Garten: Magie und Ursprung. André Le Nôtre in Vaux-Le-Vicomte*; Jean-Marie Pérouse de Montclos, *Vaux le Vicomte* und das Kapitel »Vaux-le-Vicomte: Anamorphosis Abscondita« in: Allen Weiss, *Mirrors of Infinity*, S. 32–51.

Das Zitat aus René Descartes, *Abhandlung über die Methode des richtigen Vernunftgebrauchs* stammt aus der von Hermann Glockner herausgegebenen Übersetzung von Kuno Fischer, S. 58.

11 Über die verlorene Kunst des Sehens

Über die Lehre Rilkes, dass es der Erde bestimmt sei, unsichtbar zu werden, siehe mein Buch *Die Herrschaft des Todes*, S. 76–85.

Eingehende Untersuchungen zu den »trockenen Landschaftsgärten« Japans einschließlich spekulativer Reflexionen über das Vorhandensein von Steinen in Zen-Gärten bietet das Buch des französischen Forschers François Berthier, *Reading Zen in the Rocks: The Japanese Dry Landscape Garden*. Marc Peter Keane ist der Verfasser und Mitverfasser mehrerer ausgezeichneter Bücher über japanische Gärten, darunter *Japanese Garden Design; The Art of Setting Stones: And Other Writings from the Japanese Garden* sowie gemeinsam mit David Scott und Sian Evans *Simply Zen: Interior Japanese Gardens*. Einige weitere Studien (aus einer umfangreichen Sekundärliteratur) sind Wybe Kuitert, *Themes, Scenes, and Taste in the History of Japanese Garden Art*; Norris Brock Johnson, »Mountain, Temple, and the Design of Movement: Thirteenth-Century Japanese Zen Buddhist Landscapes«, in: Michel Conan (Hg.), *Landscape Design and the Experience of Motion*, S. 157–85, und Christopher McIntosh, *Gardens of the Gods: Myth, Magic, and Meaning*, S. 18–34.

Einen allgemeinen Überblick über Andrew Marvells Leben und seine Dichtung bietet Robert Wilcher, *Andrew Marvell*; zu einer detaillierteren Erörterung der Natur in den Gedichten Marvells siehe John Rogers, *The Matter of Revolution: Science, Poetry, and Politics in the Age of Milton*, S. 39–102.

Den Begriff »gegenständliche Entsprechung« (*objective correlative*) entwickelt T. S. Eliot ganz nebenbei in einem kurzen Aufsatz über *Hamlet* (1919), in dem er behauptet, es gelinge dem Stück nicht, die angemessene gegenständliche Entsprechung zu Hamlets Geistesverfassung zu finden, so dass man es bis zu einem gewissen Grade als misslungenes Kunstwerk ansehen müsse. Das vollständige Zitat lautet: »Der einzige Weg, ein Gefühlserlebnis künstlerisch zu gestalten, besteht im Auffinden einer ›gegenständlichen Entsprechung‹, mit anderen Worten: einer Reihe von Gegenständen, einer Situation, einer Kette von Ereignissen, welche die Formel dieses *besonderen* Erlebnisses sein sollen, so dass, wenn die äußeren Tatsachen, die sinnlich wahrnehmbar sein müssen, gegeben sind, das Erlebnis unmittelbar hervorgerufen wird« (Eliot, *Ausgewählte Essays*, S. 183). Das Konzept Eliots ist in den Jahrzehnten, die auf seine erstmalige Formulierung folgten, oft erörtert und vielfach attackiert worden. Ich beziehe in diesem Kapitel zwar dagegen Stellung, bin aber der Ansicht, dass es immer noch ein geniales und in vielen Fällen gültiges Konzept ist.

Die Version des Gedichts von O'Grady, das ich in diesem Kapitel anführe, unterscheidet sich etwas von derjenigen, die in seiner Gedichtsammlung *The Road Taken* abgedruckt ist. Die ursprüngliche Fassung erschien erstmals 1978 in einer Art Privatdruck zusammen mit einer Handvoll anderer Gedichte; sie trug damals nicht den Titel »Pillow Talk«, sondern »Prologue«, denn sie fungierte in der Tat als Prolog zu einer Gedichtfolge mit der Überschrift *The Wandering Suras* (die jetzt *The Wandering Celt* heißt). Mir gefällt die frühere Fassung besser, und ich hoffe, O'Grady wird mir das verzeihen.

13 Die Kluft zwischen den Paradiesen: Islam und Christentum

Die hebräische Bibel spielt auf ein künftiges messianisches Zeitalter des Weltfriedens an, in dem Löwe und Lamm beieinanderliegen und die Völker Assyriens, Ägyptens und Israels zusammenkommen werden, um den einen wahren Gott zu verehren, aber es findet sich hier keine Erwähnung des Paradieses oder des Gartens Eden als Ort des Lebens nach dem Tode. Siehe die Stichwörter »Paradise« (von Tigay und Bamberger) und »Garden of Eden« (S. Sperling) in der *Encyclopaedia Judaica*. Zum Begriff des Paradieses im Christentum und im Judentum siehe Gerard P. Luttikhuizen (Hg.), *Paradise Interpreted: Representations of Biblical Paradise in*

Judaism and Christianity. Eine vergleichende Untersuchung jüdischer und christlicher Vorstellungen vom Leben nach dem Tode bietet Richard Bauckham, *The Fate of the Dead: Studies on Jewish and Christian Apocalypses*. Zum Leben nach dem Tode in der Vorstellung des Judentums siehe José Costa, *L'au delà et la résurrection dans la littérature rabbinique*; Klaas Spronk, *Beatific Afterlife in Ancient Israel and in the Ancient Near East*; Joseph S. Park, *Conceptions of Afterlife in Jewish Inscriptions: With Special Reference to Pauline Literature*; Émile Puech, *La croyance des Esséniens en la vie future: Immortalité, résurrection, vie éternelle?*; Neil Gillman, *The Death of Death: Resurrection and Immortality in Jewish Thought*; Simcha Paull Raphael, *Jewish Views of the Afterlife*; Casey Deryl Elledge, *Life after Death in Early Judaism: The Evidence of Josephus*. Zum Paradies im Islam siehe das zweite Kapitel von Edward Hotaling, *Islam without Illusion: Its Past, Its Present, and Its Challenge for the Future*, S. 15–26; Andrew Rippin, *Muslims: Their Religious Beliefs and Practices*, S. 25–27; David Waines, *An Introduction to Islam*, S. 129 f. Es gibt auch eine Reihe guter Untersuchungen über Leben nach dem Tode und Eschatologie im Islam, so etwa Bashiruddin Mahmud Ahmad, *Mechanics of the Doomsday and Life after Death: The Ultimate Fate of the Universe as Seen through the Holy Quran*; Everett K. Rowson, *A Muslim Philosopher on the Soul and Its Fate: Al-'Āmirī's Kitāb al-Amad 'alā l-abad*. Siehe auch das Werk des vormodernen Dichterphilosophen Al-Ghazali, *The Precious Pearl: A Translation from the Arabic* (übers. v. Jane Idleman Smith). Einen Überblick über das Leben nach dem Tode in allen drei westlichen religiösen Traditionen gibt Hiroshi Obayashi (Hg.), *Death and Afterlife: Perspectives of World Religions*, S. 67–142. Weitere Verweise zum irdischen Paradies finden sich oben in den Anmerkungen zu Kapitel 2 über den Garten Eden.

Über die Frage, was im islamischen Paradies mit den Frauen geschieht, herrscht eine gewisse Unsicherheit. Der größte Teil der Belohnungen, die der Koran beschreibt, ist für Männer bestimmt, allerdings erwähnt er, wenngleich nur an sehr wenigen Stellen, dass Frauen ebenfalls ins Paradies kommen (am unzweideutigsten in 9,72: »Gott hat den gläubigen Männern und Frauen Gärten versprochen, in deren Niederungen Bäche fließen«; unbestimmter in 43,70: »Geht mit euren Gattinnen ins Paradies ein und ergötzt euch«). Was für Belohnungen die Frauen erwarten, wird nicht näher ausgeführt. Sicher ist, dass die Frauen, die tatsächlich ins Paradies kommen – entweder durch ihr eigenes Verdienst oder als Gattin ihres Ehemannes – *nicht* die jungfräulichen Konkubinen sind, von denen die Männer im Garten Eden umgeben sind.

Die Literatur über die Gärten der islamischen Welt ist ebenso umfangreich wie ausgezeichnet. Besonders hilfreich waren folgende Werke: Jonas B. Lehrman, *Earthly Paradise: Garden and Courtyard in Islam;* die von Elisabeth B. Macdougall und Richard Ettinghausen herausgegebene schöne Aufsatzsammlung *The Islamic Garden;* Donald Newton Wilber, *Persian Gardens and Garden Pavilions,* darin besonders Kapitel 1, »Persian Gardens and Paradise«, S. 3–22; Titus Burckhardt, *Art of Islam: Language and Meaning;* siehe auch McIntosh, *Gardens of the Gods,* S. 35–45.

Von großem Nutzen für meine Ausführungen zu Teppichgärten in Anhang 4 war mir Emma Clark, *The Art of the Islamic Garden,* besonders S. 23–36, 171–88. Zu Teppichgärten in Indien siehe Daniel Walker, *Flowers Underfoot: Indian Carpet Gardens of the Mughal Era.*

Zu Dantes Darstellung des Paradieses in der *Göttlichen Komödie* siehe Rachel Jacoff, »Shadowy Prefaces«, in: *The Cambridge Companion to Dante,* S. 208–25; John Freccero, »Introduction to the *Paradiso*«, in: Rachel Jacoff (Hg.), *Dante: The Poetics of Conversion,* S. 209–20; Joan Ferrante, »Words and Images in the *Paradiso*«, in: Bernardo und Pellegrini (Hg.), *Dante, Petrarch, Boccaccio: Studies in the Italian Trecento in Honor of Charles S. Singleton,* S. 115–32, und Jeffrey T. Schnapp, *The Transfiguration of History at the Center of Dante's Paradise.*

14 Menschen, nicht Verheerer

Zur Marxschen Auffassung von den Umwälzungen, die der Kapitalismus bewirkt, siehe Miranda Joseph, *Against the Romance of Community* und N. Scott Arnold, *Marx's Radical Critique of Capitalist Society: A Reconstruction and Critical Evaluation.* Zu den zerstörerischen Wirkungen von Konsumdenken und Konsum siehe Yuri Kazepov (Hg.), *Cities of Europe: Changing Contexts, Local Arrangements, And the Challenge to Urban Cohesion;* David B. Clarke, *The Consumer Society and the Postmodern City;* Sande Cohen und R. L. Rutsky (Hg.), *Consumption in an Age of Information;* Henry Rempel, *A High Price for Abundant Living: The Story of Capitalism* und Edmond Préteceille, *Capitalism, Consumption, and Needs.* Zum Konsum und zum modernen Ich siehe Clive Hamilton, *Growth Fetish;* Roger A. Salerno, *Landscapes of Abandonment: Capitalism, Modernity, and Estrangement* und John Xiros Cooper, *Modernism and the Culture of Market Society.* Zur Zukunft des Kapitalismus siehe Victor D. Lippit, *Capitalism;* Michel Vakaloulis, *Le capitalisme post-moderne: Élements pour une critique sociologique;* sowie Phillip Brown und Hugh Lauder, *Capitalism and Social Progress: The Future of Society in a Global Economy.*

Zu Ludovico Ariostos *Der rasende Roland* siehe allgemein die ausgezeichnete Studie von Albert Ascoli, *Ariosto's Bitter Harmony: Crisis and Evasion in the Italian Renaissance;* zu Ascolis ausführlichen Reflexionen speziell über die Alcina- und Logistilla-Episode siehe S. 122–257. Eine andere Auffassung des Renaissance-Epos in seinem kulturellen und literarischen Kontext vertritt David Quint, *Origin and Originality in Renaissance Literature,* besonders S. 81–92 zu Ariosto. Zum Thema des Wanderns und der Ruhelosigkeit bei Ariosto siehe Kapitel 1 von Patricia Parker, *Inescapable Romance: Studies in the Poetics of a Mode,* S. 16–54, und Kapitel 2 bis 4 von Deanna Shemek, *Ladies Errant: Wayward Women and Social Order in Early Modern Italy,* S. 45–157. Zu den Gärten des *Orlando Furioso* siehe den Aufsatz von Eduardo Saccone, »Wood, Garden, ›locus amoenus‹ in Ariosto's *Orlando Furioso*«.

Zu Pascals entscheidendem Begriff der Zerstreuung siehe Kurt Stenzel, »Pascals Theorie des Divertissement«, und Laurent Thirouin, »Le cycle du divertissement«. Siehe auch Jean Gionos 1947 erschienenen Roman *Un roi sans divertissement,* der von Pascal inspiriert ist.

Die Äußerung von Fowlie zitiert Lionel Trilling in seinem Essay »Das Los der Lust« (*Kunst, Wille und Notwendigkeit,* S. 102–30, hier S. 120).

Das Zitat Flauberts stammt aus seinem Brief an Eugène Delattre vom 1. August 1858, *Correspondance,* hg. v. Franklin-Grout, Bd. 4, S. 273.

Die Äußerung Marinettis ist enthalten in dem Text »Manifest des Futurismus«, der ursprünglich am 20. Februar 1909 im *Figaro* erschien; die deutsche Übersetzung ist zitiert nach Christa Baumgarth, *Geschichte des Futurismus,* S. 26.

Zu Nietzsches Wort von der Wüste wie auch zur Wüste als »gegenständlicher Entsprechung« des Modernismus siehe das Kapitel »Wüste Länder« in meinem Buch *Wälder: Ursprung und Spiegel der Kultur,* S. 180–84.

Zu Pounds gescheitertem Bemühen, ein irdisches Paradies zu schaffen, siehe zwei Essays in *Paideuma* – Stephen Sicari, »History and Vision in Pound and Dante: A Purgatorial Poetics«; Reed W. Dasenbrock, »Dante's Hell and Pound's Paradiso: ›Tutto spezzato‹« – sowie Matthew Reynolds, »Ezra Pound in the Earthly Paradise«, in: James Miller (Hg.), *Dante and the Unorthodox.* Eine der besten Kennerinnen des literarischen Modernismus im allgemeinen und der Poetik Pounds im besonderen ist Marjorie Perloff. Zu Pound siehe ihr Buch *The Dance of the Intellect: Studies in the Poetry of the Pound Tradition* sowie das Radiointerview »A Conversation with Marjorie Perloff«, das ich mit ihr geführt habe; zum literarischen Modernismus im allgemeinen siehe ihr Buch *The Poetics of Indeterminacy from Rimbaud to Cage* sowie die Aufsätze in ihrem Buch *Differen-*

tials: Poetry, Poetics, Pedagogy. Eine weitere ausgezeichnete Studie zu Pounds Bedeutung für den literarischen Modernismus ist Hugh Kenner, *The Pound Era.*

15 Das Paradox des Zeitalters

Das Trilling-Zitat stammt aus dem Essay »Das Los der Lust« in *Kunst, Wille und Notwendigkeit*, S. 122 f. Siehe den kurzen Hinweis A. Bartlett Giamattis auf diesen Aufsatz am Schluss seines Buches *The Earthly Paradise and the Renaissance Epic*, S. 357–59. Weitere Ausführungen über Trillings Ansichten zur Moderne und zu geistiger Militanz bietet Kamalini Dravid, *Acculturation of Anti-culture: A Study of Trilling's »Beyond Culture«.*

Zur Langeweile als Grundstimmung der Moderne siehe die tiefschürfenden Ausführungen Heideggers in seinem Werk *Die Grundbegriffe der Metaphysik: Welt – Endlichkeit – Einsamkeit*, S. 117–249. Zu nennen sind auch zwei weitere ausgezeichnete Studien, zum einen Lars Svendsen, *Kleine Philosophie der Langeweile*; zum anderen Elizabeth S. Goodstein, *Experience without Qualities: Boredom and Modernity*. Siehe auch Miguel de Beistegui, *Thinking with Heidegger: Displacements*, Kapitel 3 (»Boredom: Between Existence and History«), S. 61–82, und Andrew Benjamin, »Boredom and Distraction: The Moods of Modernity«, in: ders. (Hg.), *Walter Benjamin and History*, S. 156–170.

Meine Reflexionen über die Frage, wie unsere gegenwärtigen Stadtlandschaften schon jetzt eine trügerische Edenisierung durchmachen, sind teilweise durch meine Korrespondenz mit Weixing Su inspiriert; diese glänzende junge Wissenschaftlerin war meine Kollegin an der Stanford University, bevor sie uns 2006 verließ, um an der Universität von Peking zu lehren. Meine Bemerkungen zu den »sorgelosen« nächtlich ausgetauschten Blumenbeeten vor Firmenhochhäusern sind ihren Kommentaren zu einer früheren Fassung dieses Kapitels verpflichtet.

Literatur

Adams, William Howard, *Roberto Burle Marx: The Unnatural Art of the Garden*, New York: Museum of Modern Art, 1991.

Al-Ghazali, *The Precious Pearl: A Translation from the Arabic*, übers. v. Jane Idleman Smith, Missoula, MT: Scholars, 1979.

Allen, Michael J. B.; Rees, Valery (Hg.), *Marsilio Ficino: His Theology, His Philosophy, His Legacy*, Leiden: Brill, 2002.

(Anonymus), *Il Novellino. Das Buch der hundert alten Novellen*, it. u. dt., hg. v. Jánosz Riesz, Stuttgart: Reclam, 1988.

Arendt, Hannah, *Menschen in finsteren Zeiten*, hg. v. Ursula Ludz, München: Piper, ²1989.

–, *Vita activa oder Vom tätigen Leben*, München: Piper, ⁷1992.

Ariosto, Ludovico, *Der rasende Roland*, übers. v. Johann Diederich Gries, Bd. 1–2, München: Winkler, 1980.

Aristoteles, *Problemata physica*, übers. v. Hellmut Flashaar, Berlin: Akademie-Verlag, ²1975.

–, *Politik*, Buch 1, übers. v. Eckart Schütrumpf, Berlin: Akademie-Verlag, 1991.

Armstrong, David, et al. (Hg.), *Vergil, Philodemus, and the Augustans*, Austin: University of Texas Press, 2004.

Arnold, N. Scott, *Marx's Radical Critique of Capitalist Society: A Reconstruction and Critical Evaluation*, New York: Oxford Univ. Press, 1990.

Ascoli, Albert, *Ariosto's Bitter Harmony: Crisis and Evasion in the Italian Renaissance*, Princeton, NJ: Princeton University Press, 1987.

Baldan Zenoni-Politeo, Giuliana; Pietrogrande, Antonella (Hg.), *Il giardino e la memoria del mondo*, Florenz: Olschki, 2002.

Balmori, Diana; Morton, Margaret, *Transitory Gardens, Uprooted Lives*, New Haven, CT: Yale University Press, 1993.

Baron, Hans, *The Crisis of the Early Italian Renaissance: Civic Humanism and Republican Liberty in an Age of Classicism and Tyranny, Bd. 1–2, Princeton, NJ: Princeton University Press, 1955.

–, In Search of Florentine Civic Humanism: Essays on the Transition from Medieval to Modern Thought, Bd. 1–2, Princeton, NJ: Princeton University Press, 1988.

Bashiruddin Mahmud Ahmad, Mechanics of the Doomsday and Life after Death: The Ultimate Fate of the Universe as Seen through the Holy Quran, New Delhi: Kitab Bhavan, 1991.

Basile, Bruno, L'elisio effimero: Scrittori in giardino, Bologna: Il Mulino, 1993.

–, »Giardino«, in: Anselmi, Gian Mario; Ruozzi, Gino (Hg.), Luoghi della letteratura italiana, Mailand: Mondadori, 2003, S. 213–21.

Bassani, Giorgio, Die Gärten der Finzi-Contini, übers. v. Herbert Schlüter, Berlin: Volk und Welt, 1970.

Bauckham, Richard, The Fate of the Dead: Studies on Jewish and Christian Apocalypses, Boston: Brill, 1998.

Baumgarth, Christa, Geschichte des Futurismus, Reinbek: Rowohlt Taschenbuch Verlag, 1966.

Bazin, Germain, DuMont's Geschichte der Gartenbaukunst, übers. v. Annette Roellenbleck, Köln: DuMont, 1990.

Benjamin, Andrew, »Boredom and Distraction: The Models of Modernity«, in: ders. (Hg.), Walter Benjamin and History, London: Continuum, 2005, S. 156–70.

Bernauer, James W., Amor Mundi: Explorations in the Faith and Thought of Hannah Arendt, Boston: Nijhoff, 1987.

Berthier, François, Le jardin au Ryōanji: Lire le zen dans les pierres, Paris: Biro, 1998. (Englisch: Reading Zen in the Rocks: The Japanese Dry Landscape Garden, übers. v. Graham Parkes, Chicago: University of Chicago Press, 2000.)

Die Bibel oder die ganze Heilige Schrift des Alten und Neuen Testaments, nach der deutschen Übersetzung Martin Luthers, Stuttgart: Württembergische Bibelanstalt, [1912].

Bloom, Harold, Wallace Stevens: The Poems of Our Climate, Ithaca, NY: Cornell University Press, 1977.

Boccaccio, Giovanni, Das Dekameron, übers. v. Karl Witte, durchges. v. Helmut Bode, Düsseldorf, Zürich: Artemis u. Winkler, 2005. © Patmos Verlag GmbH & Co KG, Düsseldorf.

Borchardt, Rudolf, Der leidenschaftliche Gärtner: Ein Gartenbuch, Zürich: Arche, 1951.

Bradbrook, Bohuslava R., Karel Čapek: In Pursuit of Truth, Tolerance, and Trust, Brighton: Sussex Academic, 1998.

Brix, Michael, *Der barocke Garten: Magie und Ursprung. André le Nôtre in Vaux-le-Vicomte*, Stuttgart: Arnold, 2004.

Brown, Phillip; Lauder, Hugh, *Capitalism and Social Progress: The Future of Society in a Global Economy*, Basingstoke: Palgrave, 2001.

Bruni, Leonardo, *Humanistisch-philosophische Schriften*, hg. v. Hans Baron, Leipzig: Teubner, 1928.

–, *Opere letterarie e politiche*, lat. u. it., hg. v. Paolo Viti, Turin: UTET, 1996.

Brunt, Peter A., »Plato's Academy and Politics«, in: ders., *Studies in Greek History and Thought*, Oxford: Oxford University Press, 1993.

Bull, Malcolm, »The Social and the Political«, in: *South Atlantic Quarterly* 104 (2005), S. 675–92.

Burckhardt, Titus, *Art of Islam: Language and Meaning*, übers. v. J. Peter Hobson, London: World of Islam Festival Publishing, 1976.

Burdach, Konrad, »Faust und die Sorge«, in: *Deutsche Vierteljahresschrift für Literaturwissenschaft und Geistesgeschichte* 1 (1923), S. 1–60.

Burkert, Walter, *Griechische Religion der archaischen und klassischen Epoche*, Stuttgart: Kohlhammer, 1977 (Die Religionen der Menschheit, Bd. 15).

Calvino, Italo, *Herr Palomar*, übers. v. Burkhart Kroeber, München, Wien: Hanser, 1985.

–, *Die unsichtbaren Städte*, übers. v. Burkhart Kroeber, München: Hanser, 2007.

Camus, Albert, *Literarische Essays*, Hamburg: Rowohlt, o.J.

Čapek, Karel, *W.U.R: Werstands Universal Robots. Utopistisches Kollektivdrama in drei Aufzügen*, übers. v. Otto Pick, Prag: Orbis, 1922.

–, *Das Jahr des Gärtners*, übers. v. Grete Ebner-Eschenhayn, Leipzig: Insel, ⁵1978.

–, *Gespräche mit Masaryk*, übers. v. Camill Hoffmann u. Eckhard Thiele, Stuttgart, München: DVA, 2001.

–, *R.U.R. (Rossum's Universal Robots)*, übers. v. Claudia Novack-Jones, mit einer Einleitung von Ivan Klíma, New York: Penguin, 2004.

Castiglione, Baldesar, *Das Buch vom Hofmann*, übers. u. hg. v. Fritz Baumgart, Bremen: Schünemann, 1960.

Cavarero, Adriana, *Platon zum Trotz: Weibliche Gestalten der antiken Philosophie*, übers. v. Gertraude Grassi, Berlin: Rotbuch, 1992.

–, *Corpi in figure: Filosofia e politica della corporeità*, Mailand: Feltrinelli, 1995. (Englisch: *Stately Bodies: Literature, Philosophy and the Question of Gender*, übers. v. Robert de Lucca u. Deanna Shemek, Ann Arbor: University of Michigan Press, 2002.)

–, *Tu che mi guardi, tu che mi racconti: Filosofia della narrazione*, Mailand: Feltrinelli, 1997. (Englisch: *Relating Narratives: Storytelling and Selfhood*, übers. v. Paul Kottman, London, New York: Routledge, 2000.)

–, *A più voci: Filosofia dell'espressione vocale*, Mailand: Feltrinelli, 2003. (Englisch: *For More Than One Voice: Towards a Philosophy of Vocal Expression*, übers. v. Paul Kottman, Stanford, CA: Stanford University Press, 2005.)

Cherniss, Harold F., *Die ältere Akademie: Ein historisches Rätsel und seine Lösung*, übers. v. Josef Derbolav, Heidelberg: Winter, 1966.

Cicero, Marcus Tullius, *De finibus bonorum et malorum. Das höchste Gut und das schlimmste Übel*, lat. u. dt., hg. v. Alexander Kabza, München: Heimeran, 1960.

–, *Laelius. Über die Freundschaft*, lat. u. dt., München: Heimeran, 1961.

Clark, Emma, *The Art of the Islamic Garden*, Ramsbury: Crowood, 2004.

Clark, Peter (Hg.), *The European City and Green Space: London, Stockholm, Helsinki, and St. Petersburg, 1850–2000*, Aldershot: Ashgate, 2006.

Clarke, David B., *The Consumer Society and the Postmodern City*, London: Routledge, 2003.

Clay, Diskin, *Paradosis and Survival: Three Chapters in the Epicurean Philosophy*, Ann Arbor: University of Michigan Press, 1998.

Cohen, Sande; Rutsky, R. L. (Hg.), *Consumption in an Age of Information*, Oxford: Berg, 2005.

Comito, Terry, *The Idea of the Garden in the Renaissance*, New Brunswick, NJ: Rutgers University Press, 1978.

Conan, Michel, *Essais de poétique des jardins*, Florenz: Olschki, 2004.

Cooper, David E., *A Philosophy of Gardens*, Oxford: Oxford University Press, 2006.

Cooper, John Xiros, *Modernism and the Culture of Market Society*, Cambridge: Cambridge University Press, 2004.

Costa, José, *L'au delà et la résurrection dans la littérature rabbinique*, Paris: Peeters, 2004.

Dancy, Russel M., *Two Studies in the Early Academy*, Albany: State University of New York Press, 1991.

Dante Alighieri, *Die Göttliche Komödie*, it. u. dt., übers. v. Hermann Gmelin, 1. Teil: *Die Hölle*; 2. Teil: *Der Läuterungsberg*; 3. Teil: *Das Paradies*, Stuttgart: Klett, 1949–[1952].

Dasenbrock, Reed W., »Dante's Hell and Pound's Paradiso: ›Tutto spezzato‹«, in: *Paideuma* 9 (1980), S. 501–04.

De Beistegui, Miguel, *Thinking with Heidegger: Displacements*, Bloomington: Indiana University Press, 2003.

Della Torre, Arnaldo, *Studi dell'Accademia platonica di Firenze*, Florenz: Carnesecchi, 1902.

Derrida, Jacques, *Dissemination,* übers. v. Hans-Dieter Gondek, Wien: Passagen, 1995.

Descartes, René, *Abhandlung über die Methode des richtigen Vernunft-gebrauchs,* übers. v. Kuno Fischer, erneuert u. hg. v. Hermann Glockner, Stuttgart: Reclam, 1961.

Devolder, Anne-Mie (Hg.), *The Public Garden: The Enclosure and Disclo-sure of the Public Garden,* Rotterdam: NAI Publ., 2002.

De Witt, Norman W., *Epicurus and His Philosophy*, Minneapolis: Univer-sity of Minnesota Press, 1954.

Dillon, John, *The Heirs of Platon: A Study of the Old Academy (347–247 BC)*, Oxford: Oxford University Press, 2003.

Diogenes Laertius, *X. Buch: Epikur*, griech. u. dt., hg. v. Klaus Reich u. Hans Günter Zekl, Hamburg: Meiner, 1968.

Dravid, Kamalini, *Acculturation of Anti-culture: A Study of Trilling's »Beyond Culture«*, New Delhi: Associated Publishing House, 1989.

Durán, Manuel; Safir, Margery, *Earth Tones: The Poetry of Pablo Neruda,* Bloomington: Indiana University Press, 1981.

Eisenbichler, Konrad; Zorzi Pugliese, Olga (Hg.), *Ficino and Renaissance Neoplatonism*, Ottawa: Dovehouse Editions Canada, 1986 (University of Toronto Italian Studies).

Eliot, T. S., »Hamlet (1919)«, in: ders., *Ausgewählte Essays, 1917–1947,* Berlin, Frankfurt am Main: Suhrkamp, 1950, S. 177–86.

–, *Gesammelte Gedichte, 1909–1962,* engl. u. dt., hg. v. Eva Hesse, Frank-furt am Main: Suhrkamp, 1972.

Elledge, Casey Deryl, *Life after Death in Early Judaism: The Evidence of Josephus*, Tübingen: Mohr Siebeck, 2006.

Epikur, *Briefe, Sprüche, Werkfragmente*, griech. u. dt., übers. u. hg. v. Hans-Wolfgang Krautz, Stuttgart: Reclam, 1985.

Esten, John, *Hampton Gardens: A 350-Year Legacy*, New York: Rizzoli, 2004.

Ferrante, Joan, »Words and Images in the *Paradiso*«, in: Bernardo, Aldo S.; Pellegrini, Anthony (Hg.), *Dante, Petrarch, Boccaccio: Studies in the Italian Trecento in Honor of Charles S. Singleton*, Binghamton: Center for Medieval and Early Renaissance Studies, State University of New York at Binghamton, 1983.

Ferrari, Giovanni R. F., *Listening to the Cicadas: A Study of Plato's »Phaedrus«*, Cambridge: Cambridge University Press, 1987.

Ferriolo, Massimo Venturi, *Giardino e filosofia*, Mailand: Guerini e Asso-ciati, 1992.

Ferrucci, Franco, *Il giardino simbolico: Modelli letterari e autobiografia dell'opera*, Rom: Bulzoni, 1980.

Ficino, Marsilio, *Opera omnia*, Bd. 1–2, Turin: Bottega d'Erasmo, 1962 (Nachdruck d. Ausg. Basel 1576).

Flaubert, Gustave, *Correspondance*, hg. v. Caroline Franklin-Grout, Bd. 1–9, Paris: Conard, 1926–33 (Oeuvres complètes de Gustave Flaubert).

Foucault, Michel, *Sexualität und Wahrheit, 2: Der Gebrauch der Lüste*, übers. v. Ulrich Raulff u. Walter Seitter, Frankfurt am Main, Suhrkamp, 1986.

–, *Sexualität und Wahrheit, 3: Die Sorge um sich*, übers. v. Ulrich Raulff u. Walter Seitter, Frankfurt am Main: Suhrkamp, 1986.

Freccero, John, »Introduction to the *Paradiso*«, in: Jacoff, Rachel (Hg.), *Dante: The Poetics of Conversion*, Cambridge, MA: Harvard University Press, 1986.

Fromm, Erich, *Die Seele des Menschen: Ihre Fähigkeit zum Guten und zum Bösen*, übers. v. Liselotte u. Ernst Michel, Stuttgart: DVA, 1979.

Fuller, Robert C., *Ecology of Care: An Interdisciplinary Analysis of the Self and Moral Obligation*, Louisville, KY: Westminster John Knox Press, 1992.

Giamatti, A. Bartlett, *The Earthly Paradise and the Renaissance Epic*, Princeton, NJ: Princeton University Press, 1966.

Das Gilgamesch-Epos, neu übers. u. komm. v. Stefan M. Maul, München: Beck, ³2006.

Gilligan, Carol, *Die andere Stimme: Lebenskonflikte und Moral der Frau*, übers. v. Brigitte Stein, München, Zürich: Piper, 1984.

Gillman, Neil, *The Death of Death: Resurrection and Immortality in Jewish Thought*, Woodstock, VT: Jewish Lights, 1997.

Giono, Jean, *Un roi sans divertissement*, Montréal: Gallimard, 1948.

Goldhill, Simon, *The Poet's Voice: Essays on Poetics and Greek Literature*, Cambridge: Cambridge University Press, 1991.

Goodstein, Elizabeth S., *Experience without Qualities: Boredom and Modernity*, Stanford, CA: Stanford University Press, 2004.

Gothein, Marie Luise, *Geschichte der Gartenkunst*, 2 Bde. in 1 Bd., Hildesheim, New York: Olms, 1977 (Nachdruck d. Ausg. Jena 1926).

Graafland, Arie, *Versailles and the Mechanics of Power: The Subjugation of Circe*, übers. v. John Kirk Patrick, Rotterdam: 010 Publishers, 2003.

Greene, Thomas M., »*Il Cortegiano* and the Choice of a Game«, in: Hanning, Robert W.; Rosand, David (Hg.), *Castiglione: The Ideal and the Real in Renaissance Culture*, New Haven, CT: Yale University Press, 1983, S. 1–16.

Griffin, Jasper, *Homer on Death and Life*, Oxford: Clarendon, 1980.

Groenhout, Ruth E., *Theological Echoes in an Ethic of Care*, Notre Dame, IN: Erasmus Institute, 2003.

–, *Connected Lives: Human Nature and the Ethics of Care*, Lanham, MD: Rowman and Littlefield, 2004.

Guthrie, W. K. C., *A History of Greek Philosophy*, Bd. 1–6, Cambridge: Cambridge University Press, 1962–81.

Hales, Mick, *Monastic Gardens*, New York: Stewart, Tabori, and Chang, 2000.

Hamilton, Clive, *Growth Fetish*, London: Pluto, 2004.

Hanczyc, Martin M.; Fujikawa, Shelly, M.; Szostak, Jack W., »Experimental Models of Primitive Cellular Compartments: Encapsulation, Growth, and Division«, in: *Science* 302, No. 5645 (24. Oktober 2003), S. 618–22.

Hankins, James (Hg.), *Renaissance Civic Humanism*, Cambridge: Cambridge University Press, 2000.

Hanning, Robert W.; Rosand, David (Hg.), *Castiglione: The Ideal and the Real in Renaissance Culture*, New Haven, CT: Yale University Press, 1983.

Harkins, William, *Karel Čapek*, New York: Columbia University Press, 1962.

Harrison, Robert, *Wälder: Ursprung und Spiegel der Kultur*, übers. v. Martin Pfeiffer, München, Wien: Hanser, 1992.

–, *Die Herrschaft des Todes*, übers. v. Martin Pfeiffer, München: Hanser, 2006.

Hassell, Malve von, *The Struggle for Eden: Community Gardens in New York City*, Westport, CN: Bergin and Garvey, 2002.

Hazzard, Shirley, *Der Abend des festlichen Tages*, übers. v. Emi Ehm, Wien, Hamburg: Zsolnay, 1967.

Heidegger, Martin, *Sein und Zeit*, Frankfurt am Main: Klostermann, 1977 (Gesamtausgabe, Bd. 2).

–, *Vorträge und Aufsätze*, Frankfurt am Main: Klostermann, 2000 (Gesamtausgabe, Bd. 7).

–, *Die Grundbegriffe der Metaphysik: Welt – Endlichkeit – Einsamkeit*, Frankfurt am Main: Klostermann, 1983 (Gesamtausgabe, Bd. 29/30).

Held, Virginia, *The Ethics of Care: Personal, Political, Global*, Oxford: Oxford University Press, 2006.

Herbst, Martin, *God's Womb: The Garden of Eden, Innocence and Beyond*, Bethlehem, NH: Menachem, 2003.

Hill, Penelope, *Jardins d'aujourd'hui en Europe: Entre art et architecture*, Antwerpen: Fonds Mercator, 2002. (Englisch: *Contemporary History of*

Garden Design: European Gardens between Art and Architecture, Basel: Birkhäuser, 2004.)

Hirschfeld, Christian Cay Lorenz, *Theorie der Gartenkunst*, 5 Bde. in 2 Bdn., Hildesheim, New York: Olms, 1973 (Nachdruck d. Ausgabe Leipzig 1782–85).

Homer, *Odyssee*, griech. u. dt., übers. v. Anton Weiher, München, Zürich: Artemis und Winkler, [8]1986.

–, *Ilias*, griech. u. dt., übers. v. Hans Rupé, München, Zürich: Artemis u. Winkler, [9]1989.

Hornblower, Simon; Spawforth, Antony (Hg.), *The Oxford Classical Dictionary*, Oxford: Oxford University Press, [3]1996.

Hotaling, Edward, *Islam without Illusions: Its Past, Its Present, and Its Challenge for the Future*, Syracuse, NY: Syracuse University Press, 2003.

Howard, Ebenezer, *To-morrow: A Peaceful Path to Real Reform*, London: Routledge, 2003. (Ursprünglich erschienen London: Swann Sonnenschein, 1898.)

Hunt, John Dixon (Hg.), *The Italian Garden: Art, Design, and Culture*, Cambridge: Cambridge University Press, 1996.

Hunt, John Dixon, *Greater Perfections: The Practice of Garden Theory*, Philadelphia: University of Pennsylvania Press, 2000.

Hyginus, »Fabeln«, in: *Griechische Sagen: Apollodoros, Parthenios, Antoninus Liberalis, Hyginus*, eingeleitet u. übers. v. Ludwig Mader, hg. u. ergänzt v. Liselotte Rüegg, Zürich, Stuttgart: Artemis, 1963, S. 239–364.

–, *Hygini Fabulae*, hg. v. Peter K. Marshall, Stuttgart: Teubner, 1993.

Iannucci, Amilcare A., »Limbo: The Emptiness of Time«, in: *Studi Danteschi* 72 (1979/80), S. 69–128.

Jacoff, Rachel, »Shadowy Prefaces: An Introduction to *Paradiso*«, in: dies. (Hg.), *The Cambridge Companion to Dante*, Cambridge: Cambridge University Press, 1993, S. 208–224.

Jefferson, Thomas, *The Writings of Thomas Jefferson*, Bd. 15, o.O.: Thomas Jefferson Memorial Association, 1904.

Jennings, Anne, *Medieval Gardens*, London: English Heritage, 2004.

Johnson, Norris Brock, »Mountain, Temple, and the Design of Movement: Thirteenth-Century Japanese Zen Buddhist Landscapes«, in: Conan, Michel (Hg.), *Landscape Design and the Experience of Motion*, Washington, DC: Dumbarton Oaks Research Library and Collection, 2003, S. 157–85.

Jones, Howard, *The Epicurean Tradition*, London: Routledge, 1989.

Joseph, Miranda, *Against the Romance of Community*, Minneapolis: University of Minnesota Press, 2002.

Kasting, James F.; Siefert, Janet L., »Life and the Evolution of Earth's Atmosphere«, in: *Science* 296, No. 5570 (10. Mai 2002), S. 1066–68.

Kay, George R. (Hg. u. Übers.), *The Penguin Book of Italian Verse*, it. u. engl., Harmondsworth: Penguin, 1967.

Kazepov, Yuri (Hg.), *Cities of Europe: Changing Contexts, Local Arrangements, and the Challenge to Urban Cohesion*, Malden, MA: Blackwell, 2004.

Keane, Marc Peter, *Japanese Garden Design*, Rutland, VT: Tuttle, 1996.

–, *The Art of Setting Stones: And Other Writings from the Japanese Garden*, Berkeley, CA: Stone Bridge, 2002.

Keane, Marc Peter, mit David Scott u. Sian Evans, *Simply Zen: Interior Japanese Gardens*, San Francisco: Soma, 1999.

Keats, John, *Selected Letters of John Keats*, hg. v. Grant F. Scott, überarb. Aufl., Cambridge, Mass.: Harvard University Press, 2002.

Kellert, Stephen R.; Wilson, Edward O. (Hg.), *The Biophilia Hypothesis*, Washington, DC: Island, 1993.

Kenner, Hugh, *The Pound Era*, Berkeley: Univ. of California Press, 1973.

Kent, Frank W., *Lorenzo de' Medici and the Art of Magnificence*, Baltimore: Johns Hopkins University Press, 2004.

Khansari, Mehdi; Moghtader, M. Reza; Yavari, Minouch (Hg.), *The Persian Garden: Echoes of Paradise*, Washington, DC: Mage, 1998.

Klíma, Ivan, *Velký věk chce mít též velké mordy: Život a dílo Karla Čapka*, Prag: Academia, 2001. (Englisch: *Karel Čapek: Life and Work*, übers. v. Norma Comrada, North Haven, CT: Catbird, 2002.)

Klinkenborg, Verlyn, »Introduction«, in: Čapek, Karel, *The Gardener's Year*, übers. v. M. und R. Weatherall, New York: Mod. Library, 2002.

Der Koran, übers. v. Rudi Paret, Stuttgart u. a.: Kohlhammer, 1979.

Kuhns, Richard F., *The »Decameron« and the Philosophy of Storytelling: Author as Midwife and Pimp*, New York: Columbia University Press, 2005.

Kuitert, Wybe, *Themes, Scenes, and Taste in the History of Japanese Garden Art*, Amsterdam: Gieben, 1988.

Laird, Mark, *The Formal Garden: Traditions of Art and Nature*, New York: Thames and Hudson, 1992.

Lane, Patrick, *What the Stones Remember: A Life Rediscovered*, Boston: Trumpeter, 2005. (Urspr. ersch. u. d. Titel: *There is a Season: A Memoir in a Garden*, Toronto: McClelland and Stewart, 2004.)

Laureano, Pietro, *Giardini di pietra: I Sassi di Matera e la civiltà mediterranea*, Turin: Bollati Boringhieri, 1993.

Lawson, Laura J., *City Bountiful: A Century of Community Gardening in America*, Berkeley: University of California Press, 2005.

Lazzaro, Claudia, *The Italian Renaissance Garden: From the Conventions of Planting, Design, and Ornament to the Grand Gardens of Sixteenth-century Central Italy*, mit Photographien von Ralph Lieberman, New Haven, CT: Yale University Press, 1990.

Lehrman, Jonas B., *Earthly Paradise: Garden and Courtyard in Islam*, Berkeley: University of California Press, 1980.

Lévinas, Emmanuel, *Totalität und Unendlichkeit: Versuch über die Exteriorität*, übers. v. Wolfgang Nikolaus Krewani, Freiburg i. Br., München: Alber, 1987.

Lippit, Victor D., *Capitalism*, London: Routledge, 2005.

Long, A. Arthur; Sedley, David N., *The Hellenistic Philosophers*, Bd. 1–2, Cambridge: Cambridge University Press, 1987.

Louden, Bruce, *The Odyssey: Structure, Narration, and Meaning*, Baltimore: Johns Hopkins University Press, 1999.

Lowe, Roy, *History of Education: Major Themes*, Bd. 1–4, London: Routledge/Falmer, 2000.

Lowry, Malcolm, *Unter dem Vulkan*, übers. v. Susanna Rademacher, durchges. v. Karin Graf, Reinbek: Rowohlt, 1984.

Luttikhuizen, Gerard P. (Hg.), *Paradise Interpreted: Representations of Biblical Paradise in Judaism and Christianity*, Leiden: Brill, 1999.

Macdougall, Elisabeth B.; Ettinghausen, Richard (Hg.), *The Islamic Garden*, Washington, DC: Dumbarton Oaks, 1976.

MacGregor, Sherilyn, *Beyond Mothering Earth: Ecological Citizenship and the Politics of Care*, Vancouver: University of British Columbia Press, 2006.

Mader, Günter; Neubert-Mader, Laila, *Italienische Gärten*, Stuttgart: DVA, 1987.

Mallarmé, Stéphane, *Essais. Kritische Schriften*, frz. u. dt., übers. v. Gerhard Goebel, Gerlingen: Schneider, 1998.

Marinetti, Filippo T., *Let's Murder the Moonshine: Selected Writings*, hg. v. R. W. Flint, übers. v. R. W. Flint u. Arthur A. Coppotelli, Los Angeles: Sun and Moon Classics, 1991.

Marvell, Andrew, »The Garden«, in: ders., *The Poems and Letters*, Bd. 2, Oxford: Clarendon Press, ²1963, S. 48–50.

Marx, Karl; Engels, Friedrich, »Manifest der Kommunistischen Partei«, in: dies., *Werke*, Bd. 4 [Mai 1846–März 1848], Berlin: Dietz, 1959, S. 459–93.

Mazzotta, Giuseppe, *The World at Play in Boccaccio's »Decameron«*, Princeton, NJ: Princeton University Press, 1986.

McIntosh, Christopher, *Gardens of the Gods: Myth, Magic, and Meaning*, London: Tauris, 2005.

Migiel, Marilyn, *A Rhetoric of the »Decameron«*, Toronto: University of Toronto Press, 2003.

Miller, James E., *The Western Paradise: Greek and Hebrew Traditions*, San Francisco: International Scholars, 1996.

Miller, Joseph Hillis, *Poets of Reality: Six Twentieth-Century Writers*, Cambridge: Belknap/Harvard University Press, 1965.

Miller, Mara, *The Garden as Art*, Albany: State University of New York Press, 1993.

Milton, John, *Das verlorene Paradies*, übers. v. Bernhard Schuhmann, Berlin: Rütten u. Loening, 1984.

Montale, Eugenio, *Gedichte*, it. u. dt., übers. v. Hanno Helbling, München, Wien: Hanser, 1987.

Morris, Paul; Sawyer, Deborah (Hg.), *A Walk in the Garden: Biblical, Iconographical, and Literary Images of Eden*, Sheffield: JSOT Press, 1992.

Mouilleron, Véronique Rouchon, *Klöster: Universum der Stille und der Kontemplation*, übers. v. Petra-Susanne Räbel, Paris: Flammarion, 2003.

Neruda, Pablo, *Elementare Oden, Das lyrische Werk 2*, hg. v. Karsten Garscha, übers. v. Erich Arendt, © Luchterhand Literaturverlag, München, in der Verlagsgruppe Random House GmbH, 1985.

Nightingale, Andrea, *Genres in Dialogue: Plato and the Construct of Philosophy*, Cambridge: Cambridge University Press, 1996.

–, *Spectacles of Truth in Classical Greek Philosophy: Theoria in Its Cultural Context*, Cambridge: Cambridge University Press, 2004.

Obayashi, Hiroshi (Hg.), *Death and Afterlife: Perspectives of World Religions*, New York: Greenwood, 1992.

Ober, Josiah, *Political Dissent in Democratic Athens: Intellectual Critics of Popular Rule*, Princeton, NJ: Princeton University Press, 1998.

O'Grady, Desmond, *The Road Taken: Poems, 1956–1996*, Salzburg: University of Salzburg Press, 1996.

O'Keefe, Tim, *Epicurus on Freedom*, Cambridge: Cambridge University Press, 2005.

Oldfield, Adrian, *Citizenship and Community: Civic Republicanism and the Modern World*, London: Routledge, 1990.

Padon, Thomas, *Contemporary Photography and the Garden: Deceits and Fantasies*, New York: Harry N. Abrams and American Federation of Arts, 2004.

Pagnol, Marcel, *Die Wasser der Hügel*, übers. v. Pamela Wedekind, München, Wien: Langen-Müller, 1989.

Parati, Graziella; West, Rebecca J. (Hg.), *Italian Feminist Theory and Practice: Equality and Sexual Difference*, Madison, NJ: Fairleigh Dickinson University Press, 2002.

Park, Joseph S., *Conceptions of Afterlife in Jewish Inscriptions: With Special Reference to Pauline Literature*, Tübingen: Mohr Siebeck, 2000.

Parker, Patricia, *Inescapable Romance: Studies in the Poetics of a Mode*, Princeton, NJ: Princeton University Press, 1979.

Passerin d'Entrèves, Maurizio, *The Political Philosophy of Hannah Arendt*, London: Routledge, 1993.

Perloff, Marjorie, *The Poetics of Indeterminacy from Rimbaud to Cage*, Princeton, NJ: Princeton University Press, 1981.

–, *The Dance of the Intellect: Studies in the Poetry of the Pound Tradition*, Cambridge: Cambridge University Press, 1985.

–, *Differentials: Poetry, Poetics, Pedagogy*, Tuscaloosa: University of Alabama Press, 2004.

–, »A Conversation with Marjorie Perloff about the Poetry and Politics of Ezra Pound«, Interview mit Robert Harrison in der Sendung *Entitled Opinions (about Life and Literature)*, ausgestrahlt von KZSU-FM, Stanford, CA, am 5. November 2005. Verfügbar unter http://www.stanford.edu/dept/fren-ital/opinions/shows/e010011.mp3 (abgerufen am 6. Juli 2009).

Pérouse de Montclos, Jean-Marie, *Versailles*, Köln: Könemann, 1996.

–, *Vaux le Vicomte*, Paris: Éditions Scala, 1997.

Pizzoni, Filippo, *Kunst und Geschichte des Gartens: Vom Mittelalter bis zur Gegenwart*, übers. v. Ulrike Stopfel, Stuttgart: DVA, 1999.

Platon, *Des Sokrates Apologie. Kriton. Euthydemos. Menexenos. Gorgias. Menon*, griech. u. dt., übers. v. Friedrich Schleiermacher, Darmstadt: Wissenschaftliche Buchgesellschaft, 2001 (Werke in acht Bänden, Bd. 2).

–, *Phaidon. Das Gastmahl. Kratylos*, griech. u. dt., übers. v. Friedrich Schleiermacher, Darmstadt: Wissenschaftliche Buchgesellschaft, 2001 (Werke in acht Bänden, Bd. 3).

–, *Der Staat*, griech. u. dt., übers. v. Friedrich Schleiermacher, Darmstadt: Wissenschaftliche Buchgesellschaft, 2001 (Werke in acht Bänden, Bd. 4).

–, *Phaidros. Parmenides. Briefe*, griech. u. dt., übers. v. Friedrich Schleiermacher, Darmstadt: Wissenschaftliche Buchgesellschaft, 2001 (Werke in acht Bänden, Bd. 5).

Pocock, John G. A., »Civic Humanism and Its Role in Anglo-American Thought«, in: ders., *Politics, Language, and Time: Essays on Political Thought and History*, New York: Atheneum, 1971, S. 80–103.

Pool, Mary Jane, *Gardens in the City: New York in Bloom*, New York: Harry N. Abrams, 1999.

Pound, Ezra, *Die Pisaner Gesänge*, vollständige Ausgabe, übers. v. Eva Hesse, Zürich: Arche, 1956.

–, *Letzte Texte (Cantos CX–CXX), Entwürfe und Fragmente,* vollständige Ausgabe, übers. u. hg. v. Eva Hesse, Zürich: Arche, 1975.

–, *Personae/Masken: Gedichte,* übers. u. hg. v. Eva Hesse, München: dtv, 1992.

Power, Edward J., *Main Currents in the History of Education,* New York: McGraw-Hill, 1970.

–, *Legacy of Learning: A History of Western Education,* Albany: State University of New York Press, 1991.

Préteceille, Edmond; Terrail, Jean Pierre, *Bésoins et mode de production,* Paris: Éd. Sociales, 1977. (Englisch: *Capitalism, Consumption, and Needs,* übers. v. Sarah Matthews, Oxford: Blackwell, 1985.)

Puech, Émile, *La croyance des Esséniens en la vie future: Immortalité, résurrection, vie éternelle? Histoire d'une croyance dans le judaïsme ancien,* Paris: Lecoffre, 1993.

Pugh, Simon, *Garden, Nature, Language,* Manchester: Manchester University Press, 1988.

Quint, David, *Origin and Originality in Renaissance Literature,* New Haven, CT: Yale University Press, 1983.

Raffini, Christine, *Marsilio Ficino, Pietro Bembo, Baldasarre Castiglione: Philosophical, Aesthetic, and Political Approaches in Renaissance Platonism,* New York: Lang, 1998.

Raja, Maria Elisa, *Le muse in giardino: Il paesaggio ameno nelle opere di Giovanni Boccaccio,* Alessandria/Italien: Edizioni dell'Orso, 2003.

Raphael, Simcha Paull, *Jewish Views of the Afterlife,* Northvale, NJ: Aronson, 1994.

Re, Lucia, »Diotima's Dilemmas: Authorship, Authority, Authoritarianism«, in: Parati, Graziella; West, Rebecca J. (Hg.), *Italian Feminist Theory and Practice: Equality and Sexual Difference,* Madison, NJ: Fairleigh Dickinson University Press, 2002, S. 50–74.

Rempel, Henry, *A High Price for Abundant Living: The Story of Capitalism,* Waterloo, Ontario: Herald Press, 2003.

Reynolds, Matthew, »Ezra Pound in the Earthly Paradise«, in: Miller, James (Hg.), *Dante and the Unorthodox: The Aesthetics of Transgression,* Waterloo, Ontario: Wilfrid Laurier University Press, 2005, S. 316–66.

Ricoeur, Paul, *Wege der Anerkennung: Anerkennen, Wiedererkennen, Anerkanntsein,* übers. v. Ulrike Bokelmann u. Barbara Heber-Schärer, Frankfurt am Main: Suhrkamp, 2006.

Rilke, Rainer Maria, *Gedicht-Zyklen,* Frankfurt am Main: Insel, 1980 (Werke, Bd. 1.2).

Rilke, Rainer Maria; Andreas-Salomé, Lou, *Briefwechsel*, hg. v. Ernst Pfeiffer, Frankfurt am Main: Insel, 1975.

Rippin, Andrew, *Muslims: Their Religious Beliefs and Practices*, London: Routledge, ²2001.

Rogers, John, *The Matter of Revolution: Science, Poetry, and Politics in the Age of Milton*, Ithaca, NY: Cornell University Press, 1996.

Rohde, Erwin, *Psyche: Seelencult und Unsterblichkeitsglaube der Griechen*, 2 Bde. in 1 Bd., Darmstadt: Wissenschaftliche Buchgesellschaft, 1961 (Nachdruck d. 2. Aufl. Freiburg i. Br. u. a. 1898).

Ross, Stephanie, *What Gardens Mean*, Chicago: University of Chicago Press, 1998.

Rowson, Everett K.; Abu 'l-Hasan Muhammad ibn Yūsuf Al-'Āmirī, *A Muslim Philosopher on the Soul and Its Fate: Al-'Āmirī's Kitāb al-Amad 'alā l-abad*, New Haven, CT: American Oriental Society, 1988.

Russell, Jeffrey Burton, *A History of Heaven: The Singing Silence*, Princeton, NJ: Princeton University Press, 1997.

Saccone, Eduardo, »Wood, Garden, ›locus amoenus‹ in Ariosto's *Orlando Furioso*«, in: *Modern Language Notes* 12, No. 1 (Januar 1997), S. 1–20.

Salerno, Roger A., *Landscapes of Abandonment: Capitalism, Modernity, and Estrangement*, Albany: State University of New York Press, 2003.

Salvadori, Patrizia, *Dominio e patronato: Lorenzo dei Medici e la Toscana nel Quattrocento*, Rom: Edizioni di Storia e Letteratura, 2000.

Sayre, Kenneth M., *Plato's Literary Garden*, Notre Dame, IN: Notre Dame University Press, 1995.

Scaglione, Aldo D., *Nature and Love in the Middle Ages*, Berkeley: University of California Press, 1963.

Schnapp, Jeffrey T., *The Transfiguration of History at the Center of Dante's Paradise*, Princeton, NJ: Princeton University Press, 1986.

–, »»Sì pïa l'ombra d'Anchise si porse‹: *Paradiso* 15.25«, in: Jacoff, Rachel; Schnapp, Jeffrey T. (Hg.), *The Poetry of Allusion: Virgil and Ovid in Dante's »Commedia«*, Stanford, CA: Stanford University Press, 1991.

Schofield, Malcolm, *Plato: Political Philosophy*, Oxford: Oxford University Press, 2006.

Schubert, Peter Z., *The Narratives of Čapek and Čexov: A Typological Comparison of the Authors' Worldviews*, Bethesda, MD: International Scholars, 1997.

Schürmann, Reiner, *Le principe d'anarchie: Heidegger et la question d'agir*, Paris: Éd. du Seuil, 1982. (Englisch: *Heidegger on Being and Acting: From Principles to Anarchy*, übers. v. Christine-Marie Gros, Bloomington: Indiana University Press, 1990.)

Scolnicov, Samuel, *Plato's Metaphysics of Education*, London: Routledge, 1988.

Seneca, L. Annaeus, *An Lucilius: Briefe über Ethik 1–69*, übers. u. hg. v. Manfred Rosenbach, Darmstadt: Wissenschaftliche Buchgesellschaft, 1974 (Philosophische Schriften, Bd. 3).

Sevenhuijsen, Selma, *Citizenship and the Ethics of Care: Feminist Considerations on Justice, Morality, and Politics*, New York: Routledge, 1998.

Shemek, Deanna, *Ladies Errant: Wayward Women and Social Order in Early Modern Italy*, Durham, NC: Duke University Press, 1998.

Shepherd, John C., *Italian Gardens of the Renaissance*, Princeton, NJ: Princeton Architectural Press, 1986.

Sicari, Stephen, »History and Vision in Pound and Dante: A Purgatorial Poetics«, in: *Paideuma* 19 (Frühjahr-Herbst 1990), S. 9–35.

Skinner, Quentin, »The Republican Idea of Political Liberty«, in: Bock, Gisela; Skinner, Quentin; Viroli, Maurizio (Hg.), *Machiavelli and Republicanism*, Cambridge: Cambridge University Press, 1990.

Sperling, S., »Garden of Eden«, in: Berenbaum, Michael; Skonik, Fred (Hg.), *Encyclopaedia Judaica*, Bd. 1–22, Detroit: Macmillan Reference USA, ²2007, Bd. 7, S. 388f.

Spronk, Klaas, *Beatific Afterlife in Ancient Israel and in the Ancient Near East*, Kevelaer: Butzon u. Bercker, 1986.

Stendhal, *Rome, Naples et Florence*, Bd. 1–2, Paris: Champion, 1919.

–, *Rom, Neapel und Florenz*, übers. v. Katharina Scheinfuß, Berlin: Rütten u. Loening, 1964.

–, *De l'amour*, Paris: Champion, 1926.

–, *Über die Liebe*, hg. u. übers. v. Walter Hoyer, Frankfurt/M.: Insel, 1989.

Stenzel, Kurt, »Pascals Theorie des Divertissement«, Dissertation, Philos. Fakultät der Ludwig-Maximilians-Universität München, 1965.

Stevens, Wallace, *Der Planet auf dem Tisch: Gedichte und Adagia*, engl. u. dt., übers. u. hg. v. Kurt Heinrich Hansen, Stuttgart: Klett-Cotta, 1983.

Stone, Gregory, *The Ethics of Nature in the Middle Ages: On Boccaccio's Poetaphysics*, New York: St. Martin's, 1998.

Svendsen, Lars, *Kleine Philosophie der Langeweile*, übers. v. Lothar Schneider, Frankfurt am Main, Leipzig: Insel, 2002.

Swirski, Peter, *From Lowbrow to Nobrow*, Montréal: McGill-Queen's University Press, 2005.

Thirouin, Laurent, »Le cycle du divertissement«, in: *Studi Francesi* 143, Nr. 2 (Mai-August 2004), S. 260–72.

Thomas, Dylan, *Und dem Tod soll kein Reich mehr bleiben: Gedichte*, engl. u. dt., Berlin: Volk und Welt, 1984.

Thompson, Ian H., *The Sun King's Garden: Louis XIV, André Le Nôtre, and the Creation of the Gardens of Versailles*, London: Bloomsbury, 2006.

Thoreau, Henry David, *Walden: Ein Leben in den Wäldern*, übers. v. Franz Meyer, Weimar: Gustav Kiepenheuer, 1964.

Tigay, Jeffrey; Bamberger, Bernard, »Paradise«, in: Berenbaum, Michael; Skonik, Fred (Hg.), *Encyclopaedia Judaica*, Bd. 1–22, Detroit: Macmillan Reference USA, ²2007, Bd. 15, S. 623–29.

Tournier, Michel, *Zwillingssterne*, übers. v. Hellmut Waller, Frankfurt am Main: Fischer Taschenbuch, 1992.

Trilling, Lionel, *Kunst, Wille und Notwendigkeit: Literaturkritische und kulturphilosophische Essays*, hg. u. übers. v. Hans-Horst Henschen, München, Wien: Hanser, 1990.

Tsau, Hsüä-tjin, *Der Traum der Roten Kammer oder die Geschichte vom Stein*, übers. v. Rainer Schwarz u. Martin Woesler, hg. v. Martin Woesler, Bd. 1–2, Bochum: Europäischer Universitätsverlag, 2006.

Turner, Tom, *Garden History: Philosophy and Design, 2000 BC–2000 AD*, London: Spon, 2005.

Vakaloulis, Michel, *Le capitalisme post-moderne: Élements pour une critique sociologique*, Paris: Presses Universitaires de France, 2001.

Vergil, *Aeneis*, übers. v. Gerhard Fink, Düsseldorf: Artemis und Winkler, 2007.

Villa, Dana (Hg.), *The Cambridge Companion Guide to Hannah Arendt*, Cambridge: Cambridge University Press, 2000.

Visentini, Margherita Azzi (Hg.), *L'arte dei giardini: Scritti teorici e pratici dal XIV al XIX secolo*, Bd. 1–2, Mailand: Il Polifilo, 1999.

Waines, David, *An Introduction to Islam*, Cambridge: Cambridge University Press, ²2003.

Walker, Daniel, *Flowers Underfoot: Indian Carpet Gardens of the Mughal Era*, New York: Metropolitan Museum of Art, 1997.

Warren, James, *Epicurus and Democritean Ethics: An Archaeology of Ataraxia*, Cambridge: Cambridge University Press, 2002.

Weiss, Allen, *Mirrors of Infinity: The French Formal Garden and Seventeenth-Century Metaphysics*, New York: Princeton Architectural Press, 1995.

–, *Unnatural Horizons: Paradox and Contradiction in Landscape Architecture*, New York: Princeton Architectural Press, 1998.

Wharton, Edith, *Italian Villas and Their Gardens*, illustriert v. Maxfield Parrish, New York: Century, 1904.

White, John Ernest Grant, *Garden Art and Architecture*, London: Abelard-Schuman, 1968.

Wilber, Donald Newton, *Persian Gardens and Garden Pavilions*, Washington, DC: Dumbarton Oaks, 1979.

Wilcher, Robert, *Andrew Marvell*, Cambridge: Cambridge University Press, 1985.

Wilner, Eleanor, *The Girl with Bees in Her Hair*, Port Townsend, WA: Copper Canyon, 2004.

Wilson, Edward O., *Biophilia*, Cambridge, MA: Harvard University Press, 1984.

Wilson, Peter L.; Weinberg, Bill (Hg.), *Avant-Gardening: Ecological Struggle in the City and the World*, Brooklyn, NY: Autonomedia, 1999.

Winkler, John J., »Das Gelächter der Unterdrückten: Demeter und die Gärten des Adonis«, in: ders., *Der gefesselte Eros: Sexualität und Geschlechterverhältnis im antiken Griechenland*, übers. v. Sebastian Wohlfeil, Marburg: Hitzeroth, 1994, S. 275–306.

Witt, Ronald G., *In the Footsteps of the Ancients: The Origins of Humanism from Lovato to Bruni*, Leiden: Brill, 2000.

Wordsworth, William, *Selected Poetry of William Wordsworth*, hg. v. Mark Van Doren, New York: Modern Library, 2001.

Yeats, William Butler, *Die Gedichte*, hg. v. Norbert Hummelt, München: Luchterhand, 2005.

Zanker, Graham, *The Heart of Achilles: Characterization and Personal Ethics in the »Iliad«*, Ann Arbor: University of Michigan Press, 1984.

Zerilli, Linda M. G., *Feminism and the Abyss of Freedom*, Chicago: University of Chicago Press, 2005.

Die Auszüge aus Giovanni Boccaccios *Das Dekameron* (S. 127, 136f., 139 und 141) werden mit freundlicher Genehmigung des Patmos Verlag GmbH & Co KG, Düsseldorf, zitiert. Die »Ode an die Gärtnerin« von Pablo Neruda (S. 40–43) drucken wir mit freundlicher Genehmigung des Luchterhand Literaturverlags, München.

Bildnachweis

Namenregister